AUGUST WILHELM SCHLEGEL

Sprache und Poetik

W. KOHLHAMMER VERLAG
STUTTGART

P
105
.S3
C.2

Alle Rechte vorbehalten
© 1962 W. Kohlhammer GmbH, Stuttgart
Umschlaggestaltung: Gerhard M. Hotop
Druck: W. Kohlhammer GmbH, Stuttgart 1962
87 001

Vorwort

August Wilhelm Schlegel (1767–1845), der ältere Bruder Friedrichs, ist heute vorwiegend nur noch als Übersetzer bekannt, aber auch hier weniger als Übersetzer Dantes, Petrarcas, Calderóns, sondern, und mit Recht, als der unvergleichliche Übersetzer der Werke Shakespeares. Die Vielseitigkeit und Gediegenheit seiner kritischen Schriften aber, die klare Ordnung ihrer Sprache, die Universalität des Geistes, die aus ihnen spricht, sind nahezu vergessen.

Die vorliegende, auf sechs Bände berechnete Ausgabe setzt sich zum Ziel, die wesentlichen kritischen Schriften dieses Kosmopoliten der Poesie und der Kunst dem deutschen Publikum wieder zugänglich zu machen. Dabei ist auch die Hoffnung vorhanden, daß durch die universale Betrachtungsweise, die das gesamte Werk August Wilhelm Schlegels prägt, durch die von der Hingabe an das Wort getragene und von bedeutenden theoretischen Überlegungen gestützte Methode ein Maßstab gesetzt werde, der sich auf den bedauerlichen Zustand der literarischen Kritik der Gegenwart günstig auswirken möge.

Eine kritisch-historische Textausgabe wird nicht geboten. Das große Unternehmen einer solchen vollständigen Ausgabe bleibt einem späteren Zeitpunkt vorbehalten, wenn die Mittel, die darauf verwendet werden können, größer und die überall zerstreuten und zum Teil noch unveröffentlichten Handschriften wieder zugänglich sind und nachgeprüft werden können.

Was die nicht nach chronologischen, sondern mehr nach „sachlichen" Gesichtspunkten unternommene Auswahl für den vorliegenden Band betrifft, so stützt sie sich ausschließlich auf die einzige und nur noch in wenigen Exemplaren vorhandene, zuverlässige Ausgabe von Eduard

311325

Böcking: *August Wilhelm Schlegels Sämtliche Werke,* 12 Bde. (Leipzig 1846–47). Leider ist auch sie unvollständig.

Die „Vorrede zu den kritischen Schriften", die 1828 in Berlin bei G. Reimer (XXII, 436 S.) erschien, ist dem Band VII der Böckingschen Ausgabe entnommen; die in der von G. A. Bürger herausgegebenen *Akademie der schönen Redekünste* (Berlin 1790–91) zuerst erschienene Rezension „Über die Künstler" ist auch aus Band VII (S. 3–23), während die ebenfalls bei Bürger zuerst veröffentlichte Abhandlung „Über Dante Alighieris Göttliche Komödie" sich in Band III findet. „Goethes Hermann und Dorothea" ist Band XI (S. 183–221) entnommen. „Etwas über William Shakespeare bei Gelegenheit Wilhelm Meisters" (1796) sowie „Über Shakespeares Romeo und Julia" (1797) erschienen zuerst in Schillers *Horen.* Der Essay „Etwas über William Shakespeare . . ." erhielt 1796 den auch hier abgedruckten Einschub „Über den dramatischen Dialog" und 1827 den ebenfalls übernommenen „Zusatz zum neuen Abdruck". Beide Abhandlungen wurden mit geringfügigen Änderungen von Schlegel in seine *Kritischen Schriften* (1828), von Böcking mit allen Varianten in Band VII (S. 24–70; 71–97) aufgenommen. Diesem siebten Band sind auch die restlichen Darstellungen des vorliegenden Bandes entnommen. Die „Briefe über Poesie, Silbenmaß und Sprache" (VII, S. 98–154) erschienen 1795 in Schillers *Horen.* Die „Betrachtungen über Metrik" (VII, S. 155–196) sind von Böcking aus dem Nachlaß A. W. Schlegels zum erstenmal veröffentlicht. Sie gehören in die zweite Hälfte der neunziger Jahre. „Der Wettstreit der Sprachen" (VII, S. 197–256) entstammt dem *Athenäum,* I, 1 (S. 3–69), also aus dem Jahre 1798, und das „Schreiben an den Herrn Buchhändler Reimer" (VII, S. 281–91), ebenfalls von Böcking erstmalig gedruckt, wurde von Schlegel im Dezember 1838 und Januar 1839 in Bonn abgefaßt.

Bei der Herausgabe dieses Bandes habe ich mich von allen Eigenmächtigkeiten freigehalten. Der Schlegelsche Text ist hier unverändert wiedergegeben; lediglich die Schreibweise, die Laute und die Interpunktion wurden, wenn auch nur auf das unbedingt Notwendige beschränkt, auf den heute üblichen Stand gebracht.

In den Anmerkungen sind die Fußnoten Schlegels und die des Herausgebers untergebracht. Letztere beschränken sich hauptsächlich auf Informationen über Namen und Dinge, die dem heutigen Leser vielleicht weniger bekannt sind, sowie auf die Übersetzung griechischer und lateinischer Zitate. Dem letzten Band dieser Ausgabe folgt ein für alle

Bände gültiges Namen- und Sachregister, außerdem ein Nachwort des Herausgebers, das die kritischen und literaturhistorischen Verdienste August Wilhelm Schlegels darstellt.

Der Bremer Staatsbibliothek, insbesondere Herrn Kurt Weingärtner, danke ich für die wertvolle Hilfe bei der Beschaffung des Materials, sowie Herrn W. Albrecht für altphilologische Hinweise.

New York University
   im Februar 1962   *Edgar Lohner*

Inhalt

Vorrede zu den Kritischen Schriften

1828

Der Kritiker, aus dessen Schriften man hier eine Auswahl gesammelt findet, stand in seinen jüngeren Jahren in üblem Ruf. Man schilderte ihn wie einen Wüterich, einen Herodes, der an einer Menge unschuldiger Bücher nichts Geringeres als einen bethlehemitischen Kindermord verübt habe. Nachdem dieses Geschrei in Deutschland schon ziemlich verschollen war, erhob es sich von neuem im Auslande, besonders in Frankreich, auf Veranlassung einer kleinen französischen Schrift über die *Phädra* des Racine und gewisser Vorlesungen über dramatische Kunst. Ein Pariser Journalist nannte den Kritiker den Domitian der französischen Literatur, welcher wünsche, sie möge nur ein Haupt haben, um es mit einem einzigen Streiche abzuschlagen. Der gelehrte Kunstrichter hatte den Domitian mit dem Caligula verwechselt, denn diesem wird ja bekanntlich jener grausame Wunsch zugeschrieben. Indessen traf er es vielleicht besser, als er selbst wußte. Die Lieblingsunterhaltung des Domitian, Fliegen zu spießen, möchte ein ganz passendes Bild für eine scharfe Kritik sein, welche an kurzlebige Erzeugnisse der literarischen Betriebsamkeit, die einen Augenblick im Sonnenschein des Modegeschmacks herumgaukeln, verschwendet wird.

Jetzt, nach so viel verflossenen Jahren, kann ich die Schriften dieses Kritikers wie die eines Fremden lesen; und ich darf wohl sagen: man hat, wie mich dünkt, dem Manne unrecht getan. Er hat sein lästiges Amt nicht nur redlich und gewissenhaft, sondern auch mit Mäßigung und Schonung verwaltet. Man würde finden, er habe oft bei weitem zu viel gelobt, wenn alle seine Beurteilungen aus verschiedenen literarischen Blättern hier wieder abgedruckt wären. Dies ist aber nicht geschehen, weil die Schriften, zu unbedeutend, um eine ernsthafte Würdigung zu verdienen, von der nächsten Welle des Zeitstromes verschlungen worden sind. Es ist eine törichte Gutmütigkeit gegen die Schriftsteller und das Publikum, Zeit und Kräfte an etwas zu setzen, das von selbst erfolgen muß. Wo es achtungswerte Namen galt, zeigt sich eine nicht geringe Sorgfalt, die Pille des Tadels zu vergolden. Es ist wahr: wenn eine gemeine, platte Denkart sich in die idealische Poesie breit und bequem hineinlagerte, wenn die Erschlaffung aller sittlichen Grundsätze sich mit edlen Gefühlen brüstete, so wandelte ihn wohl einmal der Unwille an; und wenn er sich nicht weiter zu helfen wußte, so nahm er seine Zuflucht zu einem lustigen Einfall oder einer Parodie. Dies hat man ihm am meisten verargt, und es war doch gerade das Unbedenklichste. Was Gehalt und Bestand in sich hat, mag der Scherz umspielen, wie er will: es verfängt nicht. Nur wenn der Spott auf den Grund der Wahrheit trifft, kann er der Sache, gegen die er gerichtet ist, den Garaus machen.

Im Ernst zu reden, ich besorge vielmehr, meine heutigen Leser möchten hier und da die nötige Würze vermissen, als daß ihnen die Speise versalzen und überwürzt dünken sollte. Die jüngeren Zeitgenossen, denen viele Aufsätze eben deswegen neu sein werden, weil sie vor einer schon beträchtlichen Anzahl von Jahren in Zeitschriften erschienen und, seitdem nicht wieder abgedruckt, aus dem Umlauf gekommen sind; die nur durch das Gerücht vernommen haben, daß damals die kritischen und satirischen Wagnisse eines Kreises von jungen Dichtern und Literatoren, zu welchem auch ich gehörte, in Deutschland großes Aufsehen erregt haben; daß von den Verteidigern des literarischen Herkommens der öffentliche Unwille gegen diese gefährlichen Neuerer aufgerufen worden; – die jüngeren Zeitgenossen, sage ich, werden vielleicht finden, diese Wirkung sei außer Verhältnis mit ihrer Ursache gewesen. Was meinen persönlichen Anteil an jenem gegebenen oder genommenen Ärgernisse betrifft, so würden sie einen hinreichenden Grund auch in den kritischen Aufsätzen, welche in diese Sammlung nicht aufgenommen sind, und in einigen parodischen Gedichten, wozu ich mich genannt, wohl vergeblich suchen. Der Geschmack und die Schätzung des Wertes mancher literarischen und künstlerischen Erzeugnisse hat sich seitdem stark verändert, und zwar in der damals angedeuteten Richtung; wobei ich weit entfernt bin, mir irgend etwas anderes zuzuschreiben, als ein früheres, unabhängig gefälltes Urteil und die Voraussicht, daß es diese Wendung nehmen werde. Durch den bloßen Wechsel und, wie ich behaupten möchte, den Fortschritt der Zeiten, bin ich, ohne

meinen Standpunkt zu verändern, aus einem als revolutionär ver-
schrieenen ein völlig konstitutioneller Kritiker geworden. Sogar in
Frankreich zeigen sich Symptome, daß die Sinnesart des Publikums
meinen Ansichten von dem bisher für klassisch geltenden tragischen
Theater, welche die nationale Eigenliebe anfangs so heftig empört
haben, sich wohl einigermaßen entgegen neigen möchte. Im allgemeinen gilt freilich dort noch das Virgilische:

> manet alta mente repostum
> ludicium Paridis, spretaeque iniuria formae[1].

Als einige mir gewogene Gelehrte in Paris mich wegen meiner indischen Arbeiten zum auswärtigen Mitgliede der dritten Klasse des Instituts vorgeschlagen hatten, soll ein Mitglied meine Schilderung des
französischen Theaters aus der Tasche gezogen und sich gegen die Verbindung mit einem des Verbrechens der beleidigten Nation schuldigen
Fremden nachdrücklich aufgelehnt haben. – Die Gunst des englischen
Publikums hatte ich von Anfang an durch meine Charakteristik Shakespeares gewonnen, wiewohl, was ich über Dryden, Pope und Addisons
Cato geäußert, einige Kunstrichter der alten Schule ziemlich verschnupft
haben mag. Ein Engländer von sehr gebildetem Geschmack, ein berühmter Parlamentsredner, sagte mir, ich sei in der Richtung der natio-
nalen Vorliebe zu weit gegangen, und er könne nicht umhin, mich für
einen Ultra-Shakespearisten zu erklären. – Die National-Eitelkeit der
Italiener ist beinahe noch reizbarer als die der Franzosen; die Alpen
sind für sie meistens die Grenze der literarischen Welt: wenn einmal
zufällig ein transalpinisches Urteil nach Italien gelangt, so erregt es
eben deswegen die Aufmerksamkeit um so stärker. Da nun das Theater
die schwache Seite der italienischen Literatur ist, so mußte ich dort lebhaften Widerspruch finden. Selbst mein Übersetzer Gherardini[2] hat
sich nicht enthalten können, an Gründen schwache, aber im Ton ziemlich unhöfliche Widerlegungen beizufügen. Ein Florentiner, Pagani-
Cesa[3], bestreitet in einer eigenen Schrift über das tragische Theater der
Italiener meine Lehren sozusagen auf allen Blättern. Einzelne sind
meiner Ansicht beigetreten: junge talentvolle Männer, was immer das
Wirksamste ist, auf ausübende Weise. Die Zeit dürfte wohl kommen,
wo meine Bildnisse von Metastasio[4] und Alfieri[5] in Italien nicht mehr
so unverzeihlich scheinen werden als jetzt.

Bei neuen Hervorbringungen von Schriftstellern, die zum ersten Male
auftreten, hat der Kritiker am wenigsten zu befürchten, daß die Leser

gegen ihn Partei nehmen werden. Da die öffentliche Meinung sich noch nicht festgesetzt hat, so betrachten sie ihn nur als einen vorläufigen Berichterstatter und behalten sich allenfalls die Revision des vorgeschlagenen Urteilspruches vor. Gleichwohl darf gerade hierbei Eifersucht und eigennützige Parteilichkeit am sichersten ihr Spiel treiben. Eine einseitige Schilderung kann durch künstlich ausgewählte Proben scheinbar bestätigt werden und dem noch unberühmten Talent auf eine Zeitlang Zutritt zur Mitwerbung um den öffentlichen Beifall versperren.

Das gewagteste Unternehmen der Kritik scheint der Widerspruch gegen eine durch lange Verjährung befestigte Meinung über Kunst- und Geisteswerke zu sein; denn hier hat der einzelne dem Anschein nach unzählbare Tausende von Stimmen gegen sich. Aber das längst Vergangene erregt selten lebhafte Leidenschaften. Wenn vollends das fragliche Werk sich zugleich aus einem entfernten Zeitalter und von einer fremden Nation herschreibt, so läßt man sich den Widerspruch wohl gefallen. Die Zeitgenossen sind für das gangbare Urteil nicht verantwortlich; sie haben es schon fertig überkommen, haben es auf Glauben gelten lassen und werden nun erst zu einer selbsttätigen Prüfung aufgefordert. Auch liegen ja in der Geschichte des Geschmacks die Beispiele des auffallendsten Wechsels zwischen Bewunderung und Herabsetzung zutage, in den bildenden Künsten und in der Musik noch mehr als in der Poesie. In jenen hat man so manches ehemals beinahe vergöttert, was uns jetzt nur flüchtig anzusehen oder anzuhören schon zur Qual gereicht. Auf der anderen Seite sind vermöge derselben Ausartung des Geschmacks die erhabensten Werke des menschlichen Geistes verkannt und vernachlässigt worden. Hat es nicht eine Zeit gegeben, wo Pietro da Cortona[6] für einen ganz andern Maler galt als Raphael; wo man jenem die schöpferische Kraft und Fülle zuschrieb, diesen kalt und steinern nannte; wo der hohe Sinn der Antike, die man nur als antiquarische Seltenheit schätzte, gegen die sinnlichen Bestechungen Berninis[7] für nichts geachtet ward? Und solche Urteile sind im Angesicht der Meisterwerke gefällt worden. Mit der schönen Literatur ist es etwas anderes: sie ist national und an den Entwicklungsgang einer Sprache gebunden. Man nimmt vorlieb, bis man etwas Besseres kennengelernt hat. In einem Lande, wo der Kaffee noch nicht bekannt geworden wäre, würde vielleicht ein Kaufmann Glück machen, der mit Zichorien handelte und sie für echten Mokka ausgäbe. Doch hat man auch Rückfälle und Ausartungen der Literatur und des Geschmacks darin erlebt, und zwar nicht bloß vom Großen und Einfachen zum

Überladenen, Üppigen und Verkünstelten, was sich am leichtesten begreift, sondern auch zum Flachen, Gemeinen und Geistlosen. Der Kunstrichter wäre übel daran, der die Zeiten nach der Reihe befragen wollte; er würde statt eines Orakels nur ein vervielfältigtes, verworrenes und mißlautendes Echo vernehmen. Er darf und soll sich allerdings an der Geschichte orientieren, seinen Sinn durch Vergleichungen schärfen, aber sein Urteil muß sein eigenes sein; das Urbild der Vollkommenheit muß seinem Geiste innewohnen: sonst fehlt ihm ein zuverlässiger Maßstab für die Arten und Grade der Annäherung.

Das Mißlichste von allem ist, eine scharfe Kritik gegen ältere Zeitgenossen zu richten, die schon seit geraumer Zeit im Besitz des Beifalls und des Ruhmes waren. Hier mischt sich in die Teilnahme des zuschauenden Publikums ein moralisches Gefühl, das an sich löblich ist, aber durch ein Mißverständnis auf literarische Vorfälle übertragen wird. Es ist, als ob ein angesehener Mann seiner Ämter und Würden entsetzt werden sollte, ohne förmlichen Rechtsgang, und ohne daß eine bis jetzt verheimlichte Schuld entdeckt worden wäre. Ich habe dergleichen Kritiken eigentlich niemals abgefaßt; aber man hat geglaubt, ich mache Miene dazu, und das hat mir schon Anfeindungen genug zugezogen. Ein nun längst vergessener Schriftsteller von ziemlich eilfertiger Feder bediente sich des liebreichen Ausdrucks: „ich strebe in meinem gemachten Mutwillen, die wohl erworbenen Lorbeeren von Wielands grauem Haupte zu reißen"; und indem er eine solche Beschuldigung anonym in der gelesensten Zeitschrift vorbrachte *(Jen. Allg. Litt. Zeitung*, 1799. Nr. 372. S. 475), wußte er sich noch viel mit seiner Moralität. Man wird in allen meinen kritischen Schriften kaum ein Dutzend Zeilen finden, welche Wieland betreffen. Was konnten diese gegen einen so weit verbreiteten und auf der Grundlage von fünfzig Bänden aufgebauten Ruhm ausrichten? Wenn die Lorbeeren seitdem heruntergefallen sind, so kam es vermutlich daher, daß sie welk und mürbe waren. Soviel ich weiß, ist noch keine gründliche Kritik der wielandischen Werke vorhanden, worin gezeigt würde, wie er das Idol des deutschen Publikums geworden und zwanzig bis dreißig Jahre geblieben, und was er für die Ausbildung der Sprache, des Versbaues, der Formen unserer Poesie wirklich geleistet habe. Es wäre wohl an der Zeit, von der allzugroßen Vernachlässigung dieses von manchen Seiten liebenswürdigen Schriftstellers abzumahnen.

Wiewohl das meiste in den folgenden Bänden enthaltene aufgehört hat, in Deutschland paradox zu sein, so schmeichle ich mir dennoch, daß es darum nicht trivial geworden ist. Die Aufgabe der literarischen und Kunstkritik ist ja nicht, wie es von der philologischen und historischen Kritik allerdings gilt, die scharfsinnige und gelehrte Führung eines schwierigen Erweises. Die Bemühung des Kritikers verliert dadurch nichts an ihrem Wert, daß das Urteil unverbildeter, unverwöhnter und vorurteilsfreier Leser des Gedichtes oder Betrachter des Kunstwerkes schon im voraus mit dem seinigen übereinstimmt. Man suchte nur einen Sprecher der gemeinsamen Empfindungen, weil die Mitteilung und Verständigung darüber den Genuß erhöht. Die Aufgabe ist, für den Gesamteindruck, der aus einem unendlich feinen Gewebe einzelner Eindrücke zusammengesetzt ist, den angemessensten Ausdruck zu finden; diese Wirkung des Kunstwerkes aus den Anlagen der menschlichen Natur, aus den Forderungen des äußeren Sinnes, der Einbildungskraft, des Geschmacks, des Verstandes und des sittlichen Gefühls, befriedigend zu erklären und überall von dem besonderen Fall auf allgemeine Wahrheiten und Grundgesetze zurückzuweisen. Man schätzt die Verbindung des philosophischen Geistes mit der praktischen Einsicht, wie dieses oder jenes anders und besser hätte gemacht werden können, oder warum das Ganze, so wie es ist, vollendet erscheint. Denn mit abstrakten und hohlen Theorien ist wiederum nichts ausgerichtet.

Unter allen Aufgaben der Kritik ist keine schwieriger, aber auch keine belohnender als eine treffende Charakteristik der großen Meisterwerke. Wie die schöpferische Wirksamkeit des Genius immer von einem gewissen Unbewußtsein begleitet ist, so fällt es auch der begeisterten Bewunderung schwer und, je echter sie ist, um so schwerer, zu besonnener Klarheit über sich selbst zu gelangen. Am besten wird es damit gelingen, wenn die Betrachtung nicht vereinzelt wird, sondern vielmehr den menschlichen Geist in dem Stufengange seiner Entwicklung bis zu dem Gipfel hinauf begleitet. Mit einem Wort, die Kunstkritik muß sich, um ihrem großen Zwecke Genüge zu leisten, mit der Geschichte, und, sofern sie sich auf Poesie und Literatur bezieht, auch mit der Philologie verbünden. Mein Versuch über die dramatische Kunst ist bisher der einzige in dieser Art geblieben. Jetzt wünschte ich, mehr dergleichen unternommen, meine Kräfte nicht am Einzelnen und zuweilen Unbedeutenden verwendet zu haben. Aber in den nicht vollen neun Jahren, vom Sommer 1795 bis zum Frühling 1804, wo ich mich ausschließend dem Schriftstellerberufe widmete, während welcher Zeit das meiste hier Gesammelte, dann meine Nachbildungen des Shakespeare, des Calderon und einzelner Stücke von italienischen und spanischen Dichtern zustande gekommen sind, hatte ich mit mancherlei Schwierigkeiten und Beschränkungen zu kämpfen, und die Anforderungen des Augenblicks ließen mir nicht freie Muße genug, um Gegenstände von großem Umfange zur Behandlung zu wählen und dazu die vorbereitenden Studien zu machen. Es war längst mein Vorhaben, eine Geschichte der bildenden Künste in ähnlicher Weise auszuführen, wie ich die Geschichte des Theaters entworfen; bei Betrachtung der europäischen Kunstschätze, wovon ich die meisten zu sehen Gelegenheit hatte, war dies mein beständiges Augenmerk; und einige kürzlich in Berlin vor einer kunstsinnigen Zuhörerschaft gehaltenen Vorlesungen über diesen Gegenstand gaben mir dazu eine neue Anregung.

Unter meinen früheren kritischen Aufsätzen habe ich eine Auswahl getroffen. Was in die beiden jetzt zugleich erscheinenden Bände und in den dritten, welcher demnächst folgen wird, nicht aufgenommen ist, soll nach meiner Absicht nicht von neuem durch den Druck verbreitet werden. Wenn ein Autor seine zerstreuten Schriften weder selbst gesammelt noch sonst darüber verfügt hat, so läßt es sich allenfalls mit der guten Meinung entschuldigen, daß nach seinen Lebzeiten, wie zu geschehen pflegt, alles zusammengerafft wird, was jemals seiner Feder entflossen. Nach der obigen Erklärung würde ein künftiger Herausgeber durch das gleiche Verfahren dem Publikum einen schlechten Dienst leisten und gegen mich ein wahres Unrecht begehen. Wie unvollkommen auch in Deutschland das Eigentum des Schriftstellers anerkannt, wie wenig es durch Gesetze gesichert ist, so wird man ihm doch das Recht nicht abstreiten, sein eigener Beurteiler zu sein, an seinen Hervorbringungen zu ändern, womöglich zu bessern, und was ihm nicht mehr gefällt, ihn nicht mehr befriedigt, ganz beiseite zu schieben. Vergeblich würde man hoffen, durch die Aufsuchung des hier Weggelassenen eine Ausbeute des Anstößigen zu gewinnen. Ich mag in diesem oder jenem Stücke meine Meinung geändert haben, manche meiner früheren Äußerungen jetzt einseitig und übertrieben finden; aber ich habe nie etwas drucken lassen, das ich verheimlichen müßte.

Die Anonymität halte ich übrigens für vollkommen rechtmäßig, wenn die anonymen Schriften sonst keine Mißbilligung verdienen. Ohne ein solches Mittel, seine persönliche Ruhe zu sichern, bliebe wohl manche nützliche, aber mißfällige Wahrheit ungesagt. Für mich machte ich nur selten und ausnahmsweise Gebrauch davon; bei rezensierenden Zeitschriften, z. B. der *Jenaischen Allgemeinen Literatur-Zeitung*, mußte ich mich der Regel des Instituts bequemen. Diese

Anonymität hob ich nachher selbst wieder auf. Ich hatte in den Jahren 1796–1799 starken Anteil an der Literatur Zeitung gehabt, das Fach der schönen Literatur dem größten Teile nach besorgt. Da ich sah, daß die Herausgeber, welche mir Dank schuldig waren, statt dessen Kabalen gegen mich und meine Freunde machten, so fand ich mich bewogen, mich öffentlich von der ferneren Teilnahme loszusagen. (*Jen. A. L. Z.* 1799. Intelligenz-Blatt, Nr. 145.) In einer weitläufigen und geschraubten Gegenerklärung gaben die Herausgeber zu verstehen, ich würde mich zu manchen meiner Rezensionen wohl nicht gern nennen wollen. Hierauf hatte ich keine andere Antwort, als die, das vollständige Verzeichnis in einem Anhange zum *Athenäum* drucken zu lassen. Ich bemerke hier, daß die dort aufgezählten Rezensionen zwar alle von mir durchgesehen und eingeliefert worden sind, daß ich aber Hilfe dabei gehabt habe[8]. Wie hätte ich allein einen solchen Wust schlechter Bücher bewältigen können? Erst später in den Jahren 1804–1807, als Goethe die Leitung der *Jen. Allg. Lit.-Zeitung* übernommen hatte, gab ich auf dessen Einladung wiederum einige Beiträge.

Der Zeitung für die elegante Welt habe ich in den Jahren 1802 und 1803 Theaterartikel und Beurteilungen ausgestellter Kunstwerke eingesandt, welche sich nur für die Unterhaltung des Tages eigneten.

In den *Heidelberger Jahrbüchern* habe ich meine Rezensionen immer unterzeichnet.

Das *Athenäum* unternahm ich mit meinem Bruder Friedrich von Schlegel. Wir erklärten im voraus, wir seien nicht bloß Herausgeber, sondern in der Regel auch Verfasser dieser Zeitschrift. Man wußte also, an wen man sich zu halten hätte. Wir unterzeichneten jeder mit dem Anfangsbuchstaben seines Vornamens; bei gemeinschaftlichen Arbeiten mit beiden. Dies geschah bei einer Anzahl aphoristischer Bemerkungen und Sätze, welche unter der Überschrift „Fragmente" dem ersten Bande des *Athenäums* eingerückt sind. Eben weil über diese Fragmente so laut Zeter gerufen worden, habe ich meinen Anteil daran vollständig ausgeschieden, sofern ich mich nach so langen Jahren noch auf mein Gedächtnis verlassen kann, hier als „Urteile, Gedanken und Einfälle über Literatur und Kunst" wieder abdrucken lassen. Die Leser werden vielleicht auf meine Beisteuer zu dem damaligen literarischen Ärgernis das Sprichwort anwendbar finden: Viel Geschrei und wenig Wolle! . . .

Ich gedenke dem Publikum einmal einen kurzen Bericht über den

Gang meiner Geistesbildung und über meine literarischen und gelehrten Arbeiten vorzulegen[9]. Dieser Bericht kann vielleicht durch meine genaue Bekanntschaft mit ausgezeichneten Zeitgenossen einigermaßen anziehend werden. Mein Lebenslauf ist in eine Periode höchst merkwürdiger Entwicklungen jeder Art gefallen, wo tausend Erfahrungen mir die Wahrheit einprägten, daß die Wirksamkeit des Einzelnen meistenteils von geringer Bedeutung ist. Niemand kennt besser als ich das große Mißverständnis zwischen meinen Bestrebungen und dem wenigen, was mir zu leisten vergönnt war.

Über die Künstler

Ein Gedicht von Schiller

1790

Das Gedicht, das wir näher betrachten wollen, trägt einen ehrwürdigen Namen, und lockt schon durch seinen Gegenstand den Freund des Schönen herbei. Was ist geschickter, die Kunst zu verherrlichen als sie selbst? Von einem echten Dichter darf man erwarten, er werde mit einnehmender Wärme, mit der stillen Würde des Bewußtseins reden über den Wert seiner eigenen und der übrigen Künste.

Der Ursprung und das Wachstum der schönen Künste; die feineren Vergnügungen, durch die sie den Menschen seiner ersten Wildheit entrissen; der Unterricht, den sie der kindischen Urwelt in bildlichen Darstellungen gaben; ihr mildernder und verschönernder Einfluß auf das ganze Leben; endlich ihre Wiederauflebung in neueren Zeiten, und die Aussicht auf eine höhere Vollendung des Menschengeschlechts durch die letzte Vervollkommnung derselben: dies ist der Stoff, den der Dichter – nicht etwa in einer Hymne des Lobes nur im Fluge berührt, nicht etwa mit didaktischer Umständlichkeit erschöpft – sondern in eine lehrende, aber mit und durch Begeisterung lehrende Rhapsodie zusammengefaßt hat.

Die Klassennamen, unter welche man Gedichte zu ordnen pflegt, drücken so wenig von dem individuellen Wesen derselben aus, daß es nicht der Mühe verlohnt zu zanken, welcher von ihnen einem Gedichte zukomme. Indessen möchte ich doch „die Künstler" nicht gern schlechthin ein didaktisches Gedicht nennen, weil es sich von den gewöhnlichen Werken dieser Art in etwas, wo ich nicht irre zu seinem Vorteile, unterscheidet. Man erlaube mir, um dies ins Licht zu setzen, einige allgemeine Betrachtungen.

Der Grund, weswegen Lehrgedichte, die besten kaum ausgenommen, so wenig gelesen werden, weswegen selbst die meisten Kunstrichter ihnen nur einen niedrigen Rang unter den Dichtungsarten einräumen, ist bekanntlich der, daß der Stoff derselben der Prosa angehört und einzig durch den Vortrag poetische Gestalt gewinnen kann. Wenige Leser sind aber für die Schönheit des Vortrags empfänglich genug, um dadurch den Abgang an Bestimmtheit und Vollständigkeit des Unterrichts hinlänglich vergütet zu glauben.

Einen großen Vorzug haben schon die Lehrgedichte, welche wichtige, weit umfassende Lehren enthalten. Ein Gedicht über die Grammatik oder über die Bearbeitung der Wolle mag Schulpräzeptoren und Tuchfabrikanten interessieren; philosophische Wahrheiten sind der ganzen Menschheit wert. Zugleich entspringt aus der Größe des Gegenstandes der Vorteil, daß die Poesie des Stils nicht bloß gesuchter Zierat scheint; denn es ist natürlich, daß ein Mann Wahrheiten, die seinem Herzen nahe sind, mit Feuer, Nachdruck und Hoheit ausführe.

Ich glaube jedoch, es gebe noch eine höhere Stufe der lehrenden Poesie. Wahrheit, wenn sie sehr wohltätig ist, oder uns den Adel unserer Natur kennenlehrt, erzeugt Begeisterung; aber die Alten glaubten, Begeisterung finde auch Wahrheit. Wie, wenn der Dichter nun seine Lehre nicht mit jener zweiten, nur abgeleiteten Begeisterung mitteilte, sondern mit dieser ursprünglichen, die der Erkenntnis voraneilt? – Ich will mich deutlicher zu machen suchen.

Nicht alles ist Chimäre, wovon sich nicht in deutlichen Begriffen Rechenschaft ablegen läßt; verworrene Gefühle und Ahnungen sind für uns wahr und wirklich. Und wer ist wohl, der ihre Allmacht nicht aus eigener Erfahrung kennt? Wenn nun dieses innere Regen und Streben uns Verhältnisse zwischen den Dingen entdeckt, ohne daß wir die Reihe der Mittelideen mehr als dunkel wahrnehmen, so ahnen wir die Wahrheit, so lange, bis hellere Erkenntnis die Ahnung widerlegt, oder sie in Überzeugung verwandelt. Vieles aber kann nie von uns zu ganz deutlicher Erkenntnis gebracht werden; wir müssen uns begnügen, es als Gefühl zu besitzen. Die gewöhnliche Menschensprache versagt uns sogar die Mittel, es mitzuteilen, und so bleibt es in unserem Busen gefangen.

Wenn nun ein Dichter solchem Wahrheitsgefühl Stimme gibt, wenn er sich der schwebenden Erscheinungen geistiger Anschauung bemächtigt, und ihnen durch Bilder und Töne bestimmteren, festeren Umriß und Selbständigkeit verleiht, sollte er nicht stärker auf uns wirken, tiefer in unser Inneres greifen, als wenn er bloß aus dem allgemeinen

Schatze des menschlichen Wissens Wahrheiten aushebt, und diese in poetische Sprache kleidet, die er wiederum aus dem allgemeinen Schatze der Dichtkunst genommen hat? Mich deucht, dasjenige Gedicht, in welches die Individualität des Dichters am meisten verwebt ist, sei, wenn das Übrige gleich ist, immer das bessere.

Aber wird er alsdann nicht vielmehr schwärmerische Einbildung lehren als Wahrheit? – Wie man's nehmen will. Freilich keine Wahrheit, die noch im dürren Buchstaben syllogistischer Formen bestünde, aber Wahrheit für die, welche ihn fassen, weil ihr Geist übereinstimmend mit dem seinigen denkt und fühlt. In jedem Kopfe spiegelt die Welt sich anders. Dem schöpferischen Genie bildet die Natur alles in großen idealischen Zügen vor. Seine Wahrheit (wenn es nicht etwa seinem natürlichen Hange Gewalt antut, um auch kalt und abstrakt zu spekulieren) ist von der des kältesten Denkers am weitesten verschieden.

Man sieht, daß auf diese Weise das lehrende Gedicht selbst im Stoff poetisch werden könne, und daß dann die dichterische Behandlung nicht mehr willkürliche Auszierung sei, sondern notwendiges Werkzeug der Ideen-Mitteilung.

Bestimmtere Anwendungen werden das bisher Gesagte vielleicht noch besser entwickeln. – Wie oft gehen vortreffliche Köpfe, eben weil ihr starkes Wahrheitsgefühl sie hinreißt, weil sie ihre Gedanken nicht zergliedern und skelettieren mögen, sondern immer die volle lebendige Gestalt geben, bei ihren Untersuchungen über die Grenze der Prosa hinaus; nicht in der Diktion (denn das ist oft ein Fehler gemeiner Köpfe), sondern in der Gedankenbildung und Folge, in der ganzen Betrachtungsart der Dinge. Wie viele Stellen dieser Art könnte ich aus einigen unserer besten Schriftsteller anführen! – Der Systemliebhaber findet freilich dabei seine Rechnung nicht; aber sein Tadel würde nicht gelten, wenn diese Schriftsteller das, was der Poesie dem Wesen nach angehörte, auch durch die Behandlung ihr zugeeignet hätten.

Fast kein Stoff zu didaktischen Gedichten ist unversucht geblieben. Und doch, wie unerschöpflich reich, wie neu könnte die lehrende Poesie immer noch sein, nähme sie mehr diese Richtung! Man hat vortreffliche Gedichte über die Dichtkunst, in denen mit Scharfsinn, mit Eleganz, mit Witz das Beste darüber gesagt ist, was sich in Prosa auch sagen läßt. Allein wie weit höher könnte ein Dichter sich schwingen, der sein eigenes Genie gleichsam in der Werkstätte seiner Schöpfungen belauschte; nicht bloß über Begeisterung philosophierte, sondern seine Leser sie ahnen ließe; der vom Schönen und Erhabenen, wie es in seinem Gefühle lebt, anschauliche Ideen gäbe. Man hat gute Gedichte über die bildenden Künste. Aber man lese gegen Watelet[1] und andere Winckelmann über den vatikanischen Apoll oder Lavater in einigen Stellen der Physiognomik. Wie weit poetischer! Das heißt nicht: weniger wahr und gründlich, sondern fähiger in das Innere teilnehmender Seelen zu dringen, weil der, welcher schrieb, bei vieler Regsamkeit der Seele, den Ausdruck so tief als möglich aus seinem Innern zu schöpfen suchte. Welch ein Stoff zu einem Gedichte wäre z. B. das Idealschöne in der Kunst! Selbst der strenge, prüfende Mengs[2] wird darüber beinahe zum Poeten.«

Nun wieder zu den „Künstlern". Schiller hat seinen Gegenstand nicht so geschildert, wie er ihn etwa aus historischen Factis und philosophischen Räsonnements kennen konnte, sondern er hat ihn nach seiner Weise idealisiert; er hat das Bild dargestellt, das ein Geist wie der seinige nach dem Genusse, den ihm die schönen Künste gaben, nach dem Einflusse, den sie auf sein Leben hatten, von dem Ursprunge und Fortgange derselben und ihren Wirkungen auf das gesamte Menschengeschlecht sich machen mußte. Es wäre also ein völlig schiefer Gesichtspunkt, wenn man bei jeder Zeile des Gedichts fragen wollte: ist das auch wirklich so geschehen? Läßt sich das auch durch trockene Argumente dartun? – Die einzelnen Züge sollen dem Ganzen dienen, und sie sind gut, wenn sie zu seiner Einheit und Bestandheit gehören. Das Ganze aber ist nicht willkürlich erfunden; denn es ist das Resultat von den Objekten und der Eigentümlichkeit des erkennenden Geistes; und das sind ja alle unsere Vorstellungen.

Auf der anderen Seite ist es dem Dichter damit nicht erlaubt, mystisch und dunkel zu werden, sondern seine Ideen müssen anschauliche Klarheit und anschaulichen Zusammenhang haben. Beides scheint mir Schillers Gedicht, einige Stellen ausgenommen, zu besitzen. Dies Verdienst ist um desto größer, da er nicht an der äußeren Schale seines Gegenstandes kleben geblieben, sondern in das Innere gedrungen ist, und zwar tiefer als mancher sich brüstende Philosoph. Denn es bedarf wohl keines Beweises, daß anschauliche Darstellung um so schwerer sei, je geistiger das ist, was dem Dichter vorschwebt.

> Es ist Geist, so rasch beflügelt –
> Welche Macht kann ihn bezähmen!

Welche Macht durch Ton und Wort
Fesseln und gefangennehmen!
Leicht, wie Äther, schlüpft er fort. –

Indessen ist gerade der Punkt, wo die Poesie eines so verfeinerten
Zeitalters wie das unsrige durch eigentümliche Vorzüge glänzen kann.
Je zarter und feiner die innere Organisation des Menschen durch be-
ständige Ausbildung, je durchsichtiger und leichter die Atmosphäre
der Sinnlichkeit wird, die ihn von der Geisterwelt scheidet, um so
mehr verliert die Sprache an Energie in der Darstellung sinnlicher
Gegenstände; doch in eben dem Grade erweitert sich der poetische
Horizont auf der anderen Seite. Was sonst nur den betrachtenden
Verstand beschäftigen konnte, nimmt nun eine sinnlich-fühlbare, wenngleich ätherische Bildung an.

Nun zu einzelnen Stellen. Der Dichter erhebt zuvörderst die Vorzüge des jetzigen Menschengeschlechts. Er ermahnt es, die Wohltäterin
nicht zu vergessen, die ihn zu dieser Höhe hinaufgeführt. Noch hat
er sie nicht genannt, um die Erwartung desto stärker zu spannen und
den größten Nachdruck auf den Schluß dieser ankündigenden Lobrede
zu versparen:

Im Fleiß kann dich die Biene meistern,
In der Geschicklichkeit ein Wurm dein Lehrer sein,
Dein Wissen teilest du mit vorgezognen Geistern;
Die Kunst, o Mensch, hast du allein![3]

Die dritte Zeile könnte beim ersten Anblick schwächer scheinen als
die vorhergehende; „dein Wissen ist nichts gegen das Wissen vorge-
zogner Geister", dächte man, müßte es heißen. Aber der Gegensatz
mit der letzten Zeile erlaubte dies nicht. Und doch ist der Gedanke,
den diese enthält, gerade der wichtigste, gerade der, um welchen sich
das Gedicht dreht. Die Kunst – ich brauche wohl nicht näher zu
bestimmen, in welchem Sinne der Ausdruck hier beständig vorkommt –
ist das eigentümlichste Vorrecht der Menschennatur, weil bei der
Hervorbringung und dem Genuß schöner Kunstwerke alle Kräfte
derselben in dem schönsten Verhältnisse geübt werden, und weil
daher auch die Bildung, die sie gewähren, echt menschlich ist.

Nur durch das Morgentor des Schönen
Drangst du in der Erkenntnis Land.

An höh'ren Glanz sich zu gewöhnen [4],
Übt sich am Reize der Verstand.
Was bei dem Saitenklang der Musen
Mit süßem Beben dich durchdrang,
Erzog die Kraft in deinem Busen,
Die sich dereinst zum Weltgeist schwang.

In den ersten beiden Zeilen wird man eine kleine Verwirrung gewahr, die sich nicht ganz auflösen läßt. Was heißt ein „Morgentor"? Ist es ein Tor, wodurch man von Osten her, oder wodurch man am Morgen eingeht? Und warum eines von beiden hier? Wo ich nicht irre, soll es sagen, daß der Sinn für das Schöne im Menschen der Morgenröte gleicht, und eine zukünftige Mittagshelle der Erkenntnis verheißt. Aber diese Anspielung ist zu entfernt und dunkel. Die letzten vier Verse:

Was bei dem Saitenklang der Musen usw.

schwingen sich mit bezaubernder Leichtigkeit dem Gange des heiteren Gedankens nach.

Was erst, nachdem Jahrtausende verflossen,
Die alternde Vernunft erfand,
Lag im Symbol des Schönen und des Großen
Voraus geoffenbart dem kindischen Verstand.

Die dritte Zeile wird nicht sogleich deutlich; wenigstens ist es durch die Konstruktion zweifelhaft gelassen, ob das Schöne und Große (Erhabene) noch ein anderes Symbol haben oder selbst Symbol dessen sein soll, „was die alternde Vernunft erfand", da dann freilich der Zusammenhang für das letzte entscheidet. Und so genommen ist es ein schöner, herrlicher Gedanke. Die Zeichensprache der Natur, gleichsam ihre ewige Offenbarung an den sinnlichen Menschen, ist das Schöne und Erhabene. Der Instinkt für dasselbe leitete ihn, und oft sicherer, auf die rechten Wege, als die weit später entwickelte Vernunft. Dies wird in einigen Beispielen gezeigt, die weit übergehen.

Die, eine Glorie von Orionen
Ums Angesicht, in höh'rer Majestät,
Nur angeschaut von reineren Dämonen,
Verzehrend über Sternen geht,

Geflohn auf ihrem Sonnenthrone,
Die furchtbar herrliche Urania,
Mit abgelegter Feuerkrone
Steht sie – als Schönheit vor ihm da.
Der Schönheit Gürtel umgewunden,
Wird sie zum Kind, daß Kinder sie verstehn,
Was wir als Schönheit hier empfunden,
Wird einst als Wahrheit uns entgegengehn [5].

Der Name Urania kann sowohl die himmlische Liebe als die himmlische Wahrheit und Vollkommenheit bezeichnen. Alle diese Begriffe sind nahe verwandt. Reine Geisterliebe wird erzeugt durch unsinnliche Vollkommenheit; und diese ist Wahrheit, insofern Geister sie erkennen. Die hier gegebene Schilderung entscheidet auch nicht näher, in welcher unter den drei Bedeutungen Urania genommen werden soll; nur von der ersten scheint das Beiwort „die furchtbar herrliche" wegzulenken. Aber größere Bestimmtheit ist auch hier nicht nötig. In dieser überirdischen Höhe können wir unsere Begriffe nicht mehr scheiden und definieren; sie fließen in eine große Einheit zusammen. Immer bleibt die Deutung klar, die Schönheit sei ein himmlisches Wesen, das sich eines ätherischen Glanzes freiwillig entkleide, um uns himmlische Dinge zu lehren.

Noch etwas über die Schilderung. Die reiche Periode, in welcher besonders die erste Zeile mit ihren vollen Vokalen so prächtig hereintönt, tut viele Wirkung. Die meisten Züge, „die Glorie von Orionen, der Sonnenthron, die Feuerkrone", drehen sich um die Idee eines allblendenden Glanzes. Die gehäufte Fülle dieser Züge wäre anderswo ein Fehler, hier ist sie analog mit dem geschilderten Gegenstande; durch sie wird das Bild selbst blendend. – „Der Schönheit Gürtel umgewunden" ist eine für unsre Sprache zu harte Partizipialkonstruktion.

Als der Erschaffende von seinem Angesichte
Den Menschen in die Sinnlichkeit verwies,
Und seine späte Wiederkehr zum Lichte
Auf schweren Sinnenpfad ihn finden hieß,
Als alle Himmlischen ihr Antlitz von ihm wandten,
Schloß sie, die Menschliche, allein
Mit dem verlassenen Verbannten
Großmütig in die Sterblichkeit sich ein.

> Hier schwebt sie mit gesenktem Fluge[6]
> Um ihren Liebling, nah am Sinnenland,
> Und malt mit lieblichem Betruge
> Elysium auf seine Kerkerwand.

Schöner, platonischer Mythus! Genuß der Schönheit ist das einzige Überbleibsel von dem besseren Zustande der abtrünnig gewordenen und daher gefallenen Menschheit. Er ist das einzige Pfand der nicht ganz verlorenen Huld des Schöpfers, und soll uns wieder in die ursprüngliche Heimat hinaufleiten. Von allen Erdgeschöpfen hat nur der Mensch Sinn für Schönheit, und auch nur der Mensch eine höhere Bestimmung.

> Als in den weichen Armen dieser Amme
> Die zarte Menschheit noch geruht,
> Da schürte heilge Mordsucht keine Flamme,
> Da rauchte kein unschuldig Blut.

Der Dichter scheint hierbei die Griechen und vorzüglich die Religion derselben vor Augen gehabt zu haben; diese Religion, die, indem sie mit dem Volke aufwuchs und es wieder groß ziehen half, sich allmählich zu einem Gottesdienste der Schönheit erhob. Sie befahl nicht, sie verfolgte nicht, lehrte und schmückte nur, sie führte die Menschen am leichten Gängelbande der Freude. Die folgenden Zeilen reden mehr im allgemeinen vom Einfluß des Schönheitsgefühls auf das sittliche:

> Das Herz, das sie an sanften Banden lenket,
> Verschmäht der Pflichten knechtisches Geleit;
> Ihr Lichtpfad, schöner nur geschlungen, senket
> Sich in die Sonnenbahn der Sittlichkeit.
> Die ihrem keuschen Dienste leben,
> Versucht kein niedrer Trieb, bleicht kein Geschick;
> Wie unter heilige Gewalt gegeben,
> Empfangen sie das reine Geisterleben,
> Der Freiheit süßes Recht, zurück.

Der Dichter scheint nur schlicht zu erzählen, und doch beweist er — aber freilich als Dichter. Sein Beweis besteht in einem Gleichnis, in einem hingeworfenen Ausdruck. Indem er z. B. den Dienst der Schönheit mit anschaulicher Wahrheit einen „keuschen" Dienst nennt, ist

dadurch das folgende „kein niedrer Trieb versucht sie" schon dichtere-
risch dargetan. Nur das daneben stehende „kein Geschick bleicht sie"
scheint mir zu abgerissen. Freilich macht ein verfeinertes Gefühl den
Menschen vom Geschick unabhängiger durch die Hilfsquellen, die es
in seinem Innern eröffnet. Es macht ihn eben dadurch auch unfähiger,
sich durch leidenschaftliches Streben nach äußeren Glücksgaben vom
Wege der Sittlichkeit abführen zu lassen. Zusammenhang ist also
wohl da, nur muß man ihn zu mühsam suchen. Hier folgt eine Anrede
an die Künstler als die auserwählten Priester der Schönheit, die so
schließt:

> Freut euch der ehrenvollen Stufe,
> Worauf die hohe Ordnung euch gestellt!
> In die erhabne Geisterwelt
> Seid ihr der Menschheit erste Stufe[7].

In der schnellen Wiederholung des Wortes „Stufe" in verschiedener
Verbindung, da die Künstler das erste Mal auf eine Stufe gestellt,
das andere Mal die Stufe selbst sind, ist die nötige Einheit zu sehr
verfehlt.

> Eh ihr das Gleichmaß in die Welt gebracht,
> Dem alle Wesen freudig dienen –
> Ein unermeßner Bau, im schwarzen Flor der Nacht
> Nächst um ihn her mit mattem Strahle nur beschienen,
> Ein streitendes Gestaltenheer,
> Die seinen Sinn in Sklavenbanden hielten,
> Und ungesellig, rauh wie er,
> Mit tausend Kräften auf ihn zielten,
> So stand die Schöpfung vor dem Wilden.

Der Dichter mußte nach seinem Zweck, den ganzen Wert der Künste
zu zeigen, tierische, nackte, angstvolle Wildheit, nicht, nach der poetischen Vorstellungsart, ein Zeitalter seliger Unschuld für den ursprünglichen Zustand der Menschen annehmen. Jenes goldene Zeitalter seliger Unschuld mochte wohl hier und da gefunden werden,
aber es war sicher nirgends der ursprüngliche Zustand. Er setzt Entwicklung mannigfaltiger Kräfte voraus, die sonst nur durch die
Künste im Menschen geweckt werden, die aber unter glücklichen Kli-
maten, bei zarterer Organisation vor der Erfindung derselben sich
regten. Denn da dichtete gleichsam die Natur selbst durch ihren
heiteren Anblick dem Menschen ein mildes geselliges Leben vor.

Durch der Begierde [blinde] Fessel nur
An die Erscheinungen gebunden,
Entfloh ihm, ungenossen, unempfunden,
Die schöne Seele der Natur.

Und wie sie fliehend jetzt vorüber fuhr,
Ergriffet ihr die nachbarlichen Schatten
Mit zartem Sinn, mit stiller Hand,
Und lerntet mit harmonschem Band
Gesellig sie zusammen gatten.

„Die Schatten der Seele der Natur" werfen auf diese sonst schöne Stelle einen Schatten der Undeutlichkeit. Wenn ich den Gedanken des Dichters anders recht fasse, so würden „Strahlen" oder andere zarte Ausflüsse ihn besser bezeichnet haben. Das Folgende ist um desto lichtvoller:

Leichtschwebend fühlte sich der Blick
Vom schlanken Wuchs der Zeder aufgezogen;
Gefällig strahlte der Kristall der Wogen
Die hüpfende Gestalt zurück.
Wie konntet ihr des schönen Winks verfehlen,
Womit euch die Natur hilfreich entgegen kam?
Die Kunst, den Schatten ihr nachahmend abzustehlen,
Wies euch das Bild, das auf der Woge schwamm.
Von ihrem Wesen abgeschieden,
Ihr eignes liebliches Phantom,
Warf sie sich in den Silberstrom,
Sich ihrem Räuber anzubieten.

Kann der schlichte Gedanke, der Mensch sei durch den Widerschein der Gegenstände, den eine glatte Fläche zurückwirft, auf die Erfindung geleitet, Körper auf einer Fläche abzubilden, kann er wohl in ein reizenderes Bild gekleidet werden? Die Natur ist hier eine mutwillige Nymphe, die sich halb freiwillig vom Künstler im Bade überraschen läßt. – Die beiden Zeilen

Von ihrem Wesen abgeschieden,
Ihr eignes liebliches Phantom,

sind sehr sinnreich; vielleicht würden sie allzu sinnreich scheinen, wenn ihre gefällige Anmut sie nicht vor so strenger Prüfung schützte. Das einzige, was bei mir den Eindruck des Ganzen stört, sind die unechten Reime „kam, schwamm, geschieden, bieten".

Warum wohl der Dichter beim Ursprung der Künste die zeichnenden vorangehen läßt, da doch gewiß Poesie und Musik überall früher, man kann sagen, da sie mit dem Menschengeschlecht zugleich entstanden, weil der Mensch nicht nur die Anlage dazu, sondern auch das Organ ihrer Darstellungen in sich trug? Nach meinen oben geäußerten Ideen von poetischer Weisheit kann man ihm keinen Vorwurf darüber machen, wenn er nur den Übergang von der ersten Wildheit zu diesen Künsten anschaulich gezeigt hat. Und dies ist ihm in den Zeilen „Und wie sie fliehend jetzt vorüber fuhr" usw. bis auf die darin befindliche Dunkelheit wirklich gelungen.

> Die schöne Bildkraft ward in eurem Busen wach.
> Zu edel schon, nicht müßig zu empfangen,
> Schuft ihr im Sand, im Ton, den holden Schatten nach,
> Im Umriß wird sein Dasein aufgefangen[8],
> Lebendig regte sich des Wirkens süße Lust –
> Die erste Schöpfung trat aus eurer Brust.

Ich wünschte die dritte Zeile weg. Sie gehört nicht in die Gedankenfolge; denn jener Wink der Natur, von dem eben die Rede war, kann durchaus die Erfindung der plastischen Künste, die allerdings wohl älter war als die der Malerei, nicht erklären helfen; sie enthält aber auch selbst eine Unrichtigkeit: im Sande und Tone wird kein „Schatten" nachgeschaffen. Ich brauche nicht zu erinnern, daß die übrigen, besonders der zweite Vers, vortrefflich sind.

Noch ein paar andere Verse muß ich wegen einer eben solchen Unterbrechung des Zusammenhanges zu tadeln wagen. Der nächste Absatz schildert das Wachstum der bildenden Künste und schließt so:

> Der Obeliske stieg, die Pyramide,
> Die Herme stand, die Säule sprang empor,
> Des Waldes Melodie floß aus dem Haberrohr,
> Und Siegestaten lebten in dem Liede.

In den beiden Schlußzeilen wird man ganz unvermutet zur Musik und Poesie hinverschlagen, deren im vorhergehenden noch mit keiner

Silbe Erwähnung geschehen ist. Man wünschte lieber gar nichts von ihrem Ursprunge zu hören, als hier, wo sie einem so plötzlich in den Weg treten. Doch halte ich diesen Ursprung einer näheren psychologischen Entwicklung ebenso wert als einer poetischen Behandlung fähig. Es ist schade, daß sich der Dichter diesen Stoff hat entgehen lassen. –

Mit dem Fortgang der Künste erweitert sich auch der Umfang ihrer Schöpfungen. Was vorhin ein Ganzes ausmachte, schmiegt sich jetzt als Teil unter die Mannigfaltigkeit eines größeren Ganzen. Dieser in den zunächst folgenden Versen entwickelte Gedanke wird durch Beispiele erläutert:

> Die Säule muß, dem Gleichmaß untertan,
> An ihre Schwestern nachbarlich sich schließen,
> Der Held im Heldenheer zerfließen,

Bis soweit sehr gut, obgleich der zweite Fall mit dem ersten nicht völlig übereinstimmt, indem das größere epische Gedicht doch immer einen Haupthelden hat. Allein der Schluß

> Des Mäoniden Harfe stimmt voran

ist abgerissen und befremdend. Man erwartet noch ein ähnliches Beispiel, etwa aus einer anderen Kunst, und statt dessen kommt ein spezieller historischer Umstand, der sich bloß an das letzte Beispiel anhängt. Homer war der erste, der das Heldengedicht so vergrößerte. Überdies scheint mir das „stimmt voran" grammatisch nicht ganz richtig zu sein. Sollte „stimmen" intransitiv gebraucht werden können, wie „tönen" und ähnliche Wörter?

Nun geht der Dichter zu den Wirkungen über, die der erste geistige Genuß auf den ganzen inneren und äußeren Menschen hatte, und hier zeigt er sich in voller Größe:

> Jetzt wand sich von dem Sinnenschlafe
> Die freie schöne Seele los,
> Durch euch entfesselt, sprang der Sklave
> Der Sorge in der Freude Schoß.
> Jetzt fiel der Tierheit dumpfe Schranke,
> Und Menschheit trat auf die entwölkte Stirn,
> Und der erhabne Fremdling, der Gedanke,
> Sprang aus dem staunenden Gehirn.

Besonders verraten die beiden letzten Verse den Meister, der mit kühnem und sicherem Gange die Grenze des Erlaubten betritt, und uns Erstaunen darüber abnötigt, daß seine Idee in einer so auffallenden, so überraschenden Gestalt noch natürlich erscheint. Die Personifikation des Gedankens erhält zugleich einen noch höheren Reiz durch die Anspielung auf Minervens Geburt aus dem Haupte Jupiters. Mit dieser Anspielung erwachen in uns alle an diesen Mythus geknüpften Künstler- und Dichterideen und teilen jenem Bilde ihre göttliche Würde mit.

> Jetzt stand der Mensch, und wies den Sternen
> Sein königliches Angesicht,
> Schon dankte in erhabnen Fernen
> Sein sprechend Aug dem Sonnenlicht.

Die Versetzung der Worte „in erhabnen Fernen", die hinter dem Sonnenlicht stehen sollten, ist in unserer Sprache schwerlich zu verstattende Lizenz. Die folgende Schilderung ist eben so wahr als reizend:

> Das Lächeln blühte auf der Wange,
> Der Stimme seelenvolles Spiel
> Entfaltete sich zum Gesange,
> Im feuchten Auge schwamm Gefühl,
> Und Scherz und Huld im anmutsvollen Bunde[9]
> Entquollen dem beseelten Munde.

Man kann diesen Einfluß des geistigen Genusses in die Physiognomie des Äußeren, die hier auf die ganze Gattung ausgedehnt wird, oft sehr deutlich an einzelnen Individuen wahrnehmen; aber freilich trifft man weit häufiger die entgegengesetzten Züge, womit die Hand der Natur die böotischen Verächter des Schönen wie zur Strafe zeichnet. –

> Begraben in des Wurmes Triebe,
> Umschlungen von des Sinnes Lust,
> Erkanntet ihr in seiner Brust
> Den edlen Keim der Geisterliebe.
> Daß von des Sinnes niederm Triebe
> Der Liebe beßrer Keim sich schied,
> Dankt er dem ersten Hirtenlied.
> Geadelt zur Gedankenwürde

Floß die verschämtere Begierde
Melodisch aus des Sängers Mund.
Sanft glühten die betauten Wangen,
Das überlebende Verlangen
Verkündigte der Seelen Bund.

Die ersten sechs Zeilen sind durch unnötige Wiederholungen gedehnt. Der erste und zweite Vers sagen dasselbige, und dann kommt noch einmal „des Sinnes niedrer Trieb" und wiederum „der Keim der Geisterliebe" und „der Liebe beßrer Keim". Das, was folgt, ist dagegen bezaubernd durch Gedanken und Ausdruck. Es liegt tiefer Sinn darin, und doch, so täuschend ist die leichte Grazie des Vortrags, könnte man fast glauben, der Dichter spiele nur mit Bildern. Dieser sich versteckende Tiefsinn, der dem Leser allen Genuß des Denkens gibt, ohne ihn die Anstrengung dabei ahnen zu lassen, ist überhaupt ein Charakter der Schillerschen Werke. – Bei dem Ausdruck „Hirtenlied" darf man nicht an unsere Idylle denken; hier werden darunter Lieder wirklicher Hirten verstanden. Im Wohlstande des Nomadenlebens war es, wo zuerst ein zarteres Band als das rohe Bedürfnis die beiden Geschlechter verknüpfte. Liebe gab das erste Hirtenlied ein, und Poesie half wiederum dieser Leidenschaft auf den Weg der Veredlung, insofern sie durch ihre Akkorde die einfachen Urtöne der Sympathie, wenn ich so sagen darf, im Menschen hervorrief, und sie in eine unendliche Mannigfaltigkeit von Melodien der Empfindung auflöste; insofern durch sie schöne Seelen ihren Enthusiasmus, ihre zauberischen Liebesphantasien auch minder empfänglichen Gemütern mitteilten. –

Der Weisen Weisestes, der Milden Milde,
Der Starken Kraft, der Edlen Grazie,
Vermählet ihr in einem Bilde,
Und stellet es in eine Glorie.
Der Mensch erbebte vor dem Unbekannten,
Er liebte seinen Widerschein;
Und herrliche Heroen brannten,
Dem großen Wesen gleich zu sein.
Den ersten Klang vom Urbild alles Schönen,
Ihr ließet ihn in der Natur ertönen!

Ich beziehe mich bei dieser Stelle auf das, was ich oben von dichterischer Wahrheit gesagt; denn sonst dürften sich bei zu bestimmter

Anwendung leichte Einwürfe dagegen machen lassen. So erhaben oft die Volksreligionen in ihren Dichtungen über die physische Vollkommenheit des höchsten Wesens waren, so weit blieben sie gewöhnlich in denen über die moralische zurück, selbst dann noch, wenn das Volk schon auf einer hohen Stufe der sittlichen Kultur stand, weil man nicht weichen wollte von der ehrwürdigen Sage der Väter. In den Worten „der Edeln Grazie" scheinen mir die Begriffe nicht richtig gepaart zu sein. Das Substantiv sollte doch seinem Beiworte, wie die vorhergehenden den ihrigen, genau entsprechen.

> Der Leidenschaften wilden Drang,
> Des Glückes regellose Spiele,
> Der Pflichten und Instinkte Zwang
> Stellt ihr mit prüfendem Gefühle,
> Mit strengem Richtscheit nach dem Ziele.
> Was die Natur auf ihrem großen Gange
> In weiten Fernen auseinander zieht,
> Wird auf dem Schauplatz, im Gesange
> Der Ordnung leicht gefaßtes Glied.
> Vom Eumenidenchor geschrecket
> Zieht sich der Mord, auch nie entdecket,
> Das Los des Todes aus dem Lied.
> Lang, eh die Weisen ihren Ausspruch wagen,
> Löst eine Ilias des Schicksals Rätselfragen
> Der jugendlichen Vorwelt auf;
> Still wandelte von Thespis Wagen
> Die Vorsicht in den Weltenlauf.

Die pragmatische Dichtkunst ist hier aus dem erhabensten Gesichtspunkt betrachtet; sie soll die Ratschlüsse des Himmels auslegen; sie soll die Menschen lehren, daß ewige Gesetze der Gleichheit und Vergeltung über ihren Schicksalen walten. Das Rad der Begebenheiten rollt auf der Schaubühne wie auf der Bühne der wirklichen Welt, nur unendlich schneller. Der Dichter beut dem Zuschauer hier den Faden, um sich hindurch zu finden, der ihm im Gewirre des Weltlaufs so leicht entschlüpft. Man vergleiche mit den Zeilen

> Vom Eumenidenchor geschrecket,
> Zieht sich der Mord, auch nie entdecket,
> Das Los des Todes aus dem Lied,

folgende Stelle aus Duschens[10] Wissenschaften, die einen ähnlichen Gedanken behandelt:

Den Wüterich lehret sie (die Dichtkunst) die eigne Schuld empfinden,
Und straft sein hartes Herz in Strafen anderer Sünden,
Wenn sie in Trauerspielen die Toten auferweckt
Und ihn in fremden Bildern mit seinem eignen schreckt:
Wenn er bei fremdem Fall von Ahnungen ergriffen,
Den Stahl, der Gußman trifft, sieht auf sich selbst geschliffen:
Wenn er von jedem Dolche, der Cäsars Brust durchwühlt,
Den Stoß in Todesängsten an seinem Herzen fühlt.

Welch mühsame Genauigkeit, welche Ängstlichkeit des Dichters, der Leser möge ihn nicht verstehen! Man halte die Schillerschen Zeilen dagegen und man wird die schon öfter gemachte Bemerkung bestätigt finden, daß die Schönheit des Vortrags ebenso sehr von dem abhängt, was verschwiegen, als von dem, was gesagt wird. Den Gedankenstoff, der in den Künstlern entwickelt oder halb entwickelt liegt, hätte der sonst schätzbare Dusch leicht in ein halb Dutzend Bücher ausgesponnen.

Doch in den großen Weltenlauf
Ward euer Ebenmaß zu früh getragen.
Als des Geschickes dunkle Hand,
Was sie vor eurem Auge schnürte,
Vor eurem Aug nicht auseinanderband,
Das Leben in die Tiefe schwand,
Eh es den schönen Kreis vollführte —
Da führtet ihr aus kühner Eigenmacht
Den Bogen weiter durch der Zukunft Nacht;
Da stürztet ihr euch ohne Beben
In des Avernus schwarzen Ozean,
Und trafet das entflohne Leben
Jenseits der Urne wieder an:
Da zeigte sich mit umgestürztem Lichte,
An Kastor angelehnt, ein blühend Polluxbild;
Der Schatten in des Mondes Angesichte
Eh sich der schöne Silberkreis erfüllt.

Es kann nicht befremden, daß die Entstehung des Glaubens an ein zukünftiges Leben von den Dichtern abgeleitet wird. Nach der strengsten Wahrheit muß man sie für eine Wirkung der poetisierenden Kraft im Menschen erkennen. Der Zusammenhang, in dem dieser Glaube hier vorgestellt wird, leuchtet zu mächtig ein, als daß man versucht werden sollte zu grübeln, ob seine Entstehung nicht aus anderen Ursachen erklärt werden müßte, ob er nicht zu einer Zeit entstanden, wo die Menschen solcher Räsonnements noch nicht fähig waren? Der Dichter hat vortrefflich idealisiert, und indem er das, was nur Lehre war, in Tat, in heroische Tat verwandelt („da führet ihr aus kühner Eigenmacht" usw.), hat er die Sache ins Große und Wunderbare hinübergespielt. Nur gegen die vier letzten Verse möchte ich Einwendungen machen. Ich begreife wohl, daß die Dioskuren als Sinnbild der Unsterblichkeit gebraucht werden können, wegen ihres abwechselnden Lebens im Olymp und in der Unterwelt. Allein was soll der Zusatz „mit umgestürztem Lichte"? Ich entsinne mich nicht, daß die Dioskuren mit diesem Attribut vorkämen. Soll es vielleicht auf die berühmte Gruppe von Statuen gehen, die einige für Kastor und Pollux, andere für ein paar Genien halten? Die Beziehung wäre doch zu speziell. Die zwei letzten Zeilen scheinen als Apposition oder Erklärung zu den ersten hinzugefügt sein und vielleicht darauf zu deuten, daß man sich nur ein dämmerndes Schattenleben nach dem Tode dachte. Allein in dieser Verbindung sind sie mir gleichfalls dunkel.

> Doch höher stets, zu immer höhern Höhen
> Schwang sich der schaffende Genie.
> Schon sieht man Schöpfungen aus Schöpfungen entstehen,
> Aus Harmonien Harmonie.
> Was hier allein das trunkne Aug entzückt,
> Dient unterwürfig dort der höhern Schöne;
> Der Reiz, der diese Nymphe schmückt,
> Schmilzt sanft in eine göttliche Athene;
> Die Kraft, die in des Fechters Muskel schwillt,
> Muß in des Gottes Schönheit lieblich schweigen;
> Das Staunen seiner Zeit, das stolze Jovisbild,
> Im Tempel zu Olympia sich neigen.

Die Erhöhung der Kunst zum Ideal-Schönen wird hier mit kurzen, aber treffenden Zügen geschildert, hauptsächlich von der Seite, daß das Ideal aus der Verschmelzung verschiedener Charaktere von Schönheit zu einem Ganzen entspringt. Statt „Fechter" wünschte ich, es möchten lieber „Ringer" oder „Kämpfer" stehen. Die Kunst hat nie Fechter, Gladiatoren gebildet, obgleich die gemeine Meinung es behauptet. Bei den Griechen gab es ja nicht einmal welche. Durch das Neigen des Jovisbildes hat vermutlich das ἐπ' ὀφρύσι νεῦσε [6] ausgedrückt werden sollen, welches dem Phidias zum Vorbilde seines Zeus diente. Ob das dadurch ausgedrückt wird? Wenigstens möchte es dem, der diesen Umstand nicht weiß, schwer zu begreifen sein, warum das „stolze" Jovisbild sich „neige".

Ich übergehe ein paar Absätze, die von der Vervollkommnung der Künste als einer Gegenwirkung der durch sie zuerst bewirkten Ausbildung des Menschen, von der Übertragung der menschlichen Begriffe von Schönheit auf das Weltall, und von dem dadurch erhöhten Genusse der ganzen Natur handeln, und setze dagegen die Stelle von dem Einflusse des gebildeten Schönheits-Gefühls auf alle Lagen und Verhältnisse des Lebens vollständig her.

> In allem, was ihn jetzt umlebet,
> Spricht ihn das holde Gleichmaß an.
> Der Schönheit goldner Gürtel webet
> Sich mild in seine Lebensbahn;
> Die selige Vollendung schwebet
> In euren Werken siegend ihm voran.
> Wohin die laute Freude eilet,
> Wohin der stille Kummer flieht,
> Wo die Betrachtung denkend weilet,
> Wo er des Elends Tränen sieht,
> Wo tausend Schrecken auf ihn zielen,
> Folgt ihm ein Harmonienbach,
> Sieht er die Huldgöttinnen spielen,
> Und ringt in still verfeinerten Gefühlen
> Der lieblichen Begleitung nach.
> Sanft, wie des Reizes Linien sich winden,
> Wie die Erscheinungen um ihn
> Im weichen Umriß ineinander schwinden,
> Flieht seines Lebens leichter Hauch dahin.
> Sein Geist zerrinnt im Harmonienmeere,
> Das seine Sinne wollustreich umfließt,
> Und der hinschmelzende Gedanke schließt
> Sich still an die allgegenwärtige Zythere.

> Mit dem Geschick in hoher Einigkeit,
> Gelassen hingestützt auf Grazien und Musen,
> Empfängt er das Geschoß, das hin bedräut,
> Mit freundlich dargebotnem Busen
> Vom sanften Bogen der Notwendigkeit.

Hier, wenn irgendwo, gilt alles das, was ich vorhin von der Wahrheit-findenden Begeisterung behauptet. Wehe dem Kritiker, der es nicht fühlt, daß der kleine Maßstab seiner kalten Beurteilung nicht bei jedem Zuge eines solchen Gemäldes angebracht werden dürfe! Wie ist besonders die beschließende und vollendete Schilderung so groß gedacht, so rein und zart empfunden, und so ganz im hohen griechischen Stil ausgeführt! Wem fallen bei dem „sanften Bogen der Notwendigkeit nicht sogleich die gelinden Geschosse des Apoll und der Diana ein, wodurch Homer einen schnellen und sanften Tod bezeichnet? Das vervollkommnete Schönheitsgefühl zaubert nach der Idee des Dichters das goldene Zeitalter wieder zurück, wo die Menschen, wie Hemsterhuis[7] sagt, weil sie sich der gleichförmigen Fortschritte ihres Daseins bewußt waren, den Tod nicht scheuten und ihn auch nur als eine solche natürliche Entwicklung ihres Wesens betrachteten. –

Der Dichter wendet sich wieder an die Künstler mit einer Anrede des Dankes für alle von ihm empfangenen Wohltaten. Man findet darin hier und da Wiederholungen schon da gewesener Gedanken; doch meistens werden sie durch die neuen Wendungen des Ausdrucks wieder gehoben.

Aus dem, was von der Wiederauflebung der Künste in Italien und von der noch bevorstehenden letzten Vollendung des Menschengeschlechtes durch dieselben gesagt wird, will ich nur folgendes über das gegenwärtige Verhältnis des Künstlers gegen den Denker ausheben:

> Wenn auf des Denkens freigegebnen Bahnen
> Der Forscher jetzt mit kühnem Glücke schweift,
> Und, trunken von siegrufenden Päanen,
> Mit rascher Hand schon nach der Krone greift;
> Wenn er mit niederm Söldnerslohne
> Den edlen Führer zu entlassen glaubt,
> Und neben dem geträumten Throne
> Der Kunst den ersten Sklavenplatz erlaubt:
> Verzeiht ihm – der Vollendung Krone

Schwebt glänzend über eurem Haupt.
Mit euch, des Frühlings erster Pflanze,
Begann die seelenbildende Natur,
Mit euch, dem freudgen Erntekranze
Schließt die vollendete Natur.

Ich mag bei diesen Zeilen nichts von der schönen Behandlung sagen; die lautre, gewichtige, in unserem Zeitalter so selten beherzigte Wahrheit, die sie enthalten, fesselt mein ganzes Interesse. Und nun der triumphierende Schluß:

Der Menschheit Würde ist in eure Hand gegeben:
Bewahret sie!
Sie sinkt mit euch! Mit euch wird die Gesunkene sich
Der Dichtung heilige Magie   heben!
Dient einem weisen Weltenplane,
Still lenke sie zum Ozeane
Der großen Harmonie!
Von ihrer Zeit verstoßen, flüchte
Die ernste Wahrheit zum Gedichte,
Und finde Schutz in der Kamönen Chor.
In ihres Glanzes höchster Fülle,
Furchtbarer in des Reizes Hülle,
Erstehe sie in dem Gesange,
Und räche sich mit Siegesklange
An des Verfolgers feigem Ohr.

Der freisten Mutter freiste Söhne,
Schwingt euch mit festem Angesicht
Zum Strahlensitz der höchsten Schöne;
Um andre Kronen buhlet nicht!
Die Schwester, die euch hier verschwunden,
Holt ihr im Schoß der Mutter ein;
Was schöne Seelen schön empfunden
Muß trefflich und vollkommen sein.
Erhebet euch mit kühnem Flügel
Hoch über euren Zeitenlauf;
Fern dämmert schon in eurem Spiegel [12]
Das kommende Jahrhundert auf.

Auf tausendfach verschlungnen Wegen
Der reichen Mannigfaltigkeit
Kommt dann umarmend euch entgegen
Am Thron der hohen Einigkeit.
Wie sich in sieben milden Strahlen
Der weiße Schimmer lieblich bricht;
Wie sieben Regenbogenstrahlen
Zerrinnen in das weiße Licht:
So spielt in tausendfacher Klarheit
Bezaubernd um den trunknen Blick,
So fließt in einen Bund der Wahrheit,
In einen Strom des Lichts zurück!

So hoch der Dichter sich auch vorher in einzelnen Stellen geschwungen haben mag, so hat er doch gewußt für den Beschluß noch etwas Höheres aufzusparen. Alles Vorhergesagte diente zur Vorbereitung auf diesen; und alles Vorhergesagte vereinigte sich hier wie in einem Brennpunkte. Dies ist gleichsam das Band, welches die ganze Rhapsodie zusammenhält. Man sieht den Sänger schon nah am Ziele: auf einmal nimmt er einen raschen lyrischen Flug und hat es erreicht. Es tut viel Wirkung, daß er unvermerkt aus der freien Versart in den lyrischen Rhythmus wiederkehrender Strophen übergeht und darin bis ans Ende aushält. Das Quatrain, welches anfängt „Die Schwester, die euch hier verschwunden" usw. ist mir in dieser Verbindung dunkel. Hinreißend schön sind die beiden Verse:

Fern dämmert schon in eurem Spiegel
Das kommende Jahrhundert auf.

Mit großer Tiefe und Fülle des Gedankens paart sich in ihnen die heiterste Anmut des Bildes.

Von dem Plane des ganzen Gedichts werde ich nicht nötig haben, noch zu reden. Ich habe schon in meinen Bemerkungen darauf hinzuweisen gesucht. Mich däucht, bei diesem Tone, bei diesem Maße der Begeisterung konnte und durfte die Ordnung nicht strenger sein.

Die Versifikation ist im ganzen vortrefflich. Nur das einzige möchte ich erinnern, daß der Dichter nicht die ganze Mannigfaltigkeit benutzt hat, welche die verschiedenen Reimstellungen bei dieser freien jambischen Versart darbieten. Fast immer läßt er die Reime so abwechseln, daß ein weiblicher vorangeht, und ein männlicher folgt. Die umgekehrte Abwechslung und die schöne Verschlingung, wo zwei nebeneinanderstehende Reime, männliche oder weibliche, von zwei andern eingeschlossen werden, hat er weit seltener angebracht. Einzelne harte Verse und unechte Reime sind an einem so schönen Werke nur kleine Flecken.

Die Diktion ist völlig harmonisch mit dem Gegenstande. Überall weht der milde Hauch jenes Kunstgefühles, das der Sänger preist, und zaubert dem Gedanken gemäßigte Formen an. Überall herrscht ein stiller hoher Geist, der sich seiner Stärke, die Seelen zu erschüttern, freiwillig begab, oder auch, in süßer Vertraulichkeit mit allen Göttern des Schönen, auf eine Zeitlang sie vergaß.

Goethes Hermann und Dorothea

Taschenbuch für 1798.
Berlin

Obgleich dieses Gedicht seinem Inhalte nach in der uns umgebenden Welt zu Hause ist, und, unseren Sitten und Ansichten befreundet, höchst faßlich, ja vertraulich die allgemeine Teilnahme anspricht, so muß es doch, was seine dichterische Gestalt betrifft, dem Nichtkenner des Altertums als eine ganz eigene, mit nichts zu vergleichende Erscheinung auffallen, und der Freund der Griechen wird sogleich an die Erzählungsweise des alten Homerus denken. Sollte dies weiter nichts auf sich haben als eine willkürliche Verkleidung des Sängers in eine fremde altväterliche Tracht? Sollte die Ähnlichkeit bloß in Äußerlichkeiten des Vortrags liegen? Es wäre wenigstens nicht billig, vor der Untersuchung so vermuten: jene, auch dem oberflächlichen Betrachter sich darbietende Wahrnehmung muß uns daher ein Wink sein, sie weiter zu verfolgen. Wenn ein Werk nach der aus ihm hervorleuchtenden künstlerischen Absicht zu beurteilen ist, so darf die Rücksicht auf das homerische Epos hier so wenig ein überflüssiger Umweg scheinen, daß sie vielmehr das sicherste, ja das einzige Mittel sein möchte, ein so viel möglich von allen Einflüssen eines einseitigen modernen Geschmacks gereinigtes Urteil über den dichterischen Wert von „Hermann und Dorothea" zu bilden.
Gäbe es eine gültige Theorie der Poesie, worin die Vorschriften dieser Kunst aus den unabänderlichen Gesetzen des menschlichen Gemüts hergeleitet, nach dessen notwendigen Richtungen die ursprünglichen Dichtarten bestimmt und ihre ewigen Grenzen festgestellt wären, so würden wir auch über das Wesen der epischen Gattung im klaren sein, und der Kunstrichter hätte nur die schon bekannte Lehre auf einen vorliegenden Fall anzuwenden. Bis eine solche Wissenschaft

zustande gebracht sein wird, muß man zufrieden sein, sich über Sätze, die man unmittelbar zu einer Kunstbeurteilung braucht, mit dem Leser notdürftig verständigt zu haben. Nicht nur dies, sondern was eine Kritik am besten leitet und beurkundet, die Vergleichung mit klassischen Vorbildern, ist dadurch sehr erschwert worden, daß man diese seit Jahrhunderten durch das Medium irriger Kunstlehren angesehen, angebliche Tugenden an ihnen gepriesen, und was sich als ihre erste Vollkommenheit bewähren dürfte, getadelt oder gar nicht erkannt hat. Eine Geschichte der alten Poesie, worin, mit Hinwegräumung so vielfach gehäufter und tief gewurzelter Vorurteile, ihr Gang nach der Wahrheit und mit durchgängiger Beziehung auf jene Wissenschaft verzeichnet wäre, würde vielleicht dartun, daß die Griechen durch eine ganz einzige Begünstigung der Natur (deren sie sich stolz bewußt waren, wenn sie im Gegensatz mit hellenischer Eigentümlichkeit alle übrigen Völker Barbaren nannten) auch hier die Pflicht des Schönen aus freier Neigung erfüllt und eine Reihe ebenso vollendeter Urbilder für die Hauptgattungen der Poesie wie für die verschiedenen Stile der Bildnerei und Baukunst aufgestellt haben, wodurch denn die ziemlich allgemeine Meinung, die den alten Dichtern ein unverjährbares, fast ungemessenes Ansehen zugesteht, erst in Erkenntnis verwandelt werden würde.

Was das homerische Epos anlangt, so liegt es dem Theoristen ob, sein Wesen auf die ersten Gründe der Poetik zurückzuführen und an diesen zu prüfen; dem Geschichtschreiber der griechischen Poesie, es nach seinem Ursprunge zu erklären, das heißt, dessen notwendige Entstehung aus einer bestimmten Stufe der Bildung zu zeigen, und es in das richtige Verhältnis mit den folgenden Stufen zu rücken. Wir begnügen uns hier mit dem Versuch, in aller Kürze eine in sich zusammenhängende Charakteristik der ursprünglichen epischen Gattung zu entwerfen und davon zu der Frage überzugehen, wie der Dichter die Aufgabe gelöst hat, jene in unserem Zeitalter und unseren Sitten einheimisch zu machen.

Wir müssen hierbei zuvörderst alle gangbaren und in unseren Lehrbüchern immer wiederholten Begriffe von der sogenannten Epopöe gänzlich beiseite setzen. Man hat dem Homer die unverdiente Ehre erzeigt, ihn zu deren Stifter zu machen. Und wie man dieses künstliche, aus grundlosen theoretischen Behauptungen und Mißgriffen einer beabsichtigten Nachahmung zusammengesetzte Gebäude für die würdigste, umfassendste und prachtvollste Schöpfung der Dichterkraft ausgibt, so pflegt auch jener schlichte Altvater unter den Baumeistern solcher Epopöen obenan zu prangen. Die historischen Untersuchungen eines scharfsinnigen Kritikers über die Entstehung und Fortpflanzung der homerischen Gesänge, die vor kurzem die Aufmerksamkeit aller derer auf sich gezogen haben, welche Fortschritte in den Wissenschaften zu erkennen wissen, geben uns zum Glücke einen festen Punkt, wovon die künstlerische Betrachtung des Homer in einer ganz entgegengesetzten Richtung ausgehen kann. Wenn die *Ilias* und *Odyssee* aus einigen großen, für sich Bestand habenden Stücken zusammengeschoben, und diese wiederum, wo Lücken blieben, durch kleinere Stellen (nicht immer zum geschicktesten) aneinandergefügt sind, so hätte man ja, indem man nur immer den wohlberechneten Bau des Ganzen anstaunte, ein fremdes Verdienst, das dem homerischen Zeitalter nicht zukommt, und nach dem Grade seiner Bildung nicht zukommen konnte, das obendrein in dem Maße gar nicht einmal vorhanden ist, für das wichtigste bei der ganzen Sache gehalten. So wenig gegründet ist die gutherzige Klage, welche man oft von Freunden des Dichters führen hört: durch obige Behauptungen geschehe ein Einbruch in das Heiligtum des ehrwürdigen Alten; man zerreiße ihnen den Homer, daß vielmehr seine Rhapsodien dadurch erst von den fremdartigen Banden des Ganzen erlöst werden. Maß, Verhältnis und Ordnung, Vorzüge, die Homer selbst am Gesange rühmt (*Od. VIII* 489, 496), wird man noch in den kleinsten Teilen seines Epos gewahr, da man sie hingegen in der zusammengesetzten Länge der *Ilias* und *Odyssee* nicht selten aus den Augen verliert. Ein Mann, der zwar keineswegs befugter Richter über Poesie war, am wenigsten über antike, aber durch seinen Verstand auch da, wo der Gegenstand weit außer seiner Sphäre lag, sich oft überlegen bewiesen hat, Voltaire, sagt vom Homer: Malheur à qui l'imiterait dans l'économie de son poëme! Heureux qui peindrait les détails comme lui! Es versteht sich, daß die epische Rhapsodie, wie jede Dichtart, nicht ohne ihre eigentümliche poetische Einheit bestehen kann. Nur muß man diese nicht in einem Verstandesbegriffe suchen, wie meistens in den Theorien geschieht, wo denn auch der Unterschied zwischen der lyrischen Einheit, der epischen und der dramatischen gänzlich verlorengeht. Nur durchgängige Vollständigkeit und innere Wechselbestimmung des Ganzen und der Teile kann die Vernunft befriedigen; und diese höchst poetische Einheit haben die Griechen in der durchaus selbständigen und in sich beschlossenen Organisation ihrer Tragödie erreicht. Die epische Einheit bezieht sich nicht auf die Vernunft, die im homerischen Zeitalter noch längst nicht genug geübt war, um sich solch eine Forderung an ein dichterisches Werk zu machen; sondern sie gilt nur der Phantasie, d. h. sie ist nichts weiter als Umriß, sichtbare Begrenzung. Daher läßt sie sich denn auch nicht absolut bestimmen. Sie kann vergrößert und erweitert werden, bis die Masse der Anschauungen die sinnliche Auffassungskraft übersteigt; und Aristoteles (der doch, wie man weiß, dem epischen Gedicht die Gesetze der Tragödie vorschreiben wollte) findet nur deswegen, Homer habe wohl getan, nicht den ganzen trojanischen Krieg in einem Gedichte zu behandeln, weil es dann nicht mehr leicht übersehbar (εὐσύνοπτος) gewesen sein würde. Auf der anderen Seite ist die epische Einheit auch teilbar; kleine Stücke der *Ilias* und *Odyssee* enthalten sie noch in sich; Episoden von wenigen Zeilen (z. B. *Il. IV* 372–398) können für sich als ein vollständiges Epos betrachtet werden und sind wahrscheinlich meistenteils Auszüge aus längeren nicht mehr vorhandenen. Weit entfernt also, daß es gewaltsamer Mittel bedurft hätte, um einzelne Rhapsodien zu größeren Ganzen zusammenzuheften, in denen Übereinstimmung und lebendiger Zusammenhang schon durch die Sage gegeben war, ist diese Leichtigkeit der Teilung und Vereinigung vielmehr eine natürliche Eigenheit der Gattung, nach welcher sie Pindarus sehr schicklich ῥαπτὰ ἔπη[1] benennt.

Wäre der Gegenstand des Epos eine einfache unteilbare Handlung, so leuchtete es ein, daß diese Trennbarkeit und Vermehrbarkeit (man erlaube uns den Ausdruck) sich mit dem Wesen desselben nicht vertragen könnte; aber das darin Dargestellte ist immer eine Mehrheit: es sind Vorfälle, Begebenheiten. Aristoteles sagt: „der epischen Gattung gemäß nenne ich die Vielheit der Fabeln" (ἐποποιϊκόν δὲ λέγω τὸ πολύμυθον). Bloß physische Begebenheiten, bei denen nicht Menschen tätig, und zwar ihrem Charakter gemäß tätig wären, würden freilich wenig Anziehendes für den Geist haben. Allein es ist gewiß, daß wir bei dem Bemühen, uns eines Geschehens zu erklären, die Triebfedern und Beweggründe des Tuns gar nicht als vom Menschen hervorgebracht und abhängig, sondern als in ihm gewirkt denken; sie also auch nicht von der gesamten Masse der bewegenden Naturkräfte als etwas Entgegengesetztes, absondern. Handlung im strengeren Sinne, das heißt Richtung der Kraft durch einen freien Entschluß, würde demnach eine in der Erfahrung vorkommende Tätigkeit erst durch den Standpunkt der Betrachtung und in der Poesie durch den Standpunkt der Darstellung werden. Die Beantwortung der Frage, ob die Idee der Freiheit des Willens in der poetischen Darstellung nur durch Versinnlichung ihres Gegenteils erscheinen, ob durch jede äußere Gewalt unüberwindliche Selbstbestimmung ohne die Entgegensetzung einer unvermeidlichen Bestimmung von außen, d. h. des Schicksals anschaulich gemacht werden kann, und ihre Anwendung auf die griechische Tragödie, liegt außerhalb unseres Weges. Doch wird eine merkwürdige Andeutung im *Wilhelm Meister* über den Unterschied des Romans (der so viel Analogie mit dem epischen Gedichte hat oder haben sollte) und des Drama jeden forschenden Kunstrichter zu weiterem Nachdenken auffordern. „Im Roman", wird daselbst behauptet, „sollen vorzüglich Gesinnungen und Begebenheiten vorgestellt werden, im Drama Charaktere und Taten; man könne dem Zufall im Roman gar wohl sein Spiel erlauben, das Schicksal hingegen habe nur im Drama statt." Wie zufällig in Homers Gesängen der ganze Hergang der Geschichte erscheint, selbst da, wo etwas einer entscheidenden Schickung Ähnliches vorkommt (wie *Il. VIII*, 66–77) liegt am Tage.

Der Unterschied der epischen und dramatischen Dichtart, welche neuere Theoristen unter dem Namen der pragmatischen dem Wesen nach für einerlei erklärt haben, möchte also doch, wenigstens wenn wir dabei stehenbleiben, was Epos und Tragödie bei den Alten wirklich war, etwas tiefer liegen als in der äußeren Form, als darin, „daß die Personen in dem einen sprechen, und daß in dem anderen gewöhnlich von ihnen erzählt wird." Überdies ist es vergeblich, aus dem Begriff der Erzählung und des Dialogs, die höchsten Vorschriften für jene Dichtarten entwickeln zu wollen. Dies könnte nur in dem Fall gelingen, wenn die Kunst nichts weiter als eine leidende Nachahmung der Natur wäre, wozu man sie leider oft genug herabgewürdigt hat. Da sie aber eine selbsttätige, nach Gesetzen des menschlichen Gemüts erfolgende Umgestaltung der Natur ist, so muß die poetische Erzählung, der poetische Dialog erst durch das Wesen der Dichtart, die sich beider bedient, seine Bestimmung empfangen. Die dieser immer untergeordnete Rücksicht auf die gewöhnliche Wirklichkeit tritt nur da ein, wo von der kunstgemäßen Wahrheit der Darstellung die Rede ist. Im alten Drama erzählen die Personen häufig, im homerischen Epos werden sie fast beständig redend eingeführt, und in lyrischen Gedichten kommt sowohl Erzählung als Gespräch vor; aber wie durchaus verschieden in jeder von diesen Gattungen! Der epische Dialog ist ebenso wenig ein bloß natürlicher als der tragische, dem er ganz entgegengesetzt ist; beide sind bis in ihre feinsten Bestandteile nach dem Charakter des schönen Ganzen, wozu sie gehören, gebildet.

Man hört zuweilen von Homers kühner Begeisterung, von seinem raschen wilden Feuer nicht anders reden, als ob er etwa ein Dithyrambendichter oder gar ein enthusiastischer Prophet gewesen wäre. Es scheint wohl, daß hierbei Verwechslung der besungenen Gegenstände mit der Person des Sängers zugrunde liegt. Seine Helden haben allerdings gewaltige Leidenschaften, aber er selbst erscheint völlig leidenschaftslos. Was er erzählt, muß jedem fühlenden Hörer Teilnahme abnötigen, aber er selbst äußert die seinige nie. Wie ein bloß beschauendes Wesen steht er über seinen Helden und über seinen Göttern, ordnet und trägt die in seinen mächtigen Tönen lebende Welt mit göttlicher, d. i. rein menschlicher Besonnenheit und Ruhe. Wie unter dem heiteren umgebenden Himmel findet in dem Umfange seines Geistes jedes Ding eine schickliche Stelle und erscheint in seinem wahren Lichte. Mit einem Wort: das homerische Epos ist ruhige Darstellung des Fortschreitenden. Es ist niemals Darstellung des Ruhenden oder sogenanntes poetisches Gemälde. Dieses ist dem Homer so fremd, daß, wo er beschreibt, er es auf eine Art tut, die das Ruhende in Fortschreitendes verwandelt, z. B. die Figuren auf dem Schilde des Achill; wiewohl dieser in den letzteren späteren Gesängen der *Ilias* vorkommt, und jener Homer, von dem die ersten Rhapsodien herrühren, ihn schwerlich so gedichtet hätte. Die über eine stürmische Teilnahme erhabene und weder durch augenblickliches Anspannen noch Nachlassen veränderte Gemütslage des Sängers macht zuerst alle Teile seines Gegenstandes auf gewisse Weise einander gleich; sie verleiht ihnen einerlei Rechte auf die Darstellung: die weniger bedeutenden, aber zum stetigen Fortgang nötigen (z. B. das Aufstehen, Zu-Bett-gehen, Essen, Trinken, Händewaschen, das Anlegen der Fußsohlen, Kleider und Waffen usw.), werden nirgends verdrängt und behaupten dicht neben den wichtigsten den ihnen zugemessenen Raum. Die Zeitverhältnisse der Wirklichkeit werden aufgehoben, und alles fügt sich in eine nach den Gesetzen schöner Anschaulichkeit geordnete dichterische Zeitfolge, wo das Dauernde, wenn die Einbildung es auf einmal erschöpfen kann, nur einen Moment der Darstellung einnimmt, und das noch so schnell Vorübergleitende bis zur vollendeten Entfaltung des in sich drängenden Lebens festgehalten wird. Nirgends ein Stillstand des Gesanges; aber auch nirgends ein unzeitiges Forteilen, sondern das schönste Gleichgewicht und Maß der stetigen und unermüdlichen Bewegung.

Der Sänger verweilt bei jedem Punkte der Vergangenheit mit so ungeteilter Seele, als ob demselben nichts vorher gegangen wäre und auch nichts darauf folgen sollte, wodurch das Erquickliche einer lebendigen Gegenwart überall gleichmäßig verbreitet wird. In jedem Augenblicke ist daher zugleich sanfte Anregung und Beruhigung; und das epische Gebiet gleicht einem Garten des Alkinous[2], wo die Früchte ununterbrochen nacheinander reifen, und jede zu ihrer Zeit sich willig vom Baume löst, um dem Genießenden in die Hand zu fallen.

Von diesem inneren geistigen Rhythmus im Vortrage des Epos ist der demselben eigentümlichen Vers nur Ausdruck und hörbares Bild. Aristoteles nennt ihn das ruhigste und am meisten Gewicht habende unter den Silbenmaßen (τὸ γὰρ ἡρωϊκὸν στασιμώτατον καὶ ὀγκωδέστατον τῶν μέτρων ἐστί). Der griechische Hexameter hat weder einen fallenden Rhythmus, wie z. B. der trochäische Tetrameter, der daher leidenschaftlich mit fortreißt (κινητικόν, ὀρχηστικόν); noch einen steigenden, wie der jambische Trimeter, der sich bei einem gehaltenen Hinanstreben doch entschieden rüstig und gleichsam handelnd zeigt (πρακτικόν, natum rebus agendis); sondern er ist schwebend, stetig, zwischen Verweilen und Fortschreiten gleich gewogen, und kann deswegen, ohne zu ermüden, den Hörer auf einer mittleren Höhe in ungemessene Weiten forttragen. Seine Mannigfaltigkeit, die überdies an dem ursprünglich nach einem Zeitmaße gesungenen Verse weit weniger hervorstechen konnte, ist dabei wohl nur Nebensache. Warum unter dem reichsten epischen Wechsel eine so einfache metrische Formel unzählig oft wiederkehren darf, da eine noch so beschränkte pindarische Ode nicht ohne vielfach verschlungene Strophen bestehen kann, möchte denen schwerfallen zu erklären, die in der Theorie des Silbenmaßes vom Grundsatz der nachahmenden Harmonie ausgehen und dadurch hier, wie überall, den Künstler zum bloßen Kopisten der Natur machen. Ist aber das Silbenmaß, ganz allgemein mit Abstraktion von allen besonderen Bestimmungen genommen, die Erscheinung des Beharrlichen im Wechselnden, verkündigt es die Identität des Selbstbewußtseins, so ist es klar, daß dieses im Zustande der hellsten Besonnenheit (der Unterscheidung des Selbst von den in ihm vorgestellten Objekten) stärker hervortritt als in einer von Regungen durchdrungenen, strebenden Seele. Die äußeren Gegenstände schreiben dem menschlichen Gemüte in der Kunst, wo sie ihm bloß Stoff sind, das Gesetz nicht vor, sondern sie empfangen es von ihm; und so ist es auch in Ansehung des Silbenmaßes. Aristoteles bemerkt sehr richtig, daß der Jambe am meisten den dialogischen Ton λεκτική ἁρμονία an sich habe, wovon der Hexameter sich weit entferne; dieser sei der erzählenden Darstellung geeignet, und es würde sich nicht schicken, ein Epos in einem anderen Silbenmaße oder gar in gemischten Silbenmaßen (z. B. die Erzählung in Hexametern, die Reden in Trimetern) zu dichten. Dennoch rühmt er es (c. 16) an Homer, daß er in eigener Person so wenig als möglich sagt und nach einer kurzen Vorrede sogleich einen Mann oder eine Frau redend einführt. Wie stimmte dies nun zusammen, wenn der Dialog im Epos nicht insofern seine Natur ablegen müßte, daß seine unstetige Flüchtigkeit durch die gleichförmige Ruhe der Darstellung gefesselt wird?

Da die Reden bei weitem den größten Teil der homerischen Gesänge einnehmen, so ist es für den richtigen Begriff der Gattung eine Hauptsache, ihren Charakter recht zu fassen. Selbst in den kürzesten und leidenschaftlichsten ließe sich bei einer feinen Zergliederung etwas nachweisen, wodurch sie episiert sind. In den ausführlicheren findet man alle wesentlichen Eigenschaften der ganzen Rhapsodie deutlich ausgedrückt. Man bemerkt kein Hinstreben zu einem Hauptziel, wenn dies auch in dem Inhalte der Rede vorhanden ist; jedes, wodurch das folgende vorbereitet wird, scheint doch nur um seines selbst willen dazustehen: ganz das verweilende Fortschreiten, die sinnlich belebende Umständlichkeit, die besonnene Anordnung, die leichte Folge, die lose Verknüpfung, wie im Epos überhaupt. In diesem Sinne sind auch die zusammengesetzten Beiwörter und die Episoden zu nehmen, die in leidenschaftlichen Reden, wenn man die Darstellung als bloße Natur verstehen sollte, sehr fehlerhaft sein würden und oft unverständig genug getadelt worden sind. Die Willigkeit des epischen Sängers, zu Episoden überzugehen, wo sie sich irgend gefällig anschlingen lassen, liegt darin, daß die Gegenstände sich seiner nie bemeistern. Er kann sich daher selbst in dem entscheidendsten Augenblicke leicht abmüßigen, um der Phantasie etwas Entfernteres nahezurücken. Was von der Rede und Episode, gilt auch vom homerischen Gleichnisse; es dient nicht bloß, sondern genießt im schönen völligen Umrisse freies Leben und ist gleichsam ein Epos in verjüngtem Maßstabe. Mancher wird es vielleicht zu weit getrieben finden, wenn wir behaupten, auch in der homerischen Wortstellung und Wortfügung, der faßlichsten, losesten, aber gefälligsten, die sich denken läßt, erkenne man die Verknüpfungsweise der Rhapsodie, und die Sprache sei durch die feinen ausfüllenden Partikeln und den vielsilbigen Überfluß ihrer Biegungen einzig gemacht, die stetige, sanft hingleitende Folge zu bezeichnen. Aber von der erstaunenswürdigen Konsequenz dieser bloß durch einen glücklichen Instinkt gefundenen und zur Vollendung gebrachten Dichtart kann es unter anderen ein Beispiel sein, daß die Redefigur, wo die gegenwärtige Zeit statt der vergangenen gebraucht wird, die einem lebhaften Erzähler so natürlich ist, und deren sich schon Virgil fast unaufhörlich bedient, in der ganzen *Ilias* und *Odyssee* nicht ein einziges Mal vorkommt. Apollonius enthält sich derselben auch, weil er der homerischen Form, die nun freilich, nachdem der Geist entwichen, zur Formel geworden war, treuer bleibt als Virgil. Er ist matt und kalt; das am meisten Summarische im Homer ist lebendiger als das Ausgeführteste bei ihm. Überhaupt verbrauchten die späteren epischen Dichter zu kurzen Werken sehr viel mythischen Stoff. Das Geheimnis der schönen Entfaltung war verlorengegangen.

Virgil schuf mit römischem Nachdruck eine ganz eigene Art der Epopöe. An ihm, der den Neueren weit mehr Vorbild geworden ist als Homer, kann man den Unterschied der vermischten Gattung, der wir jenen Namen geben, von dem reinen ursprünglichen Epos auffallend zeigen. Abgesehen von der künstlicheren Verknüpfung des Ganzen und dem Bestreben, tragische Notwendigkeit in die Handlung zu bringen, hört man in der *Äneis* gar nicht jenen ruhigen Rhythmus des Vortrags. Virgil verrät oder affektiert Teilnahme und geht darin bis zu manierierten Ausrufungen über und an seine Helden (*IV*, 408 ff.). Seine Sprache hat Feierlichkeit, Hoheit, Pracht, womit er selbst gemeine Dinge zu überkleiden sucht; da hingegen Homers Ausdruck kräftig, aber einfältig, niemals prangend und übertreibend und durchaus nur durch Entfaltung veredelnd ist. Die ruhigen Reden bei Virgil sind rhetorisch, die leidenschaftlichen mimisch; sie ahmen nämlich das Stürmische und Unordentliche der Gemütsbewegungen unmittelbar nach. Er ist stellenweise mehr oder weniger homerisch, wo der Stoff ihn zur Ruhe veranlaßt, wie bei den Wettspielen im fünften Buch vorzüglich; am wenigsten in der mit Recht bewunderten Geschichte der Dido, einem tragischen Bruchstücke, das nicht nur der am wenigsten homerische, sondern geradezu der modernste Teil seines Gedichtes heißen kann.

Bei den obigen Betrachtungen über das alte Epos ist mit Fleiß nicht von dem mythischen Elemente desselben, noch weniger von dem, was bloß national und lokal darin ist, die Rede gewesen. Man darf sich nicht wundern, daß die modernen Nachfolger Homers das Absonderungsvermögen, die Darstellung vom Dargestellten, Form und Stil vom Inhalte zu scheiden, nicht besessen zu haben scheinen, da es den Theoristen der Epopöe, welchen Homer doch immer die oberste Autorität ist, offenbar daran gefehlt hat. In das Heroische, in das Wunderbare, in das Erhabene, in die Wichtigkeit der Handlung, in den Umfang des Gedichts, in die Würde der Personen, in die Feierlichkeit des Tons und worein nicht alles, hat man das Wesen der Epopöe gesetzt. Besonders hat man das Wunderbare, worunter man hier die Dazwischenkunst der höheren Wesen verstand, zu einer unerläßlichen Bedingung gemacht. In der alten Tragödie erscheinen die Götter häufig; sie streiten für und wider einen Helden wie in den *Eumeniden* des Äschylus; oder die Szene spielt auch ganz in der Götterwelt, wie im Prometheus. Dennoch kann man sie deswegen nicht in dem Sinne wunderbar nennen wie das homerische Epos, weil dort die Götter mit den Menschen in demselben Bezirke der Notwendigkeit stehen und handeln; in dem letzten hingegen erscheint die Einwirkung der Götter in noch höherem Grade zufällig als das Tun der Menschen. Wenn das Wunderbare (*Aristot. Poet.* c. 24) vorzüglich aus dem Grundlosen entspringt, was über den uns erklärbaren Lauf der Dinge hinausgeht, so mußte allerdings in Homers Zeitalter ein Überfluß daran vorhanden sein. Denn man begriff sehr wenig von der Kette der Ursachen und Wirkungen in der Natur. Darum ließ man sie durch lebendige Wesen verrichten; der Mensch hatte sich noch nicht zum Bewußtsein der vollständigen Selbstbestimmung durch Freiheit erhoben, daher gestand er den Göttern Einfluß auf seine Entschließungen zu. Aber wer bestimmte nun das Wollen der Götter? Es scheint, sie hätten dazu wieder ihre Götter nötig gehabt, und so ins Unendliche fort. Ist die selbsttätige Unabhängigkeit der ganz menschlich vorgestellten Götter begreiflich, so wäre die der Menschen es auch gewesen. Kann ein Dichter im Zeitalter der erleuchteten Vernunft uns zu dieser Stufe ihrer Kindheit zurückversetzen wollen? Ganz richtig hat man bemerkt, daß Homers Helden weniger groß sind, weil sie so vieles nicht durch sich selbst ausführen. Wenn das Bemühen der Olympier, für und wider sie, uns einen Schimmer höherer Würde um sie her zu verbreiten scheint, so versetzen wir uns nicht genug in die homerische Denkart. Damals mischten sich ja die Götter in die gemeinsten Händel des Lebens; sie waren so wohlfeil, daß Autolykus durch die Gunst des Hermes mit Dieberei und Meineid geschmückt sein konnte (*Od. XIX* 396), und auch die Bettler ihre Götter und Erinnyen hatten (*Od. XVII* 475). Wer wird es leug-

nen, daß die über alles reizende Unvernunft der homerischen Götter-
lehre seine Dichtung mit der blühendsten Mannigfaltigkeit bereichert
und die auserwählte Gefährtin des frischen lustigen Heldenlebens ist?
Allein soll man mit Homer in demjenigen wetteifern, was ihm die Zeit
verliehen hat, und sich quälen, es ihr zum Trotz hervorzurufen? Der
Mythus (in der Bedeutung, da er noch von der historischen Sage unterschieden wird) kann nur dann für die Poesie begünstigend sein, wenn
er lebt, d. h. wenn er als Mythus, als die unwillkürliche Dichtung der
kindlichen Menschheit, wodurch sie die Natur zu vermenschlichen
strebt, entstanden und noch bestehender Volksglaube ist. Er kann nicht
die willkürliche Erfindung eines einzelnen sein. Aus diesem Grunde gewährt die Ritter- und Zaubersage des Mittelalters, die nichts anderes
war als der abenteuerliche Geist der Zeit in Bilder gekleidet, dem
romantischen Heldengedicht den Vorzug der Lebendigkeit und volks-
mäßigen Wahrheit, den das künstlich ersonnene Wunderbare der modernen Epopöen durchaus nicht haben kann. Schon Virgil hätte als
Beispiel warnen sollen, wie wenig mit der Dazwischenkunft der Götter
ausgerichtet wird, wenn sie nicht mehr Volksglaube ist, und also nicht
zu dem Bilde des Weltganzen gehört, welches die Phantasie des Dichters aus der Wirklichkeit auffaßt. Die neueren Epopöendichter haben
vor allen Dingen das Übernatürliche gesucht; sie haben nicht nur dies,
sondern sogar das Außernatürliche gefunden und sich zuletzt in der
Hölle und im Himmel verloren. Es fehlt nur noch an einer gänzlich
extramundanen Epopöe. Ihre Werke sind daher auch bloß gelehrt
und haben nie von den Lippen des Volkes getönt (Tassos *Befreites Je-
rusalem* ausgenommen, mit dem es hierin eine eigene Bewandtnis hat),
da Homer der populärste aller Sänger war, weil seine Dichtung vom
Leben ausging und darauf zurückführte.

Es ist also offenbar, daß man sein Epos auf eine ganz entgegengesetzte Art, als man bisher getan, nachbilden muß, wenn es überhaupt
geschehen soll. Dieser Zweifel wird diejenigen befremden, die gewohnt
sind, die homerischen Epopöen als den Gipfel der Poesie, als den
höchsten unerreichbaren Schwung des menschlichen Geistes anzusehen;
eine Meinung, von der man selbst bei der neumodischeren Ansicht, den
hellenischen Sänger in einen wilden Natursohn, einen rohen nordischen
Barden zu verkleiden, nicht abgewichen ist; denn es hängt mit der
empfindsamen Klage über das Elend der Kultur zusammen, die Poesie
für eine Naturgabe zu halten, die durch Bildung unvermeidlich ver-
lorengehe. Die Griechen selbst scheinen den Homer durch eine sehr be-

greifliche Verwechslung des Ehrwürdigsten mit dem Vollkommensten obenan zu stellen; und wer wäre mit ihm zu vergleichen, wenn der Name einen einzelnen Menschen, den alleinigen Schöpfer der *Ilias* und *Odyssee*, bezeichnete? Aber die Harmonie der griechischen Bildung läßt schon vermuten, daß die Poesie mit den übrigen Künsten und Bestrebungen gleichen Schritt gehalten haben wird; und die Geschichte zeigt uns, wie sie sich von leichter Fülle (epische Periode) zu energischer Einzelheit erhob (lyrische Periode) und durch innige Verschmelzung beider endlich zu harmonischer Vollständigkeit und Einheit gelangte (dramatische Periode). Wenn also die lyrische Poesie mit dem Jugendalter, die dramatische mit dem männlichen verglichen werden kann, so vereinigt die epische die Unbefangenheit des Knaben mit der Erfahrenheit und dem sicheren Blick des Greises. Die epische Schönheit ist die einfachste und konnte daher zunächst nach den wilden rhythmischen Ergießungen, die noch nicht freies Spiel, sondern Entledigung vom Drange eines Bedürfnisses waren, gefunden werden. Besonnenheit ist die früheste Muse des nach Bildung strebenden Menschen, weil in ihr zuerst das ganze Bewußtsein seiner Menschheit erwacht. Also nicht als die höchste oder vorzüglichste, aber als eine reine, vollendete Gattung hat das Epos ewig gültigen Wert. Seiner Einfachheit wegen kann man es noch ohne Kunstsinn als Natur genießen, was bei den Kunstbildungen eines Sophokles zum Beispiel nicht möglich ist. In diesem Stücke wie in allem wesentlichen stimmt „Hermann und Dorothea", ungeachtet des großen Abstandes der Zeitalter, Nationalcharaktere und Sprachen erstaunenswürdig mit seinen großen Vorbildern überein.

Ein Dichter, dem es nicht darum zu tun ist, ein Studium nach der Antike zu verfertigen, sondern mit ursprünglicher Kraft national und volksmäßig zu wirken, wie es einem epischen Sänger geziemt, wird seinen Stoff nicht im klassischen Altertume suchen, noch weniger aus der Luft greifen dürfen. Damit die lebendige Wahrheit nicht vermißt werde, muß seine Dichtung festen Boden der Wirklichkeit unter sich haben, welches nur durch die Beglaubigung der Sitte oder der Sage möglich ist. Beides kommt eigentlich auf eins hinaus; denn eine Sage aus fernen Zeitaltern wird nur dadurch zu solch einer Behandlung tauglich, daß sich mit ihr ein anschauliches Bild von der damaligen Sitte und Lebensweise unter dem Volke fortgepflanzt hat. So könnte vielleicht ein schweizerischer Dichter Geschichten aus den Zeiten der Befreiung der Schweiz und der Entstehung des Bundes mit Vorteil episch behandeln, weil ihr Andenken durch Verfassung,

Volksfeste und wenig veränderte Sitten immer noch neu erhalten wird. Wenn der Dichter aber keine Sagen vorfände oder aus Wahl keinen Gebrauch von vorhandenen machte, so müßte er notwendig in seinem Zeitalter, unter seinem Volke daheim bleiben. Es fragt sich nun weiter, was er in diesem Kreise herausheben, ob sich die Darstellung lieber auf das öffentliche oder auf das Privatleben wenden soll. Man wird geneigt sein zu glauben, Begebenheiten, die auf das Wohl und Wehe vieler Tausende den wichtigsten Einfluß haben, seien vorzüglich geschickt, auch in der Poesie groß und ergreifend zu erscheinen; was allerdings gegründet ist, so lange man sie nur durch allgemeine Ansichten in große Massen zusammenfaßt. Allein damit kann sich die epische Ausführlichkeit nicht begnügen. Sie muß sehr ins einzelne gehen, sie kann den Gang einer Begebenheit durchaus nur an bestimmten Tätigkeiten der Mitwirkenden fortleiten; und hier ist es eben, wo sich die unüberwindliche Sprödigkeit eines solchen Stoffs offenbaren würde. Was nämlich wissenschaftlich oder mechanisch betrieben wird, wobei nach politischen und taktischen Berechnungen eine Menge Menschen wie bloße Werkzeuge mit gänzlicher Verzichtleistung auf ihre sittliche Selbsttätigkeit in Bewegung gesetzt werden; was für die lenkenden Personen selbst einzig Angelegenheit des Verstandes ist, die außerhalb der Sphäre ihrer sittlichen Verhältnisse liegt, dem ist schlechterdings keine poetische Seite abzugewinnen. In den öffentlichen Geschäften des Friedens kann nur da, wo die Verfassung echt republikanisch ist, in denen des Krieges konnte unter den Griechen nur im heroischen Zeitalter, unter uns nur in den Ritterzeiten der Mensch mit seiner ganzen geistigen und körperlichen Energie auftreten. Ein in unserem Zeitalter und unseren Sitten einheimisches Epos wird daher mehr eine Odyssee als eine Ilias sein, sich mehr mit dem Privatleben als mit öffentlichen Taten und Verhältnissen beschäftigen müssen. Doch hier öffnet sich wieder eine neue Aussicht von Schwierigkeiten, die, wenn die Aufgabe nicht gelöst vor uns läge, die Ausführbarkeit sehr zweifelhaft machen könnten. In den höheren Ständen wird die freie Bewegung, Äußerung, Berührung und Wechselwirkung der Gemüter durch tausend konventionelle Fesseln gehemmt; in den unteren durch den Druck der Bedürfnisse und den Mangel am Gefühl eigener Würde. Die künstlich zusammengesetzte, glänzende, aber leere Geselligkeit der feineren Welt kann, von dem Dramatiker in komische, also bestimmt gerichtete, parteiische Darstellungen zusammengedrängt, im höchsten Grade unterhalten! In der ruhigen, parteilosen Entfaltung des epischen Dichters müßte sie tot und herzlos erscheinen. Die Rohheit und Niedrigkeit der Gesinnungen, worein die geplagten Lastträger der bürgerlichen Gesellschaft natürlicher Weise versinken, könnte nur allenfalls zu rhyparographischen[3] Idyllen den Stoff herleihen. Freilich kann sich große und schöne Natur überall entwickeln; aber unter dem ungünstigen Einfluß erschlaffender Verfeinerung oder verhärtender Abhängigkeit aufgestellt, müßte sie uns wie eine unwahrscheinliche Ausnahme vorkommen. Der Dichter hat also nur eine enge Wahl unter den mittleren Ständen, wo es immer noch nicht so leicht sein wird, Lagen für seine Person zu ersinnen, wodurch sie entfernt von steifen Konventionen, unverdorben, gesund an Leib und Gemüt und doch nicht in allzu dumpfer Beschränktheit erhalten werden. In dem vorliegenden Gedichte ist dies auf das Glücklichste getroffen. Hermanns Eltern haben das sichere Gefühl der Unabhängigkeit, welches Wohlhabenheit gibt; doch wird ihre Wohlhabenheit nicht in Trägheit genossen, sie ist durch redlichen Fleiß erworben. Sie sind Landbauer, ein Gewerbe, das mit Umfang und einer gewissen Freiheit getrieben, den Menschen zum wohltätigen Umgange mit der Natur einlädt; daneben Gastwirte in einer kleinen Stadt, was sie im Verkehr mit Menschen geübt hat, ohne sie zur Nachahmung großstädtischer Sitten zu verleiten. Dorothea tritt zwar in der Tracht einer Bäuerin, aber einer im Wohlstande erzogenen, auf, und die reife Festigkeit, ja die zarte Bildung ihres Geistes wird aus ihrer besonderen Geschichte befriedigend erklärt. Der Geistliche und der Dorfrichter dürfen, ihren Verhältnissen nach, Kenner des menschlichen Herzens, jener ein jugendlich heiterer, dieser ein durch Unglück geprüfter, ernster Weiser sein. Man bemerke die Kunst des Dichters, wie er uns in dem Prediger den Mann zeigt, der in der feinsten Gesellschaft sich ganz an seiner Stelle finden würde, der aber alle äußerliche Überlegenheit abzulegen, und seine Mitteilungen zu vereinfachen weiß; und wie er dem Gemälde seiner Bildung die schlichteste, bescheidenste Farbe gibt. Alles dies verschafft nun den Vorteil, daß an den handelnden Personen jene Entwicklung der Geisteskräfte, wodurch eine Welt von höheren sittlichen Beziehungen sich auftut, die für den roheren Menschen gar nicht vorhanden ist, mit Einfalt der Sitten verträglich wird. Einfalt aber, gleichsam der Stil der Natur und der Sittlichkeit im Erhabenen, wie Kant sagt, ist dem epischen Gedichte überhaupt angemessen, weil sie uns in dem Dargestellten einen Widerschein von der Einfachheit der Darstellung erblicken läßt. Vollends in einem solchen, welches seinen Stoff aus unserem Zeitalter und einheimischen Sitten entlehnt, ist sie das einzige Mittel, die Handelnden mit dichterischer Würde, die kein Rang verleiht, zu umgeben. Wir meinen hier nicht die abgemessene Feierlichkeit mancher moderner Epopöenhelden, die man sich gepanzert und dabei mit Allongenperücken und Manschetten vorstellen kann, sondern etwas, das uns mit ähnlicher Ehrerbietung erfüllen könnte, als den Griechen zu Homers Zeit die heroische Kraft seiner großen Gestalten einflößen mußte, an welcher die Welt schon damals hinaufsah. Und was wäre dies anders als edle Einfalt? Mag der Weltmann immerhin darüber spotten, daß hier die Wirtin zum goldenen Löwen als ein Vorbild weiblicher Vernunft und milder Größe besungen wird; daß Hermann seiner Geliebten, einer Bäuerin, den Vorschlag tut, als Magd in das Haus seiner Eltern zu kommen: der Dichter befragt nur Natur und Sittlichkeit, und wo sie reden, versinkt jede Übereinkunft der Meinung und der Mode in ihr Nichts.

Die Sitten wären also gefunden; aber nun hat der Dichter eine epische Begebenheit zu suchen. In der glücklichen Beschränkung jener Stände finden zerstörende Leidenschaften, kühne Unternehmungen, erstaunenswürdige Taten natürlicherweise nicht statt. Und dennoch bedarf er, zwar keiner tragischen Verwicklung, aber doch eines Vorfalls, welcher Größe für die Phantasie habe. Er muß seine Menschen in entscheidende Lage stellen, damit nicht bloß die Oberfläche ihres Daseins geschildert, sondern ihr Innerstes an das Licht gedrängt werde. Wenn nun die Dichtung nicht über den stillen Kreis des häuslichen Lebens hinausgeht und nur die anlockendsten Szenen desselben zu schmücken sucht, so ergibt sich hieraus die Idee zu ländlichen Sittengemälden im epischen Vortrage, einer anmutigen gemischten Gattung, wovon wir an Vossens *Luise* ein so vortreffliches und in seiner Art einziges Beispiel besitzen. Ein eigentliches Epos ist es freilich nicht, wie es denn der Dichter selbst auch nicht so genannt hat, da es mehr Darstellung des Ruhenden als ruhige Darstellung des Fortschreitenden ist. Denn Familienfeste wie ein Spaziergang, ein Besuch nach einiger Trennung, selbst eine auf überraschende Art früher gefeierte Hochzeit zweier Liebenden, deren Verbindung schon vor dem Anfange des Gedichtes ausgemacht war, und deren Gefühle füreinander durch das Ganze hin unverändert bleiben, sind etwas nur physisch in der Zeit, nicht ethisch, d. h. im Gemüt und in den inneren Verhältnissen der Handelnden, Fortschreitendes.

Der große Hebel, womit in unseren angeblichen Schilderungen des Privatlebens, Romanen und Schauspielen meist alles in Bewegung gesetzt wird, ist die Liebe. Die phantastische Vorstellungsart, das, wodurch die Natur den Menschen in das Heiligtum der geselligen Bande nur einführt, was die in ihm schlummernden Kräfte zu edler Tätigkeit zu wecken bestimmt ist, als den Mittelpunkt und das letzte Ziel des Lebens anzusehen, und es dadurch in eine müßige Schwelgerei des Gefühls zu verwandeln, ist uns leider so geläufig, daß wir die Häßlichkeit und Verworrenheit unserer gewöhnlichen Romanenwelt gar nicht gewahr werden. Bei der Schlaffheit solcher Leser, die in einem Romane, gänzlich unbekümmert um sittliche Eigentümlichkeit, nur das gehörige Maß von gesetzlosem Ungestüm der Leidenschaft verlangen, darf es nicht wundern, wenn ein Werk wie *Wilhelm Meister* unbegriffen angestaunt wird, weil es die Vielseitigkeit der menschlichen Bestrebungen mit der höchsten Klarheit auseinanderbreitet und daher der Liebe nur einen untergeordneten Platz einräumt. Auch in „Hermann und Dorothea" ist sie nicht eine eigentliche romanhafte Leidenschaft, die zu dem großen Stile der Sitten nicht gepaßt hätte; sondern biedere, herzliche Neigung, auf Vertrauen und Achtung gegründet, und in Eintracht mit allen Pflichten des tätigen Lebens, führt jene einfachen, aber starken Seelen zueinander.

Ohne ein Zusammentreffen außerordentlicher Umstände würde daher auch die Entstehung und Befriedigung solch einer Liebe in den leisen unbemerkten Gang des häuslichen Lebens miteintreten und nicht mit schleuniger Gewalt unerwartete Erscheinungen hervorrufen. Dies letzte hat der Dichter durch ein einziges Mittel bewirkt, woraus dann alles mit so großer Leichtigkeit herfließt, als hätte gar keine glückliche Erfindungskraft dazugehört, es zu entdecken. Auf den Umstand, daß Hermann Dorotheen als ein fremdes, durch den Krieg vertriebenes Mädchen unter Bildern der allgemeinen Not zuerst erblickt, gründet sich die Plötzlichkeit seiner Entschließung, der zu befürchtende Widerstand seines Vaters und das Zweifelhafte seines ganzen Verhältnisses zu ihr, das erst mit dem Schluß des Gedichtes völlig gelöst wird. Durch die zugleich erschütternde und erhebende Aussicht auf die großen Weltbegebenheiten im Hintergrunde ist alles um eine Stufe höher gehoben und durch eine große Kluft vom Alltäglichen geschieden. Die individuellen Vorfälle knüpfen sich dadurch an das Allgemeine und Wichtigste an und tragen das Gepräge des ewig denkwürdigen Jahrhunderts. Es ist das Wunderbare des Gedichts, und zwar ein solches Wunderbares, wie es in einem Epos aus unserer Zeit einzig stattfinden darf, nämlich nicht ein sinnlicher Reiz für die Neugier, sondern eine Aufforderung zur Teilnahme, an die Menschheit gerichtet.

Es versteht sich von selbst, daß das oben über die unbestimmte epische Einheit Bemerkte bei einem ganz erfundenen Stoffe einige Einschränkung leidet. Was die schon durchgängig dichterisch gestaltete Sage gegeben, kann der Sänger fast in einem beliebigen Punkte aufnehmen (nach Homers eigenem Ausdruck Ἔνθεν ἑλών, *Od. VIII*, 500) und auch, sobald die Rhapsodie eine schöne Rundung gewonnen hat, bei einem schicklichen Einschnitte wieder fallen lassen; denn er darf darauf rechnen, daß die Hörer über die weiteren, ihnen schon bekannten Schicksale seiner Helden nicht in Unruhe bleiben werden. Aber die Aufführung von Personen, denen nur die Macht des Dichters Leben verliehen hat, macht eine vollkommenere Befriedigung, eine strengere Begrenzung notwendig. Übrigens ist jedoch die Anlage des Ganzen durchaus episch und nicht dramatisch. Keine künstliche Verwicklung, keine gehäuften Schwierigkeiten, keine plötzlich eintretenden Zwischenvorfälle, keine auf einen einzigen Punkt hindrängende Spannung. Alles ist einfach und gleitet ohne Sprung in einer unveränderten Richtung fort, deren Ziel man bald vorhersieht. Man kann sagen, daß Verknüpfung und Auflösung durch das Ganze gleichmäßig verteilt ist, oder vielmehr, daß durch eine Mehrheit von kleineren aneinandergereihten Verknüpfungen und Auflösungen das Gemüt immer von neuem angeregt, doch nie in dem Grade mit fortgerissen wird, daß es die Freiheit der Betrachtung verlöre. Die häufig bewirkte Rührung ist daher niemals eine durch Überraschung abgejagte, oder das bloße Mitleid mit geängstigten Seelen, sondern die sanfteste und reinste, welche allein dem Adel der Gesinnungen gilt.

So einfach wie die Geschichte ist auch die Zeichnung der Charaktere. Alle starken Kontraste sind vermieden, und nur durch ganz milde Schatten ist das Licht auf dem Gemälde geschlossen, das eben dadurch harmonische Haltung hat. Bei Hermanns Vater wird die mäßige Zugabe von Eigenheiten, von unbilliger Laune, von behaglichem Bewußtsein seiner Wohlhabenheit, das sich durch Streben nach einer etwas vornehmeren Lebensart äußert, durch die schätzbarsten Eigenschaften des wackeren Bürgers, Gatten und Vaters reichlich vergütet. Der Apotheker unterhält uns auf seine Unkosten; aber er tut es mit so viel Gutmütigkeit, daß er nirgends Unwillen erregt, und selbst sein offenherziger Egoismus, von dem man anfangs Gegenwirkung befürchtet, ist harmlos. Dergleichen naiv lustige Züge sind ganz im Geiste der epischen Gattung; denn ihr ist eine idealistische Absonderung der ursprünglich gemischten Bestandteile der menschlichen Natur fremd, woraus erst das rein Komische und Tragische entsteht. Übrigens kann man Herzlichkeit, Geradsinn und gesunden Verstand den allgemeinen Charakter der handelnden Personen nennen; und doch sind sie durch die gehörigen Abstufungen individuell wahr bestimmt. Die Mutter, den Pfarrer und den Richter, unter denen es schwer wird zu entscheiden, wo die sittliche Würde am reinsten hervorleuchtet, erwähnten wir schon vorhin. Wie schön gedacht ist es, beim Hermann die kraftvolle Gediegenheit seines ganzen Wesens mit einem gewissen äußeren Ungeschick zu paaren, damit ihn die Liebe desto sichtbarer umschaffen könne! Er ist eins von den ungelenken Herzen, die keinen Ausweg für ihren Reichtum wissen, und denen die Berührung entgegenkommender Zärtlichkeiten nur mühsam ihren ganzen Wert ablockt. Aber da er nun das für ihn bestimmte Weib in einem Blicke erkannt hat, da sein tiefes inniges Gefühl wie ein Quell aus dem harten Felsen hervorbricht: welche männliche Selbstbeherrschung, welchen bescheidenen Edelmut beweist er in seinem Betragen gegen Dorotheen! Er wird ihr dadurch beinahe gleich, da sie sonst an Gewandtheit und Anmut, an heller Einsicht und besonders an heldenmäßiger Seelenstärke merklich überlegen ist. Ein wunderbar großes Wesen, unerschütterlich fest in sich bestimmt, handelt sie immer liebevoll und liebt sie nur handelnd. Ihre Unerschrockenheit in allgemeiner und eigener Bedrängnis, selbst die gesunde körperliche Kraft, womit sie die Bürden des Lebens auf sich nimmt, könnte uns ihre zartere Weiblichkeit aus den Augen rücken, mischte sich nicht dem Jüngling gegenüber das leise Spiel sorgloser, selbstbewußter Liebenswürdigkeit mit ein, und entriß nicht ein reizbares Gefühl, durch vermeinten Mangel an Schonung überwältigt, ihr noch zuletzt die holdesten Geständnisse. Hinreißend edel ist ihr Andenken an den ersten Geliebten, dessen herrliches Dasein ein hoher Gedanke der Aufopferung verzehrt hat. Seine Gestalt, obgleich in der Ferne gehalten, ragt noch am Schluß unter allen Mithandelnden hervor, und so wächst mit der Steigerung schöner und großer Naturen das Gedicht selbst gleich einem stillen, mächtigen Strome.

Mit eben der Kraft und Weisheit, womit der Dichter bei der Wahl oder vielmehr Erschaffung des Darzustellenden dafür gesorgt, daß es der schönen Entfaltung so würdig, so rein menschlich und doch zugleich so wahr und eigentümlich wie möglich wäre, hat er den anmaßungslosen Stil der Behandlung dem Werke nicht von außen mit schmückender Willkür angelegt, sondern als notwendige Hülle des Gedankens von innen hervorgebildet. Es scheint, als hätte er, nachdem er das Wesen des homerischen Epos, abgesondert von allen Zufälligkeiten, erforscht, den göttlichen Alten ganz von sich entfernt und gleichsam vergessen. Wie überhaupt leidende Annahme leicht, freie Aneignung und Nachfolge aber eine Prüfung der Selbständigkeit ist, so wäre es auch keine so schwierige Aufgabe, einen modernen Gegenstand ganz in homerische Manieren zu kleiden. Allein es fragt sich, wie es bei dieser Anhänglichkeit an den Buchstaben um den Geist stehen würde. Alle Form hat nur durch den ihr innewohnenden Sinn Gültigkeit, und bei veränderter Beschaffenheit des Stoffes, worin sie ausgeprägt werden soll, muß der Geist auch anders modifizierte Mittel, sich auszudrücken, suchen. Dergleichen äußerliche Abweichungen sind alsdann wahre Übereinstimmung. Homers Rhapsodien waren ursprünglich bestimmt, gesungen, und zwar aus dem Gedächtnisse gesungen zu werden; in einer Sprache, welche in weit höherem Grade als die unsrige die Eigenschaften besitzt, derentwegen Homer die Worte überhaupt geflügelt nennt. Die häufige Wiederkehr einzelner Zeilen, die Wiederholung ganzer, kurz vorher dagewesener Reden, und manche kleine Weitläufigkeiten konnten daher vor dem Ohr des sinnlichen Hörers, das sie tönend füllten, leichter vorüberwallen. Dem heutigen Leser (der nur allzu selten der Poesie Stimme zu geben oder sie auch nur zu hören versteht) möchten sie einförmig und ein unwillkommener Aufenthalt dünken. In „Hermann und Dorothea" kommt nur eine einzige Wiederholung vor und, so gespart, tut sie eine Wirkung, die bei häufigerem Gebrauche verlorengegangen wäre: sie lenkt die Aufmerksamkeit zweimal auf die so bedeutende Schilderung von Dorotheens Tracht und Gestalt. Homer pflegt jede Rede durch eine ganze Zeile anzukündigen, wobei denn oft dieselbe wiederkommt. Unser Dichter tut jenes ebenfalls, doch so, daß er immer mit den Nebenzügen wechselt; mehrmals läßt er aber die Rede mitten im Hexameter anfangen, schickt auch wohl einige Worte davon voran und flicht dann die Erwähnung der redenden Personen kurz ein. Beides tut Homer niemals, vielleicht weil der Vortrag des Sängers Pausen in der Mitte des Verses, um dergleichen deutlich voneinander zu scheiden, nicht gestattete. Das Vergangene nie als gegenwärtig vorzustellen, ist der Gattung so wesentlich eigen, daß der Dichter, vermutlich ohne sich besonders daran zu erinnern, jene oben bemerkte Ausschließung des Präsens der Zeitwörter in der Erzählung durchgehend beobachtet hat. Homerismen, wenn wir es so nennen dürfen, in Wendungen und Redensarten haben wir gar nicht entdecken können; es müßte denn etwa Hermanns Ausdruck sein: „dem ist kein Herz im ehernen Busen", wo sowohl „sein" mit dem Dativ statt „haben" als das Beiwort „ehern" nicht bei uns einheimische Redensart ist. Ähnlichkeiten wie „denn mir war Zwiespalt im Herzen" und διάνδιχα μερμήριξα, oder wie καί με γλυκὺς ἵμερος αἱρεῖ, „und süßes Verlangen ergriff sie"; oder Anwendung jener Formel, wodurch die übereinstimmenden Äußerungen vieler in eine Rede zusammengefaßt werden:

Ὧδε δέ τις εἴπεσκεν, ἰδὼν ἐς πλησίον ἄλλον,

Denn so sagte wohl eine zur andern flüchtig ins Ohr hin, und kurz nachher:

Aber ein', und die andre der Weiber sagte gebietend;

können nicht für Homerismen gelten, da diese natürlichen Wendungen, da wo sie stehen, ganz an ihrer Stelle sind. Jene Figur, daß der Dichter die Person, die er redend einführt, selbst anredet, welche im Griechischen bei einigen Namen die Bequemlichkeit des Versbaues mag veranlaßt haben, ist hier nur ein paarmal zu einer etwas drolligen Wirkung benutzt:

Aber du zaudertest noch, vorsichtiger Nachbar, und sagtest.

Was den lieblichen Überfluß an Beiwörtern betrifft, so bietet unsere Sprache Mittel genug dar, es darin dem griechischen Sänger gleichzutun. Aber es gibt im Homer manche an sich schöne und edle Beiwörter, die, einmal für allemal festgesetzt, dadurch einen Teil ihrer Bedeutsamkeit verlieren, daß sie ohne nähere Beziehung auf den jedesmaligen Zusammenhang der Stelle wiederkehren. Sie scheinen eine Erinnerung an den Ursprung der epischen Kunst zu sein, da der Sänger Ausdruck und Vers für die vorgetragene Geschichte während des Gesanges ersinnend, durch solche Halbverse, die allgemeines Eigentum waren, Zeit gewann. Bloß zum Behufe der Poesie gebildete Zusammensetzungen müssen uns einen stärkeren Eindruck von Pracht und Festlichkeit geben als den homerischen Griechen; nicht als ob sie bei ihnen in die Sprache des gewöhnlichen Lebens übergegangen wären, sondern die epische Poesie war ihnen überhaupt etwas Gewöhnlicheres als uns. Mit gutem Grunde ist daher der deutsche Dichter in diesem Stücke etwas weniger freigebig gewesen; die Beiwörter sind bei ihm nicht allgemeine Erweiterung, sondern an ihrem bestimmten Platze bedeutend, und er hat sich weit häufiger der einfachen als der zusammengesetzten bedient. Wo er dergleichen selbst bildet, geschieht es auf die leichteste Weise durch Verbindung eines Umstandswortes mit einem Adjektiv und Partizip, z. B. „der wohlumzäunete Weinberg, der vielbegehrende Städter, der allverderbliche Krieg". Nur einmal finden wir ein Substantiv mit einem Partizip zum Epitheton verknüpft, „die gartenumgebenen Häuser"; welches in wohlklingender Kürze das Bild von einem zerstreut liegenden Dorfe gibt. Daß diejenigen, für welche die Poesie nichts weiter ist als ein Mosaik von kostbaren Phrasen, den Ausdruck in „Hermann und Dorothea" viel zu schmucklos, das ist nach ihrer Art zu sehen, zu prosaisch, finden werden, ist in der Ordnung. Diese Kritiker würden vermutlich ein wenig erstaunen, wenn sie erführen, daß Dionysius von Halikarnaß an einer Stelle der *Odyssee*, „die in den gemeinsten, niedrigsten Ausdrücken abgefaßt sei, deren sich etwa ein Bauer oder ein Handwerker bedienen würde, die gar keine Sorge darauf wenden, schön zu reden", das Verdienst der dichterischen Zusammenfügung weitläufig auseinandersetzt. Nach Wolfs[4] Bemerkung „scheint die homerische Diktion unermeßlich weit entfernt von dem wüsten Schwulst der Tropen und Bilder, welcher der Kindheit der Sprachen eigen ist, durch ihren gleichmäßigen bescheidenen Ton eine nahe Vorbotin der entstehenden Prosa zu sein". Obgleich wir über die damalige Sprache des gemeinen Lebens im Dunkeln sind, läßt es sich doch wahrscheinlich machen, die epische habe sich mehr durch die Zusammensetzung, nämlich durch Wortfügung und Wortstellung, dann durch die mannigfaltigere Biegung, Verlängerung und Verkürzung der Wörter, endlich durch die reichlichere Einschiebung der Partikeln als durch die Bestandteile der Rede selbst von jenen unterschieden. Die zuletzt genannten Freiheiten sind dem deutschen fast ganz versagt; desto schwerer war es, wie in „Hermann und Dorothea" geschehen ist, den Ausdruck durch die unmerklichsten Mittel, durch würdige Einfalt, hier und da einen flüchtigen Anstrich vom Altertümlichen, die leichteste, klarste Folge und Verbindung der Sätze, hauptsächlich aber durch die Stellung von der gewöhnlichen Sprache des Umgangs zu entfernen. Die möglichste Enthaltung von solchen Konjunktionen, die auf die Wortfolge Einfluß haben, und von den relativen Fürwörtern, welche eben so wirken, ist ein Hauptmittel zur dichterischen Vereinfachung der Sätze. Auch der häufigste Gebrauch der Partizipien hebt die Rede, ohne ihr Schmuck aufzuladen. Den Nachdruck vermehrt manchmal die Häufung des Verbindungswörtchens, manchmal dessen Weglassung.

Die Abweichungen von der prosaischen Wortfolge sind meistens so leicht und leise, daß sie einer nicht sehr wachen Aufmerksamkeit entschlüpfen, und doch wirken sie, was sie sollen. Auch bei kühneren Versetzungen ist immer für Vermeidung aller Dunkelheit gesorgt. An die vielfältig vorkommende Stellung des Beiwortes nach dem Hauptworte mit wiederholtem Artikel wird sich manches deutsche Ohr anfangs nicht gewöhnen wollen; man muß sehen, ob die Sprache der kleinen Gewalt, die ihr dabei geschieht, und wodurch sie allerdings für den epischen Gebrauch geschickter werden würde, nachgeben wird. Daß ein so bescheidener, schmuckloser und doch an Farbe und Gestalt durchhin epischer Ausdruck, wie er in „Hermann und Dorothea" herrscht, in unserer Sprache möglich war, beweist die hohe Bildung, welche sie schon erreicht hat; denn nur durch diese wird sie der Mäßigung, Entäußerung und Rückkehr zur ursprünglichen Einfalt fähig.

Die sinnlichen Gegenstände, entweder die den Menschen umgebenden Dinge oder bloß körperliche Handlungen, nehmen in Homers Gesängen einen großen Raum ein, und dies gehört zu der Wahrheit seines Weltgemäldes, wo die Helden und Götter so sinnlich, so stark von Körper, und so wenig geübt am Geiste sind. Indessen wird doch das Leblose immer nur in bezug auf die Menschen, denen es angehört, bezeichnet, niemals um seiner selbst willen ausgemalt. Dies, was man poetisches Stilleben nennen könnte, ist der Fortschreitung des Epos ganz und gar zuwider. Auch das sentimentale Wohlgefallen an ländlichen Gegenständen, das noch nötig sein würde, um die an sich tote Künstlichkeit solcher Schilderungen mehr zu beseelen, ist, als eine persönliche Empfindungsweise des Dichters, vom epischen Gedicht ausgeschlossen. In „Hermann und Dorothea" ist der Darstellung des Sinnlichen verhältnismäßig weit weniger Ausbreitung gegeben. Schon durch die Beschränkung der Geschichte auf den Zeitraum eines Nachmittags und Abends wurde der Dichter derselben mehr überhoben, obgleich er nichts zur Anschaulichkeit Dienliches übergangen und nach epischer Art selbst das geringste rühmend erwähnt hat. Bewunderungswürdig ist es aber, wie er die Menschen immer durch ihre Umgebung kenntlich zu machen und die äußeren Gegenstände auf sittliche Eigentümlichkeit zu beziehen weiß. Beispiele hiervon auszuwählen, würde uns ebenso schwer fallen, als es dem Leser leicht sein muß, sie zu finden. Die ländliche Natur wird ganz aus dem Gesichtspunkte ihrer Bewohner, eifriger Landwirte, geschildert; nur das Erfreuliche ihrer Ergiebigkeit, des fleißigen Anbaues, der menschlichen Anlagen in ihr (man sehe die Beschreibung des Weinbergs und der Felder des Wirts, des berühmten Birnbaums, der anmutigen Quelle) wird gepriesen; denn die, welche am rüstigsten in der Natur wirken und schaffen, sehen sie am wenigsten mit dem Auge des Landschaftskenners oder des empfindenden Naturliebhabers an.

Homers Gleichnisse sind eigentlich erklärende Episoden, die im Ernste und nicht bloß zum Schein den Zweck haben, etwas deutlicher zu machen; wobei man die ihn umgebenden Hörer nicht vergessen muß, wie er sie selbst beschreibt:

Gleichwie ein Mann auf den Sänger schaut, der vermöge der Götter
Kundig den Sterblichen singt die lusterregenden Worte:
Ihn ohn' Ende zu hören begehren sie, wenn er nun singet.

Solche Hörer hatten natürlich ein großes Bedürfnis, eine recht sinnlich faßliche Vorstellung von der geschilderten Sache zu bekommen. In der modernen Nachahmung, die hierauf gar keine Rücksicht nahm, ist das epische Gleichnis in einen gelehrten Zierat ausgeartet, so daß häufig das Bekanntere mit dem Fremderen, das Menschliche mit der tierischen Welt, die unserer Beobachtung weit entfernter liegt, auch wohl das Körperliche mit dem Geistigen verglichen wird. Schwerlich möchte daher an „Hermann und Dorothea" etwas vermißt werden, weil es nur ein ausgeführtes Gleichnis enthält. Dieses eine ist schön und neu und kommt bei einer Gelegenheit vor, wo es die Mühe lohnt.

Die Ankündigung des Inhalts, gar kein wesentlicher Teil des Epos, sondern eine entbehrliche Vorbereitung, welche da, wo die besungene Geschichte sich auf Sage gründet, noch mehr Schicklichkeit hat, als wo sie erst durch das Gedicht entsteht, ist von dem deutschen Sänger mit Bedacht weggelassen. Dagegen flicht er zu Anfang der letzten unter den neun Rhapsodien, die er, wie Herodot die Bücher seiner Geschichte, nach den Musen benannt, doch zugleich noch mit anderen bedeutenden Überschriften versehen hat, eine sehr gefällige Anrede an diese Göttinnen ein.

Wir haben „Hermann und Dorothea" in dem bisherigen nach seiner Eigentümlichkeit, nach den besonderen Bestimmungen des Entwurfs, der Sitten und des Stils zu charakterisieren gesucht. Als ein Individuum seiner Gattung, d. h. als episches Gedicht, haben wir es schon vorher charakterisiert. Denn was wir oben als wesentliche Merkmale des Epos angaben: die überlegene Ruhe und Parteilosigkeit der Darstellung; die volle, lebendige Entfaltung, hauptsächlich durch Reden, die mit Ausschließung dialogischer Unruhe und Unordnung der epischen Harmonie gemäß umgebildet werden; den unwandelbaren, verweilend fortschreitenden Rhythmus: diese Merkmale lassen sich ebenso gut an dem deutschen Gedicht entwickeln als an Homers Gesängen. Verfehlten wir also den wahren Begriff nicht, so wird der Leser, der dies Urteil durch eigene Prüfung beurteilen will, auch wenn er mit den letzten nicht bekannt ist, sie ohne Mühe wiederfinden. Was die Ruhe betrifft, so beugen wir nur noch dem Mißverständnisse vor, als ob der Dichter gegen das, wodurch er die Seelen anderer so tief bewegt, selbst unempfindlich sein sollte. Er muß es allerdings auf das Innigste fühlen; aber er hat die Selbstbeherrschung, dem Gefühl keinen Einfluß auf die Darstellung zuzugestehen. Er wird z. B., wo das Gesetz derselben es fordert, gleich nach dem erschütterndsten Augenblicke einen verhältnismäßig gleichgültigen, ja einen drolligen Umstand erwähnen, wie es in „Hermann und Dorothea", namentlich im letzten Gesange, mehrmals geschieht. Die Enthaltung des Dichters von eigener Teilnahme ist also kein leerer Schein; denn wenn die Darstellung durch das Medium der Empfindung gegangen und von ihr gefärbt ist, so sympathisiert der Leser nun eigentlich nicht mehr mit der Sache, sondern mit dem Dichter.

Die Lehre vom epischen Rhythmus verdient eine genauere Auseinandersetzung. Sie ist auch deswegen wichtig, weil sie Anwendung auf den Roman leidet. Ein Rhythmus der Erzählung, der sich zum epischen ungefähr so verhielte wie der oratorische Numerus zum Silbenmaße, wäre vielleicht das einzige Mittel, einen Roman nicht bloß nach der allgemeinen Anlage, sondern nach der Ausführung im einzelnen durchhin poetisch zu machen, obgleich die Schreibart rein prosaisch bleiben muß; und im *Wilhelm Meister* scheint dies wirklich ausgeführt zu sein.

Wir enthalten uns hier jedes Rückblicks auf Goethes dichterische Laufbahn, so fruchtbar an belehrenden Zusammenstellungen, selbst an wichtigen Andeutungen über das Bedürfnis unserer Bildung und das Streben des Zeitalters, von der Originalität zur vollkommenen Gesetzmäßigkeit schöner Geisteswerke, von der Erscheinung der Unabhängigkeit des Individuums zum Abdrucke reiner Menschheit in ihnen fortzugehen, eine solche Übersicht auch sein würde; und fassen nur unsere Betrachtung des vorliegenden Werkes in kurze Resultate zusammen. Es ist ein in hohem Grade sittliches Gedicht, nicht wegen eines moralischen Zwecks, sondern insofern Sittlichkeit das Element schöner Darstellung ist. In dem Dargestellten überwiegt sittliche Eigentümlichkeit bei weitem die Leidenschaft, und diese ist so viel möglich aus sittlichen Quellen abgeleitet. Das Würdige und Große in der menschlichen Natur ist ohne einseitige Vorliebe aufgefaßt; die Klarheit besonnener Selbstbeherrschung erscheint mit der edlen Wärme des Wohlwollens innig verbunden und gleiche Rechte behauptend. Wir werden überall zu einer milden, freien, von nationaler und politischer Parteilichkeit gereinigten Ansicht der menschlichen Angelegenheiten erhoben. Der Haupteindruck ist Rührung, aber keine weichliche, leidende, sondern in wohltätige Wirksamkeit übergehende Rührung. „Hermann und Dorothea" ist ein vollendetes Kunstwerk im großen Stil und zugleich faßlich, herzlich, vaterländisch, volksmäßig; ein Buch voll goldener Lehren der Weisheit und Tugend.

Dante

Über die Göttliche Komödie

1791

Einer der eigensten Sonderlinge, die je unter Gottes Himmel herumgewandelt sind, und einer der großherzigsten, tiefsinnigsten, einfältigsten, echtesten Menschen war Dante. Weil jenes den Lesern seiner Werke natürlich zuerst auffallen muß, und weil Dichtersinn und Dichterwert unter einer mönchischen Verkleidung, ebenso wenig als Tugend im Kittel, von gemeinen Blicken erkannt wird, verlassen die meisten ihn wieder, ehe sie ihn noch gefunden haben. Darum ist er auch dem Spotte sehr ausgesetzt. Manchem witzigen Kopf ist es weit leichter, ihn lächerlich zu machen als nur einen Zug seiner Größe in sich überzutragen. Also nicht um meines Lieblingsdichters zu spotten, sondern um ungestört recht viel Gutes von ihm sagen zu können, erklär' ich gleich zu Anfange, daß seine Seltsamkeit mir ebenso stark auffällt als irgend jemanden.

Nicht richten will ich in diesen Blättern über den Dante – die Stimme der Völker und Jahrhunderte hat auch längst gerichtet – nur bekannter möchte ich ihn unter uns machen; ein schwaches Bild seines Geistes entwerfen, wie ich es mit meinem Gefühle aufzufassen vermag. Wie leicht ist es überhaupt, einen großen Menschen und einen großen Dichter zu loben oder zu tadeln! Wie leicht, einen dürren Scheiterhaufen aus moralischen oder ästhetischen Regeln aufzubauen, und dann ohne weitere Umstände ein Autodafé anzustellen! Hingegen in die Zusammensetzung eines fremden Wesens eindringen, es erkennen, wie es ist, belauschen, wie es wurde, nicht allein die verliehene Kraft gegen das, was sie gewirkt hat, wägen, sondern auch den ganzen Zusammenhang der Dinge, den Widerstand oder die Hilfe des vielfach bildenden Schicksals mitberechnen: das fordert mehr, aber belohnt auch.

Wenn man von einem Dichtergeiste reden will, dessen Individualität sich seinen Werken in ihren feinsten Zügen eingeprägt hat, so kommt noch das hinzu, daß es schwer ist, Worte zu finden für das Wahrgenommene und innig Gefühlte. Alle Abstraktionen sind so unbefriedigend! Und wem es nicht an ihnen genügt, der schreibt so leicht über seinen Dichter wieder ein Gedicht, was dann den Kunstrichtern ein großes Ärgernis gibt. Daher kommts auch wohl, daß so viel Flaches in dieser Art geschrieben ist und so wenig, das eingriffe. Die, welche reden könnten, fühlen die Schwierigkeit am stärksten und genießen lieber im stillen.

In unserem Zeitalter ist Dante selbst seinen Landsleuten, außer den gründlicheren Kennern ihrer Sprache und Literatur, wenig bekannt. Seine Dunkelheit wird ihnen immer undurchdringlicher, seine Sprache fremder, der männliche Klang seiner Verse rauher und barbarischer. Es tut mir leid für die Italiener, daß sie den ehrwürdigen Vater ihrer Sprache und Dichtkunst mehr rühmen als lesen. Ehedem war es nicht so, wie die unzählige Menge von Ausgaben und Kommentaren, und die Anstellung eigener Lehrer zur Auslegung der *Göttlichen Komödie* in mehreren Städten beweist. Allein Dante schrieb nicht für Köpfe, die in Ergötzen gewiegt sein wollen, ohne zu denken, nicht für Ohren, denen nur die Schmeichelei glatter und inhaltsleerer Poesie gefällt. Wie würde er erstaunen, wenn er jetzt auferstünde, und das schöne Land, das der Apennin teilt, so verändert sähe! Wie würde ihm überall der Anblick gesunkener Kraft entgegenkommen! So voller Barbarei, Ausschweifungen und Greuel das Jahrhundert war, worin er lebte, so steh' ich doch nicht an, es dem jetzigen weit vorzuziehen. Denn damals konnte die Nation noch alles werden; man möchte es eher zufälligen Umständen Schuld geben als ihr selbst, daß die Ausbrüche überströmender Lebenskraft am Ende nur Erschlaffung zurückließen. Jetzt ist sie gewesen, was sie werden konnte. Ihre Laufbahn scheint geendigt zu sein, und die Taten, Erfindungen und Werke voriger Jahrhunderte erwecken ihren Wetteifer nicht mehr. Sie dienen zu nichts, als ihren Schlummer behaglicher zu machen. – Jenseits der Alpen, mit den Italienern zu sprechen, findet Dante vielleicht noch mehrere, die fähig sind, gerade diese Art des Dichterwertes zu begreifen. Freilich ist es abschreckend, bei jedem Schritt seine Zuflucht zu einem Kommentar nehmen zu müssen, der zuweilen noch verworrener ist als der Text[1]; nur durch Geduld und Anstrengung wird man vertraut mit diesem Dichter und erst beim zweiten oder dritten Lesen gelangt man zum vollen Genuß.

Aber das ist ja auch bei vielen Dichtern des Altertums der Fall. Und dann verdient er, seinen dichterischen Wert abgerechnet, noch in einer anderen Hinsicht studiert zu werden. Er hat in einem Zeitalter gelebt, welches uns, einige Chroniken ausgenommen, wenig schriftliche Denkmäler hinterlassen hat. Hell und treu spiegelt sich das Bild desselben in seinem Gedicht. Ich wüßte nichts, was dem, der die eigentümliche Wendung, welche zu der Zeit bei dem Volke die menschlichen Angelegenheiten nahmen, ergründen will, größere Aufschlüsse geben könnte als die *Göttliche Komödie*. Auch führen die italienischen Geschichtsschreiber den Dante als einen gewichtigen Zeugen über einzelne Umstände an, zuweilen selbst in Dingen, wo das Interesse seiner Partei, der Ghibellinen, ihn von der Wahrheit hätte ablenken können. Da, wo Homers Rhapsodien verwahrt werden, im innersten Tempel der Geschichte, hat er sein ernstes Werk niedergelegt zur Urkunde über ehemalige Geschlechter. Eben um dieser Nationalität willen, um dieses engen Bezuges willen auf die damalige Verfassung seines Vaterlandes, womit Dante schrieb, muß man notwendig einige Kenntnis der Zeiten mitbringen, um ihn mit Interesse zu lesen und aus dem rechten Gesichtspunkte zu betrachten; und hier ist's eben, wo es manchem Kritiker fehlt, der sich nichtsdestoweniger anmaßte, ihn zu tadeln. Hineinträumen muß man sich in jenes heroische mönchische Gewirr, muß Guelfe oder Ghibelline werden, sonst wirft man das Buch mit Überdruß wieder weg.

Italien war lange vorher schon, aber vorzüglich in der letzten Hälfte des dreizehnten Jahrhunderts in einer von jenen heftigen Gärungen, wo nebst dem Abschaum oft auch die beste Kraft der Menschheit zugleich wegbraust. Besonders war die Lombardei und Toskana zahllosen Fehden zum Raube gegeben, die sich unaufhörlich erneuerten, indem fast jeder Friedensschluß den Samen künftiger Spaltungen streute. Richtiger könnte man sagen: es war dort nur eine ewige Wut aller gegen alle. Das Ansehen der Kaiser galt nichts mehr, und doch gab es sonst kein Oberhaupt, welches Macht gehabt hätte, die trotzigen Städte zu einem Ganzen zusammenzuordnen und sie ihre Freiheit ertragen zu lehren. Herrenlos war das Land und fast jeder kleine Teil desselben von mannigfaltiger Unterdrückung gequält. Die damaligen Menschen waren mutig und stark. Der romantische Geist ritterlicher Abenteurer lebte in ihren Unternehmungen. Allein zu diesem gesellte sich die blinde Wut der Faktionen und machte das Spiel der Leidenschaften verworrener und wilder. Guelfen kämpften gegen Ghibellinen; Grafen und Barone unter sich und gegen die Städte; diese gegen kleinere Städte, um sie zu unterjochen, oder gegen gleichmächtige aus Rivalität; im Innern der Städte wiederum die Edeln gegen das Volk und das Volk gegen die Edeln oder auch Geschlechter gegen Geschlechter. Alles, was nur von Kräften des Hasses und der Feindseligkeit im Menschen liegt, wurde wunderbar entwickelt und gestärkt. Die Moral einfacher heroischer Zeitalter ist es, seine Freunde zu lieben und seine Feinde zu hassen, beides gleich kräftig. Hier hingegen galt die letzte Pflicht bei weitem als die wichtigste; wer seine Beleidiger nicht mit unaustilgbarer Erbitterung verfolgen konnte, taugte nicht zur Führung der öffentlichen Angelegenheiten. Große Taten zu großen Zwecken konnten nicht geschehen, denn jede umfassende Aussicht, welche die Herzen hätte erweitern und durch mächtige Triebfedern über das enge Interesse des Augenblicks erheben können, hatte die Ungewißheit der Zeiten umnebelt. Wenige kannten Patriotismus; fast niemand wußte, ob er ein Vaterland habe: der heute noch eines blühenden Glückes in seiner Stadt genoß, war morgen vielleicht seiner Güter beraubt und ein Flüchtling. Auch die beiden Parteien, wovon die eine das Ansehen des Papstes und der Kirche, die andere die Rechte der Kaiser zu verfechten schien, kämpften oft nur für sich; jeder knüpfte seine eigenen Freundschaften und Feindschaften an die Namen von Guelfen und Ghibellinen. Freiheit schrie das Volk, und Anarchie trug es im Sinne. Mächtige raubten, Tyrannen würgten, Priester trieben Verrat, und der heilige Vater zu Rom war meistens Erzengel der Zwietracht.

Wenn man sich von diesen Szenen zu dem hinwendet, was zu derselben Zeit die wenigen, welche sich mit Bücherlesen und Bücherschreiben, mit Lernen und Lehren befaßten, zwischen ihren vier Wänden trieben, so wird man in eine ganz fremde Welt ohne Zusammenhang, sogar im seltsamsten Widerspruch mit jener, versetzt. Es ist, als hätte jemand zu einer phantastischen Unterhaltung die kontrastierendsten Teile aus zwei verschiedenen Weltgeschichten miteinander vermählt. Während die tätige größere Hälfte des Menschengeschlechts edle Fülle von Lebenskräften in heißen Kämpfen verschwendete, hielten die spekulierenden Köpfe in einer aus vorigen Zeiten herabgeerbten Erstarrung zum Teil mit vielem Scharfsinn, zum Teil auch durch bloße platte Pedanterei sich selbst gefangen. Nichts wußte man von allem, was nützlich ist zu wissen, und bekümmerte sich auch nicht darum; aber sehr stark war man in der Astrologie, und mitunter auch in der Nekromantie. Die heilloseste unter allen Pedanterien, Mönchspedanterie, hatte alles, was man mit dem Namen Wissenschaft ehrte, in unnatürliche Formen gezwängt, wie unter Klosterregeln; wer also lernen wollte, begab sich gleichsam unter Klosterdisziplin und mußte ein großes Maß von gesundem Menschenverstande mitbringen, wenn dieser nicht in der eingeschränkten Luft und Lebensart verdumpfen sollte. Die geachtetste unter den Wissenschaften, die Theologie, war vor allen im traurigsten Zustande, weil sie am meisten kultiviert ward. Die Heilige Schrift war längst nicht mehr der Codex der Wahrheit für sie, und konnte es nicht sein, denn man verstand die Kunst, alles aus ihr heraus und in sie hinein zu deuten. Auf die Sätze des Philosophen – man kannte damals nur den Aristoteles aus verfälschenden Übersetzungen – gründete man das christliche Lehrsystem, und man hatte diese heterogenen Teile durch eine spitzfindige Dialektik so tausendfältig ineinander verwirrt und verwickelt, daß Aristoteles selbst, wenn er wieder auferstanden wäre, Schwierigkeit gefunden haben sollte, sie zu scheiden. Der höchste Punkt der Weisheit in der Philosophie war's, gegen alle disputieren zu können und immer recht zu behalten. Der, welchem dies gelang, hieß ein *Doctor irrefragabilis*. In den Köpfen dieser Leute wurde Aristoteles selber ein *Doctor irrefragabilis* oder auch, ungeachtet er ein Heide gewesen war, so etwas von einem seraphischen Lehrer zukünftiger Gläubigen. Zu allem diesem kam noch das entsetzliche Latein, dessen man sich in der damaligen gelehrten Welt bediente, welches durchgehends aus Barbarismen, nicht bloß in der grammatischen Form, sondern im inneren Wesen bestand, und allein schon hinreichend gewesen wäre, den geraden Sinn für Wahrheit mit unauflöslichen Banden der Finsternis zu umstricken. Hatte jemand auch gute Gedanken, die nicht scholastisch oder mystisch waren: in dieser Sprache konnte er sie nicht sagen. Dennoch wußte man sich so viel damit, daß man die Wissenschaften beinahe zu entadeln glaubte, wenn man darüber in der menschlichen Sprache des Volkes redete.

Eine einzige schöne Blüte des menschlichen Geistes war emporgesproßt, nicht in der Abgeschiedenheit der Klöster, sondern unter Menschen, die das Leben männlich und kraftvoll genossen, unter Spielen der Waffen und ernsten Gefechten und der Schweiß rühmlicher Taten hatte sie betaut. Die liebliche Sängerkunst der Provenzalen meine ich, die etwa anderthalbhundert Jahre vor Dantes Zeit im südlichen Frankreich zuerst sich bildete, und dann in Spanien, Italien, Deutschland und England die liebste Ergötzung der Ritter und Damen ward. Ritterliche Taten sang diese Poesie und ritterliche Liebe und Freude, und nie hatte noch eine Dichterzunft so zart um Liebe geworben, so sittig erlangte Liebe gepriesen, so unschuldig fromm den Gegenstand der Leidenschaft vergöttert. In verschiedenen Sprachen wurde diese Art zu dichten nachgeahmt, und die toskanische Poesie erhielt ganz ihre Gestalt von derselben. Schon seit dem Anfange des dreizehnten Jahrhunderts dichteten viele nach Provenzalen-Sitte toskanische Canzonen, Sonette und Balladen, aber erst kurz vor dem Dante und zu seiner Zeit geschah es mit mehrerem Glück durch Guinicelli, Fra Guittone von Arezzo, Guido Cavalcanti und Messer Cino von Pistoia[2]. Von Dante selbst sind eine Menge Lieder dieser Gattung vorhanden, und sowohl die seinigen als manche von denen seiner Zeitgenossen, würden nicht ganz vergessen worden sein, hätte nicht Petrarca an zauberischer Harmonie des Ausdrucks und Engelreinheit der Empfindung alle seine Vorgänger so weit übertroffen.

So war die Welt, in welcher Dante lebte. Gäbe es eine gute Biographie von ihm, so würde diese alle sonstige Einleitung in die *Göttliche Komödie* überflüssig machen. Allein, so sehr oft auch sein Leben beschrieben ist, so fehlt doch viel, daß nur die dazu erforderlichen historischen Forschungen gründlich und vollständig vorgenommen, und noch weit mehr, daß seine Schicksale dargestellt wären mit Sinn für die Eigentümlichkeiten des Menschen, des Dichters, den sie bildeten und betrafen. Schwerlich ist wohl zu hoffen, ein Italiener werde dies leisten, und ein Ausländer kann es nicht leisten, wenn er nicht etwa italienische Bibliotheken benutzen darf, wo so vieles zur Kenntnis jener Zeiten Brauchbares noch ungebraucht liegt. Indessen sind dem künftigen Biographen des Dante doch als die vorzüglichsten Quellen die *Göttliche Komödie* selbst, dann seine übrigen Gedichte und prosaischen Schriften zu empfehlen. Unter diesen letzten ist eine, welche die Geschichte seiner ersten Jugendliebe zu einem florentinischen Mädchen, Beatrice Portinari, enthält und überschrieben ist: *Neues Leben* des Dante Alighieri. Dies Büchlein ist die Frucht seiner jüngeren Jahre, aber doch schon mit dem Stempel der Seltsamkeit, der seine späteren Schriften so ganz einzig charakterisiert. Es ist geschrieben mit der Einfalt und Aufrichtigkeit des Kindes, mit dem warmen törichten Herzen des Jünglings, ach! und mit dem tiefen Gefühl des Mannes für das Engbegrenzte, Arme, Bestandlose des Menschenlebens – so verloren durch alle Himmel schwärmend und so anspruchslos und gut und unschuldig daheim auf Erden – man kann es nicht ohne wunderbar ergreifende Rührung lesen, und doch zuweilen wieder nicht ohne Lächeln. Ich glaube mich nicht von meinem Hauptzwecke zu entfernen, wenn ich einen kleinen Auszug aus diesem Buche gebe. Außerdem, daß es die jugendlichen Sitten, die ganze Empfindungsweise, den Hang der Phantasie, den geheimen unauslöschlichen Durst der schönen und starken Seele dieses Menschen lebendiger darstellt, als irgend fremde Beschreibungen es tun können, steht noch in einer näheren Beziehung mit der *Göttlichen Komödie*. Wir werden dort noch mehr von Beatricen hören: sie ist vom Ende des zweiten Teils an durch den ganzen dritten die erste unter den handelnden Personen:

Frühe Eindrücke der Kindheit waren's, die nachher für Dantes ganzes Leben so mächtig blieben. Er hatte noch kaum sein neuntes Jahr vollendet, und Beatrice war beinah von gleichem Alter mit ihm, als er sie zum erstenmale sah, „in demütige und anständige Purpurfarbe gekleidet, gegürtet und geschmückt auf die Weise, wie es ihrem zarten Alter geziemte." Ahnung durchschauerte den Knaben, sie werde die Herrin seines Lebens sein, und von der Zeit fortan „beherrschte der Gott der Liebe seine Seele, die so früh ihm anvermählt worden war."

„Nach so viel verflossenen Tagen", sagt er, „daß gerade neun Jahre voll waren seit der oberwähnten Erscheinung jener Holdseligsten, begab es sich am letzten dieser Tage, daß dies wunderwürdige Mädchen mir erschien, gekleidet in schneeweise Farbe, zwischen zwei holden Frauen von reiferen Jahren als sie. Sie ging durch eine Straße und wandte die Augen gegen die Stelle, wo ich voller Furcht stand; und nach ihrer unaussprechlichen Freundlichkeit, die jetzt in den ewigen Reichen belohnt wird, grüßte sie mich tugendlich, so daß ich damals jedes Ziel der Glückseligkeit zu erblicken glaubte. Die Stunde, da ihr liebliches Grüßen zu mir gelangte, war gerade die neunte des Tages. Und weil dies das erste Mal war, daß ihre Worte sich regten, um zu meinen Ohren zu kommen, fühlte ich solche Süßigkeit, daß ich wie berauscht mich von den Leuten entfernte und in eine einsame Kammer flüchtete und an die Freundliche dachte. Und während ich an sie dachte, überfiel mich ein sanfter Schlaf, worin mir ein wunderwürdiges Gesicht erschien." – Hierauf beschreibt er das Gesicht, und sagt am Ende: „Als ich nachdachte über das was mir erschienen war, beschloß ich es vielen berühmten Dichtern (*trovatori*) jener Zeit wissen zu lassen, und da ich schon durch mich selbst die Kunst, Worte in Reimen zu sagen, erkannt hatte, beschloß ich ein Sonett zu machen, worin ich alle Getreuen der Liebe grüßen und mit einer Bitte, sie möchten über mein Gesicht urteilen, ihnen schreiben wollte, was ich in meinem Traume gesehen hatte. Und da begann ich dieses Sonett:" – Auf diese Art flicht er viele Sonette und Canzonen in das Buch ein, und immer so, daß er die Empfindungen, die aus den Gedichten atmen, vorher, als wirklich gehabt, zu beschreiben sich bemüht. Man sieht, es fiel ihm nicht ein, Erfindung oder Kunst dabei aufzuwenden: er suchte immer nur den unaussprechlichen Seufzern des Herzens Sprache zu geben. Liebe entwickelte im Jünglinge den Dichtergeist; Liebe sonderte ihn, wie er selbst sagt, zuerst vom gemeinen Haufen[3], und erhob ihn und noch einige Sänger seiner Zeit so weit über die älteren[4].

Nach jenem Gesichte nahm seine blühende Gesundheit ab, man sah in seinem Äußeren die Spuren der Liebe. Viele wünschten sein Geheimnis zu erraten und fragten, was daran Schuld sei. Er gestand: die Liebe, denn das konnte er nicht verhehlen. Und wenn sie ihn fragten: Liebe, für wen? blickte er sie lächelnd an, und sagte nichts.

Einst sah er seine Geliebte an einem heiligen Orte. Zwischen ihm und ihr saß ein schönes Mädchen, welches glaubte, seine Blicke zielten auf sie und ihn daher oft verwundert ansah. Dies brachte ihn auf den Gedanken, das holde Mädchen zum Schirm für die Wahrheit zu machen. Das tat er denn auch einige Jahre hindurch, dichtete sogar zu ihrem Lobe und klagte, als sie die Stadt verließ, voll Besorgnis, nun werde sein süßes Geheimnis verraten werden.

„Nach der Abreise dieses holden Mädchens", fährt er fort, „gefiel es dem Herrn der Engel zu seiner Herrlichkeit ein junges Mädchen von lieblicher Gestalt zu rufen, die in der obgenannten Stadt sehr beliebt war. Ihren Körper sah ich liegen ohne Leben, und viele Frauen umher, die sehr mitleidsvoll weinten. Ich erinnerte mich, daß ich sie in Gesellschaft jener Holdseligen gesehen, und konnte meine Tränen nicht zurückhalten; weinend beschloß ich, einige Worte auf ihren Tod zu sagen, zum Lohne dafür, daß ich sie einst mit meiner Herrin gesehen; und hiervon berührt' ich etwas im letzten Teil dieser Worte, wie es dem offenbar ist, der sie versteht, und da sagt' ich folgende zwei Sonette."

So führt er dann den kindlichen Roman weiter, malt einzelne Szenen mit sprechender Wahrheit aus, offenbart alles, was er gedacht und gefühlt, seine Ahnungen, seine Gesichte, seine Leiden und Freuden. Wie ihm der Gott der Liebe befohlen, seine Leidenschaft wieder unter dem Hange zu einer anderen zu verschleiern; wie ihm Beatrice, als man ihn deswegen bei ihr verleumdet, einst ihren Gruß versagt.

Welche Wunderkraft in diesem Gruße gewohnt habe, so daß schon bei der Hoffnung darauf ihm gewesen sei, als habe er keinen Feind mehr, und hätte jemand etwas von ihm begehrt, so würde seine Antwort Liebe gewesen sein, in Demut gekleidet. Wie er bei einem Hochzeitfeste, da er sie in einem Zirkel schöner Frauen gesehen, sich plötzlich verwandelt; wie da die Frauen heimlich über ihn gespottet, und er sich entfernt habe in die Kammer der Tränen. Wie in ihm viele Gedanken für und wider die Liebe gekämpft, und die Liebe doch wieder gesiegt. – Die Art, wie er zuerst darauf verfallen, etwas eigentlich zum Lobe Beatricens zu dichten, erzählt er so:

„Da viele durch meinen Anblick das Geheimnis meines Herzens begriffen hatten, so konnten einige Frauen, die zusammengekommen waren, um sich eine an der Gesellschaft der anderen zu ergötzen, mein Herz wohl; denn jede hatte mich oft überwältigt gesehen. Da ich, vom Zufalle geleitet, bei ihnen vorbeiging, rief mich eine von diesen Frauen; und die, so mich rief, wußte sehr angenehm zu reden. Als ich zu ihnen gekommen war und sah, daß meine Holdselige nicht unter ihnen sei, faßte ich Mut, grüßte sie und fragte: was ihnen gefällig wäre? Der Frauen waren viele, und unter ihnen einige, die unter sich lachten. Andere sahen mich an und erwarteten, ich sollte reden; noch andere redeten unter sich; von diesen wandte eine die Augen auf mich, rief mich bei Namen und sagte: Zu welchem Ende liebst du deine Gebieterin, da du ihre Gegenwart nicht ertragen kannst? Sag' es uns, denn das Ziel solcher Liebe muß etwas sehr Neues sein. Da sie dies gesagt, fing nicht allein sie, sondern auch alle die anderen an, in ihren Mienen Erwartung meiner Antwort zu zeigen. Da sagt' ich diese Worte: Madonne, das Ziel meiner Liebe war sonst der Gruß von jener, die ihr vielleicht meint, hierin wohnte meine Glückseligkeit und das Ziel alles meines Sehnens. Aber weil es ihr gefallen, mir dies zu rauben, hat meine Beherrscherin, die Liebe, Dank ihr, meine Glückseligkeit in das gesetzt, was mir nicht geraubt werden kann. Da fingen sie an, unter sich zu sprechen, und wie man zuweilen Wasser mit schönem Schnee gemischt sieht, so hört' ich ihre Worte, gemischt mit Seufzern, hervorkommen. Nachdem sie einige Zeit unter sich gesprochen, sagte die, so zuerst mich angeredet, wiederum: Wir bitten dich, uns zu sagen, worin diese Glückseligkeit besteht. Ich antwortete: In den Worten, die meine Herrin preisen. Sie sagte hierauf: Sprächest du wahr, so hättest du statt der Worte, worin du deinen Zustand dargetan, welche von anderm Inhalt gedichtet. Ich dachte hierüber nach, und schied fast beschämt von ihnen und sagte zu mir selbst: Weil so große Glückseligkeit in den Worten liegt, die meine Herrin loben, warum ist meine Rede von etwas anderm gewesen? Daher beschloß ich zum Inhalt meines Dichtens immer das zu machen, was meine Geliebte priese. Ich dachte viel darauf, und es schien mir ein zu hoher Gegenstand für meine Kräfte, so daß ich nicht wagte zu beginnen. Und so blieb ich einige Tage voll Begierde zu reden und voll Furcht zu beginnen."

Dies ganze Gespräch eines jungen Mannes mit einem weiblichen Zirkel über die Bedürfnisse seines Herzens ist unseren Sitten äußerst fremd: wir müssen uns erinnern, daß damals die Zeit der Liebeshöfe war.

Ein anderes Mal war Dante heftig krank. „Am neunten Tage", erzählt er, „da ich fast unerträgliche Schmerzen fühlte, kam zu mir ein Gedanke von meiner Herrin. Als ich eine Weile an sie gedacht, erinnerte ich mich wieder meines kränkelnden Lebens; ich sah, wie flüchtig seine Dauer sei, wär' ich auch gesund, und fing an, über solch Elend innerlich zu weinen. Heftig seufzend sagte ich zu mir selbst: Notwendig ist's, daß die holdselige Beatrice einst sterbe. Darüber fiel ich in eine so starke Verwirrung, daß ich die Augen schloß und anfing, mich zu ängstigen wie ein Wahnsinniger und mir folgendes einzubilden. Im Anfang der Verwirrung meiner Phantasie erschienen mir Gestalten von Frauen mit fliegendem Haar, die mir sagten: Auch du wirst sterben! Darauf erschienen mir andere Gestalten von Frauen, grauenvoll zu sehen, die mir sagten: ‚Du bist tot!' " So kam ich in der Irre meiner Phantasie dahin, daß ich nicht wußte, wo ich war; ich glaubte Frauen mit fliegendem Haar, wundersam traurig, weinend vorüberwandeln zu sehen; ich sah die Sonne verfinstert und die Sterne von einer Farbe, die mich vermuten ließ, sie weinten, und schreckliche Erdbeben. Und voll Wunders in dieser Phantasie und voll Entsetzens, bildete ich mir ein, ein Freund komme zu mir und sage: Weißt du's nicht? Deine Gebieterin ist aus dieser Welt geschieden? Da fing ich an, sehr mitleidsvoll zu weinen; ich weinte nicht allein in der Einbildung, sondern mit den Augen und badete sie mit wahren Tränen. Ich glaubte gen Himmel zu schauen und eine Schar Engel zu sehen, die emporschwebten und vor sich ein schneeweißes Wölkchen hatten. Mir schien's, diese Engel sängen glorreich, ich glaubte auch die Worte zu hören; sie waren: Hosianna in der Höhe! Da sagte das Herz, worin so viel Liebe war, zu mir: Wahr ist's, daß unsere Gebieterin tot liegt. Ich ging daher um den Körper zu sehen, worin die edle selige Seele gewohnt hatte. Ich sah sie tot, Frauen hatten ihr Haupt mit einem weißen Schleier bedeckt; ihr Antlitz zeigte solch einen Anblick von Demut, daß es zu sagen schien: Ich soll den Anfang des Friedens sehen. In dieser Einbildung ergriff mich so demutsvolles Sehnen, daß ich den Tod rief, und sagte: Süßester Tod, komm zu mir! Sei mir nicht unhold!" – Hierauf sieht er sie begraben und bricht endlich, immer noch in der Phantasie, mit Schluchzen in Worte aus; – ein junges, ihm nah verwandtes Mädchen, das vor seinem Bett sitzt, glaubt, der Schmerz der Krankheit habe das verursacht, und weint darüber – andere Freundinnen im Zimmer kommen herzu und sprechen ihm Trost ein – er erzählt ihnen alles, verschweigt nur den Namen. – „Von meiner Krankheit genesen", sagt er, „beschloß ich von dem, was mir begegnet war, zu reden, denn mir schien, es müsse liebliches Ding zu hören sein." Das Lied, worin er dies getan, fängt an: *Donna pietosa, e di novella etate.* – Wohl denen, deren Herz nur so unschuldige Leiden kennt! Sie dürfen das Buch ihres Gedächtnisses arglos entfalten.

Beatrice starb im vierundzwanzigsten Jahr ihres Lebens. – Einst, als Dante ganz in seinen Gram um sie verloren war, sah er, daß ihn ein holdes Mädchen aus einem Fenster mitleidsvoll anblickte. Oft sah er sie nachher wieder, und immer schien sie gerührt und ward blaß. Er sucht sie auf. Ihr Anblick erinnerte ihn an Beatrice und entlockte ihm Tränen. Zuletzt fing er an, sich um ihrer selbst willen nach ihr zu sehnen: er widerstrebte, allein das Andenken seiner Trauten schien in ihm zu erlöschen. Doch bald kam es mächtig wieder. Etwa einige Jahre nach ihrem Tode – die Zeit gibt er nicht genau an – erschien ihm ein wunderbares Gesicht. „Darin", sagt er, „sah ich Dinge, die mich zu dem Entschluß brachten, nicht wieder von der Segensvollen zu reden, bis ich es würdiger tun könnte: und dahin zu gelangen, streb' ich so viel ich kann, wie sie es wahrhaftig weiß. Wenn es daher der Wille dessen ist, durch den alles lebt, daß mein Leben noch einige Jahre dauere, so hoffe ich von ihr zu sagen, was noch nie von keiner gesagt worden, und dann möge es dem Vater aller Huld gefallen, daß meine Seele hingehen dürfe, die Herrlichkeit ihrer Gebieterin, der gesegneten Beatrice, zu sehen, die glorreich das Antlitz dessen schaut, der gebenedeit wird von Ewigkeit zu Ewigkeit."

So endigt das Buch. Man kann nicht zweifeln, daß dieser Schluß auf die *Göttliche Komödie* hindeute, daß unter der wunderbaren Vision die Reife durch die Geisterwelt gemeint sei, deren Geschichte dort erzählt wird. Dante nennt sein Gedicht selbst eine Vision[5]. Es versteht sich freilich von selbst, daß man keine so umständliche und überall so genau bestimmte Vision haben kann; und hätte man sie gehabt, welch Gedächtnis würde sie aufbewahren können? Die Ausführung also, die tausend kleinen Begegnisse, die Geschichte der Regungen des Dichters fast in jedem Augenblicke seiner Reise, ist hinzugedichtet. Die philosophische und theologische Anordnung des Ganzen muß es gleichfalls sein: denn wie könnte eine Vision so viel Grübelei, so viel Weisheit enthalten? Überhaupt wird eine so große Produktion der Dichtkraft nie in einem Augenblicke der Lichthelle, einer Stunde des Anschauens empfangen; aber die ersten Grundlinien zu dem Gedicht konnte doch jene Erscheinung dem Dante schon darbieten, konnte gleichsam der erste Lebensodem über den Wassern sein. Was das, wovon er in der angeführten Stelle spricht, nur eine gewöhnliche Phantasie, dergleichen er viele besungen hatte, wie konnte er es denn zum Hauptziel seiner Bestrebungen machen, sie würdig zu besingen? Wie konnte er verheißen, von seiner Geliebten zu sagen, was noch von keiner gesagt worden? Die Epoche der in der *Göttlichen Komödie* dargestellten Vision wird zwar dort einige Jahre später, in das Jahr 1300 gesetzt; indessen widerspricht das ihrer Identität mit der hier erwähnten durchaus nicht. Ein geheimnisvoller feierlicher Zeitpunkt gehörte mit zu der Mystik des Gedichts, und darum konnte Dante, wie wir bald sehen werden, keinen anderen wählen als den. Also Denkmal für Beatrice sollte sein Werk sein; unstreitig das prachtvollste, wunderwürdigste und – seltsamste, das je ein Dichter seiner Geliebten stiftete. Um sie in aller Glorie der Himmel auftreten zu lassen, gab er seinem Gedicht einerlei Grenzen mit dem Weltall und strebte hinaus ins Unendliche.

Noch andere Antriebe zu der großen Unternehmung kamen in Dantes Seele hinzu und gaben seinem Werke eine Vielseitigkeit, die man nur durch anhaltende Betrachtung erschöpfen kann. Ein Blick auf sein übriges Leben ist hinreichend, von ihrer Beschaffenheit zu unterrichten. Überdem muß man den allgemeinen Gang seiner Schicksale immer vor Augen haben, um viele einzelne Stellen des Gedichts und selbst die ganze Komposition nicht mißzuverstehen.

Dante Alighieri ward im Jahr 1265 in einer guten Familie und von begüterten Eltern zu Florenz geboren. Er wurde in allem, was die Erziehung eines Bürgers von der höheren Klasse zieren konnte, unterwiesen; sogar Musik und Zeichenkunst trieb er. Zugleich scheint ihn sein Wissensdurst schon früh zur Erlernung des Ernsteren und Höheren in den Wissenschaften getrieben zu haben. Sein sehr von ihm geschätzter und geliebter Lehrer war Brunetto Latini, ein unter seinen Zeitgenossen berühmter Astrolog und Philosoph, von dem noch mehrere Werke vorhanden sind. Von ihm lernte er, so erzählt er selbst, wie man sich unsterblich macht: eine Kunst, deren Ausübung dem Schüler unendlich besser gelang, als seinem Meister[6]. Solche Beschäftigungen und die Liebe zu seiner Beatrice füllten die ganze jugendliche Periode seines Lebens aus; eine Zeit der Unschuld und Eingezogenheit, wie es scheint. Er erwähnt ihrer auch mit großem Lobe[7]. In dem Zeitraum nach Beatricens Tode, klagt er sich selber an, sei er falschen Phantomen des Glücks nachgegangen und habe sein geliebtes Vorbild verlassen[8]. Wie hätte er ihm auch folgen können? Als Republikaner mußte er notwendig im männlichen Alter in die bürgerlichen Verhältnisse verstrickt werden, die zu der Zeit so unbeschreiblich verworren waren. Er vermählte sich; doch weiß man von seinem häuslichen Leben nicht viel; nur läßt sich schließen, daß die Sorge für eine Familie die Leiden der Armut und Verbannung, die ihn in der letzten Hälfte seines Lebens trafen, sehr erschwert haben müsse. – Nur zu seinem Unglück trat er auf in der politischen Welt. Im Jahr 1300 wurde er zur Würde des Priorats erhoben. Sechs Priori oder Signori, die alle zwei Monate neu erwählt wurden, übten damals zu Florenz die höchste Gewalt aus. Ein Familienzwist, der sich zu Pistoia[9] entsponnen und daselbst eine Spaltung der Bürger in die Parteien der Weißen und Schwarzen (*Bianchi* und *Neri*) verursacht hatte, pflanzte sich bis nach Florenz fort, und gab Gelegenheit zum Ausbruch lange genährter Familienfeindschaften. Die Gemüter waren zu entzündbar, als daß nicht ein solcher Vorfall die ganze Erbitterung der alten Faktionen wieder hätte rege machen sollen: die Ghibellinen schlugen sich zu den Bianchi, die Guelfen zu den Neri. Es wurde vorgeschlagen, den Papst um die Sendung Karls von Valois als Friedensstifters und Reformators zu bitten. Dem widersetzte sich Dante aus allen Kräften, vermutlich weil die angebliche Friedenstiftung nichts anderes würde gewesen sein als Unterdrückung der einen Partei, wie es nachher auch der Erfolg zeigte. Die Unruhen stiegen aufs höchste: die beiden Parteien bewaffneten und befestigten sich schon in der Stadt, so daß die Prioren genötigt waren, die Häupter der einen und der anderen zu verbannen. Den Bianchi wurde bald erlaubt zurückzukehren. Man gab nachher dem Dante Schuld, er habe sie begünstigt; aber fälschlich, denn er war nicht mehr

Prior, als es geschah. Im Jahr 1301 ward dem Grafen Karl der Einzug in die Stadt mit seinen Reitern bewilligt unter der Bedingung, die Gesetze und die Verfassung zu schonen. Ohne sich an sein Versprechen zu kehren, verbannte er alsbald gegen sechshundert Bianchi, unter ihnen den Dante, der damals in den Angelegenheiten seiner Vaterstadt Gesandter am päpstlichen Hofe war. Sein Verbrechen war Begünstigung der Bianchi und Widersetzlichkeit gegen die Berufung des Grafen zum Friedensrichter. Seit der Zeit bewies er sich sein ganzes Leben hindurch als den eifrigsten Anhänger der kaiserlichen und erbittertsten Feind der päpstlichen Macht. Viele sagen, er habe damals Partei gewechselt, und sei Ghibelline geworden, weil ihn sein Unglück unter Ghibellinen warf. Außerdem daß eine solche Verwandlung bei seinem bis zur Härte fest bestimmten Charakter schwer zu begreifen wäre, hat sie nicht den geringsten historischen Grund für sich. Seine Familie war, seinem eignen Zeugnis zufolge, von jeher guelfisch gewesen; gewöhnlich bestimmten Geburt und Familienverbindung die politische Denkart der Menschen; folgt daraus, daß Dante sich auch dadurch hat bestimmen lassen? Das erste und einzige Mal, da er in öffentlichen Verhandlungen auftrat, handelte er als ein weiser und patriotischer Bürger, und wenn er sich der Parteilichkeit schuldig gemacht, so war's für die mit den Ghibellinen zusammenhängende Partei. Deshalb wurde er ja verbannt. Daß die Ghibellinen wirklich weit mehr für sich hatten als die Guelfen, braucht wohl nicht erinnert zu werden. So wie die Päpste damals wirtschafteten, war es einleuchtend, daß ihre Einwirkungen in irgendein politisches System höchst schädlich sein mußten. Vielleicht haben sie Europa vor dem Aufkommen einer weltlichen Universalmonarchie bewahrt; aber nur, um selbst eine geistliche, weit schlimmere, zu errichten. Wenn die Kaiser Italien zuweilen einen eisernen Zepter fühlen ließen, so geschah es meist nach harten Kämpfen um ihre Existenz, worin die Päpste sie verwickelt hatten. Es ist schwer, Grundsätze der Politik, der Gerechtigkeit, der Vernunft auf Zeiten der verworrensten Gewalttätigkeit anzuwenden, und zu entscheiden, welche Partei mehr Recht für sich hatte. Freilich ließ sich nicht wohl einsehen, warum doch der Bischof zu Rom in den weltlichen Händeln Italiens die erste Rolle spielen sollte; aber ebenso wenig schien Rom und Italien einen Barbaren aus Norden, einen Deutschen, der sich für den Nachfolger Augustus ausgab, zum Oberhaupte zu brauchen. Alles kam auf den Geist an, in welchem man Guelfe oder Ghibelline war. Man erkennt zwar in Dantes Meinungen über diese Gegenstände die des Zeitalters wieder; aber nur als den Stoff, woraus er etwas Edleres gebildet hatte.

Dante begab sich auf die Nachricht von seiner Verbannung zu den Verwiesenen, ward, da sie eine Art von Republik bildeten, ein Mitglied ihres Rates und befand sich auch bei dem unglücklichen Versuche, den sie im Jahr 1304 wagten, sich Florenz mit gewaffneter Hand wieder zu öffnen. Als Kaiser Heinrich der Siebente nach Italien kam, tat er ihm einen Fußfall und faßte von neuem Hoffnung, wieder in seine Vaterstadt aufgenommen zu werden. Da der Kaiser zu lange in der Lombardei verweilte, schrieb er an ihn und forderte ihn auf, sein Ansehen gegen Toskana, besonders gegen Florenz geltend zu machen. Mit Flammenworten fragte er, der arme Flüchtling, den Kaiser: „Bist du, der da kommen sollte, oder sollen wir eines andern warten?" Doch seine Hoffnung ward wiederum vereitelt. Der Kaiser belagerte Florenz vergeblich und starb im Jahr 1313. Zwei Jahre darauf wurde der Spruch der Verbannung gegen Dante von neuem bestätigt. Während dieser ganzen Zeit irrte er von Stadt zu Stadt in der Lombardei, Toskana und Romagna umher und fühlte, wenn schon seine Seele nie gebeugt werden konnte, alle Bitterkeiten der Abhängigkeit und Armut. Unterstützt und gütig aufgenommen wurde er vom Marchese Maroello Malaspina, von Alboin und Can della Scala, Herrn von Verona, endlich von Guido da Polenta, Herrn von Ravenna. Herzlich wünschte er den Rest seines Lebens in Florenz zuzubringen, und seinen müden Geist da mit Ruhe zu erquicken; allein es wurde ihm nicht gewährt. Er starb zu Ravenna in seinem sechsundfünfzigsten Jahre und ward ehrenvoll, doch ohne Denkschrift begraben. Anderthalbhundert Jahre nachher errichtete ihm Bernardo Bembo [10] ein Grabmal.

Den sie im Leben verstoßen hatte, dessen Wert erkannte, als er tot war, Florenz, die unnatürliche Mutter. Etwa fünfzig Jahre nach seinem Tode wurde dort schon ein Lehrer angesetzt zur öffentlichen Auslegung des Werks, worin er so oft und so bitter ihre Verkehrtheit gescholten hatte. Im Jahr 1429 begehrte die Republik die Gebeine des edlen Unglücklichen von der Stadt Ravenna und erhielt sie nicht. Wieder im sechzehnten Jahrhundert sandte die mediceische Akademie eine Gesandtschaft an Leo den Zehnten mit eben dem Gesuch. Michelangelo, selbst der Göttliche genannt, unterschrieb die Bittschrift und bot sich an, dem göttlichen Dichter ein geziemendes Grabmal zu bauen. Aber die Gebeine blieben zu Ravenna. –

Es ist das Siegel menschlicher Vortrefflichkeit, unabhängig zu sein vom Schicksal: Dante wars. Weder Druck, noch Leiden, noch Unruhe und Ungewißheit des äußeren Zustandes machten seine Seele irre in ihrem Tun. Gewöhnlich leiden große Menschen viel und selten läßt sich bestimmen, inwiefern das Schicksal sie zu der Würde erzog oder nur die in ihnen ruhende Größe entwickelte und ihnen Stoff zum Wirken gab. Dies ist auch der Fall beim Dante. Wir wissen nicht, welch ein Gedicht er hervorgebracht haben würde, hätte er in Ruhe und Wohlstand seines Lebens genossen; das, welches er in der Verbannung[11] geschrieben hat, ist göttlich. Ihm sank der Mut nicht zu einer so umfassenden Unternehmung, die das angestrengteste Nachdenken vieler Jahre forderte, und er führte sie zu Ende mit einer Überlegenheit, daß alle Werke seiner Zeitgenossen, nicht nur in Italien, sondern in ganz Europa, wie Mißgeburten oder Zwerggestalten daneben stehen. Drang der Sorgen verjagt alle Ruhmbegierde aus den Herzen kühner, aber nicht ausdauernder Menschen; bei ihm zog sie sich mehr ins Innere zurück und wurzelte tiefer in sein Dasein. Er wandte sich von den Lebenden weg an die Nachwelt. Nicht geachtet zu werden, war für ihn ein Sporn, seinen Wert darzutun. Ihm ahnte, und ihm durfte es ahnen, er werde einst vor denen, die damals in ihrer kleinen Größe prunkten, aus dem Dunkel hervorleuchten. – Und wenn man nun liest, wie er von Mächtigen und Geringen, von Lebenden und Toten, so frei, so niederwerfend stark die Wahrheit sagt, und dann bedenkt, der, welcher so redet, war seiner bürgerlichen Existenz beraubt, ohne die im damaligen Italien ebenso wenig als im alten Griechenlande, Wohlstand des Lebens stattfand; war unstet, abhängig und beinah zum Betteln verdammt: wer muß sich nicht mit Ehrfurcht neigen vor seinem Bilde, nicht weil es eines Denkers oder Dichters, sondern weil es eines Mannes Bild ist? Warst du im Leben auch wirklich unfreundlich, rauher und strenger Dante, wie mans dir Schuld gibt, und wie du es zuweilen in deinen Büchern scheinst, wer muß nicht dennoch dich lieben, und deine Rauhheit verzeihen um der Kunst und Größe willen? – Doch ich vergesse mich: bei wievielen findet Kraft und Größe selbst nie Verzeihung!

Die allgemeine Idee der *Göttlichen Komödie* ist sehr einfach. Es ist eine Reise, die der Dichter durch die drei Welten der Geister, die der Verderbtheit und des Elends, die der Büßung, und die der Vollkommenheit und Glückseligkeit auf höheren Antrieb unternimmt. In allen den verschiedenen Bezirken unterredet er sich mit Seelen verstorbener Menschen, die er da antrifft, oder wird auch von seinen

Begleitern über die sich darbietenden Gegenstände belehrt. Dies macht es ihm möglich, fast alles, was er will, ohne daß es eigentlich episodisch wäre, der Erzählung an verschiedenen Stellen einzuweben, und er hat sich dieser Freiheit im vollsten Maße bedient. Man darf sich daher nicht wundern, wenn er jede Gelegenheit benutzt, sein Wissen zu zeigen. Ruhmliebe trieb ihn; er war einer der gelehrtesten Männer seiner Zeit, und irregeleitet durch damals herrschende Begriffe, legte er ein zu starkes Gewicht auf diesen Teil seines Wertes. Jedoch darf man ihn hierin nicht ganz nach unserer jetzigen Denkart beurteilen. Die Wißbegier fand in jenem Jahrhundert bei jedem Schritt unendliche Schwierigkeiten; hindurchkämpfen mußte man sich zu jedem armen Lichtstrahl. Wenn also jemand viel wußte, so bewies es doch etwas mehr, als daß er – viel wußte. Gewiß ist es, daß das, worauf Dante vorzüglich seine Ansprüche auf Unsterblichkeit gründete, für die folgenden Zeitalter, da die Masse der Kenntnisse immer anwuchs, ihr Gehalt sich immer läuterte, seinen Wert beträchtlich vermindert hat.

Indessen muß man nicht glauben, Dante sei durch Wissensdünkel zum Forschen und Grübeln getrieben worden. Tiefe Betrachtung der schwersten und unsinnlichsten Gegenstände war der vorwaltende Hang seines Geistes; weswegen ihm auch das Paradies, worin am meisten von himmlischen und am wenigsten von irdischen Dingen vorkommt, bei weitem der liebste und wichtigste Teil seines Werkes ist. Hätte ihn nicht sein Schicksal unter die Menschen gestoßen, so daß er sie von den verschiedensten Seiten kennenlernen mußte, so wäre auch sein Gedicht nicht so voll Menschendarstellung, nicht so treffendes Bild der wirklichen Welt, mithin auch weniger interessant geworden. Da er mit öffentlichen Angelegenheiten zu tun gehabt hatte, so mußten ihm die politischen Verhältnisse seines Vaterlandes nah am Herzen liegen, und es war natürlich, daß er Schilderungen davon seinem Gedicht einflocht. Als eifriger Ghibelline erhob er überall, wo er konnte, die Hoheit und Würde des römischen Reichs, und strafte die Verderbtheit des päpstlichen Hofes und die Unrechtmäßigkeit seines Verfahrens. Auch anderen historischen Denkwürdigkeiten, besonders solchen, von denen er mehr als das gewöhnlich Bekannte zu wissen glaubte, wußte er ihren Platz anzuweisen. Zu einem reichhaltigen Nekrolog merkwürdiger Menschen, vorzüglich aus der letztverflossenen Periode, machte er die *Göttliche Komödie*. So hat er viele Namen verewigt: sie gebrandmarkt oder verherrlicht oft mit einem Worte.

Man hat gestritten, ob Dante unter allen Dichtungen dieses Werks einen allegorischen Sinn habe verschleiern wollen. Von einigen ist es keinem Zweifel unterworfen. Auch bei einer flüchtigen Betrachtung muß ihre symbolische Natur auffallen. Bei anderen hingegen fühlt man sich durch ein geheimes Etwas eingeladen, nachdenkend zu verweilen, wie vor einem bedeutenden Bilde, in dessen Zusammensetzung etwas Rätselhaftes zu liegen scheint, obgleich die Handlung, die es darstellt, an sich interessant ist. Wenn dann auch die Deutung der Allegorie für uns verloren ist, so ist es doch ihre Wirkung nicht: eine Hieroglyphe, an einem heiligen Orte eingegraben, und halb wieder ausgelöscht durch das Altertum, wird immer mit Ehrfurcht angesehen. Gelänge es uns, sie auszulegen, so würden wir uns vielleicht in der Erwartung getäuscht finden, nichts weiter ergrübeln, als daß das Geheimnis der Hülle nicht wert war. Doch nicht bloß in diesen Stellen, sondern durchhin, auch da, wo der Leser, der nicht mit Dantes Sinnesart vertraut ist, gar nicht darauf verfallen kann, ist das Gedicht allegorisch. Er selbst nennet es in der Dedikation an Can della Scala ein vielsinniges Werk *(polysensuum)*. Vielleicht hatte er den versteckten Sinn nicht in jede einzelne Dichtung schon beim Entwurfe hineingelegt, gewiß aber wußte er ihn immer nachher herauszudeuten. Man muß sich hierbei an die damalige Auslegungskunst erinnern, die vorzüglich aus der heiligen Schrift so vieles hervorzulocken wußte und die für Dantes ewig sinnenden Kopf sehr verführerisch war. Er hat verschiedene seiner eigenen Canzonen kommentiert[12]; bei einer davon vergleicht er, um eine durchgeführte Allegorie zu erzwingen, die Wissenschaften mit den zehn Himmeln der alten Astronomie, findet große Ähnlichkeit zwischen dem Himmel des Mondes und der Grammatik, und so weiter. Ich führe dies an zum entscheidenden Beweise, daß es vergeblich sein würde, eine so geheime Symbolik ergründen zu wollen; daß also für uns die *Göttliche Komödie* nur da Allegorie enthalten darf, wo das Emblematische ihrer Darstellungen unmittelbar gefühlt wird. Sie ist so reich genug; und nur Dante selbst hatte das Recht, den Genuß seiner lebendigen Dichtung durch solche heillose Grillen zu stören.

Allegorie hemmt sonst jeden freien Flug der epischen Poesie und setzt die Wesen, die sie handeln läßt, zu marklosen Schatten herab. Ein nackter Verstandesbegriff hat für die Phantasie weder Leben noch Schönheit; um beides zu erhalten, muß er sich in eine sinnliche Gestalt verlieren, und nur so wie die menschliche Seele im Körper durchschimmern. Bei den meisten Dichtern, die sich der Allegorie bedienen, ist die

Bekleidung der Begriffe ärmlich und ihnen gleichsam nur umgehängt, so daß wir an ihr Handeln durchaus keinen Glauben haben können und den Widerspruch in der Dichtung nie vergessen. Wie anders ist dies alles beim Dante! Seine Wesen haben Bestandheit, unabhängig von ihrer verborgenen Bedeutung; es liegt mehr in ihnen, als was sich in Begriffe auflösen läßt. Wir treten überall auf festen Boden, umgeben von einer Welt der Wirklichkeit und des individuellen Seins.

Wie die göttliche Komödie höchst sonderbar ist im Größten und Kleinsten, in den feinsten Nuancen des Ausdrucks, und selbst in den Reimen nicht weniger als in dem Plan und in der ganzen Manier der Behandlung, so gab ihr der Dichter auch einen sehr seltsamen Titel. Die Kunstrichter haben viel gestritten, was er sich wohl dabei gedacht, und wie gewöhnlich hat keiner von ihnen recht behalten. Er selber gibt eine entscheidende Auskunft, um die man sich aber, wie es scheint, nicht bekümmert hat. Die Komödie, sagt er, hebt an mit einer verworrenen und unangenehmen Lage und endigt fröhlich; so schreitet auch mein Gedicht von der Reise durch die Hölle zu den Freuden des Paradieses fort. – Eine göttliche Komödie nannte er sie, weil sie von göttlichen Dingen handelt.

Jetzt zu dem Gedichte selbst. Ich werde von den ausgezeichnetsten Stellen jeder Art Übersetzungen liefern, und weil der Eindruck so oft auf dem Zusammenhange beruht, worin sie im Originale stehen, diese Fragmente durch eine Skizze der übrigen Erzählung miteinander verknüpfen. Ich habe so treu als möglich zu verdeutschen gesucht, weil bei diesem Dichter alles Gewicht hat, weil bei ihm eine gewissenhafte Bestimmtheit in den Gedanken herrscht, obgleich er sich in Sprache und Ausdruck ungemessene Freiheiten erlaubt. Nie wollte er etwas von dem aufgeben, was er zu sagen hatte; darum nötigte ihm der Zwang des Silbenmaßes so oft verdrehte Konstruktionen, fremde Anwendungen und Verstümmelungen der Wörter ab. Ich glaubte den Reim und selbst, so viel möglich, die Form der *terze rime* beibehalten zu müssen, wenn ich den Dichter nicht gleichsam aus seinem Elemente wegversetzen wollte[13]. Daß also aller Liebe und Mühe ungeachtet, vieles verlorengehen mußte, versteht sich von selbst. Fremde und halb veraltete Ausdrücke zu gebrauchen, Härten in der Sprache und im Versbau zu begehen, habe ich mich nicht gescheut, sondern gesucht, den Charakter des Originals wiederzugeben, wie ich den Eindruck davon empfangen hatte. Ihn mildern oder verschönern wollen, hieße ihn zerstören.

Die Manier einer poetischen Übersetzung muß darnach bestimmt werden, ob man das Werk oder ob man seinen Urheber zum Hauptaugenmerk wählt. Es gibt Werke, und diese Art zu dichten ist vorzüglich Zeitaltern des verfeinerten Geschmacks eigen, die wenig von dem verraten, was der Künstler als Mensch ist, und nur über das, was er kann, über seine Talente zu einem Urteile berechtigen; bei denen also dichterische Vollkommenheit der Zweck seiner Willkür, und der einzige Maßstab ihres Wertes ist. Ästhetische Mängel haben, an sich betrachtet, gar kein Interesse. Warum solle es daher dem Übersetzer nicht erlaubt sein, den Leser ihrer zu überheben, das Harte zu mildern, das Dunkel aufzuklären, das Verfehlte in der Darstellung zu berichtigen, mit einem Worte, zu verschönern? Je mehr hingegen der Charakter des Werks mit dem seines Schöpfers identisch, je mehr jenes nur ein unwillkürlicher Abdruck seines innern Selbst ist, desto mehr wird es Pflicht, auch fehlerhafte Eigentümlichkeiten, den Eigensinn der Natur und die Verwahrlosung oder falschen Richtungen der Bildung treu in die Kopie zu übertragen; sie sind psychologisch und moralisch wichtig und oft mit den edelsten Eigenschaften aufs innigste verwebt. Das Kunstwerk wollen wir gern vollkommen; den Menschen, wie er ist.

Als ein Merkmal der Echtheit antiker Münzen kennt man in der Numismatik den sogenannten edlen Rost *(aerugo nobilis)*. Er ist dem Kenner an einer kupfernen Münze köstlicher als Gold, und wer ihn wegputzen wollte, würde mindestens für einen Ignoranten gehalten werden. Die verfälschende Kunst hat alles besser nachahmen gelernt als dies Gepräge der Zeiten. Solch einen edlen Rost gibts auch an Menschen, Helden, Weisen und Dichtern. Er beurkundet etwas erstaunlich Wichtiges, daß nämlich ihre Größe kein Erzeugnis der Kultur und Zucht war; daß diese Menschen in einem Zeitalter der Urkunde, der Ungeübtheit, des Ungeschicks sich aus eigener Kraft über dasselbe erhoben. Nur etwa ein ehemaliger Franzose konnte das in Darstellungen oder Übersetzungen gefühllos wegpolieren, um den nunmehr blanken Schaupfennig der Welt desto selbstgefälliger anzubieten. Weg damit! Wer steht uns dafür, daß er nicht in der nächsten Münze neu geschlagen wurde.

Daß Dante so häufig lateinisch in seine Gedichte mischt, gibt manchen Stellen für uns einen komischen Anstrich; bei seinen Zeitgenossen mußte es einen ganz anderen Eindruck machen. Nicht nur waren damals die beiden Sprachen einander noch näher, und ihre Grenzen weniger bestimmt gezogen als jetzt, sondern das Lateinische schien auch mehr Würde zu haben als das Italienische, welches eben daher den Namen *lingua volgare* erhielt, weil jenes die Sprache der Gelehrten[14], der Höfe und endlich der Kirche und des Gottesdienstes war. Ein Gedicht so heiligen Inhalts glaubte also Dante eben durch den Gebrauch des Lateinischen zu adeln. Zudem lag oft in den Worten selbst etwas Geheimnisvolles und Andachtweckendes, welches durch Übertragung in die gewöhnliche Sprache weggefallen wäre.

Etwas über William Shakespeare
bei
Gelegenheit Wilhelm Meisters
1796

Unter tausend verstrickenden Anlockungen für den Geist, das Herz und die Neugierde, unter manchem hingeworfenen Rätsel und mancher mit schalkhaftem Ernst vorgetragnen Sittenlehre, bieten *Wilhelm Meisters Lehrjahre* jedem Freunde des Theaters, der dramatischen Dichtkunst und des Schönen überhaupt eine in ihrer Art einzige Gabe dar. Die Einführung Shakespeares, die Prüfung und Vorstellung seines Hamlet ist ein ebenso lebendiges Gemälde für die Phantasie, als sie den Verstand lehrreich beschäftigt und ihm Gegenstände des tiefen Nachdenkens mit den flüchtigsten Wendungen zuspielt. Sie kann keineswegs als Episode in diesem Roman angesehen werden. Nichts wird von dem Erzähler in seinem eigenen Namen abgehandelt. Die Gespräche, die er seine Personen darüber halten läßt, werden auf das natürlichste durch ihre Lagen und Charaktere herbeigeführt; alles greift in die Handlung ein und endlich wird durch die geheimnisvolle Erscheinung eines bekannten Unbekannten, eines, wie man denken sollte, nichts weniger als entkörperten Geistes in eben der Rolle, welche der wackre Meister William Shakespeare selbst zu spielen pflegte, ein neuer Knote geschürzt. Mit einem Wort, das Lob und die Auslegung des größten dramatischen Dichters ist auf die gefälligste Weise dramatisiert. Es wird keine Standrede an seinem Grabe gehalten, noch weniger ergeht ein ägyptisches Totengericht über ihn. Er ist auferstanden und wandelt unter den Lebenden, nicht durch irgendeine peinliche Beschwörung gezwungen, sondern willig und froh stellt er sich auf das Wort eines Freundes und Vertrauten in verjüngter Kraft und Schönheit dar.

Armer Shakespeare! Durch welches Fegefeuer kunstrichterlicher Beurteilungen hast du gehen müssen!

I could a tale unfold, whose lightest word –

Nie wurde ein Sterblicher mehr vergöttert als du, aber auch nie einer alberner bewundert und lästerlicher geschmäht. Dies mag nun vielleicht daher kommen, weil du, wie der sinnreiche Pope zierlich bemerkt, wie besser so auch schlechter als jeder andere Dichter geschrieben. Allein durch welche Versündigungen an der Natur hattest du Warburtons[1] Erläuterungen und Voltaires Nachahmungen verdient? Von dem Briefe des letzten an die französische Akademie schweige ich[2]. Er hätte dir vielleicht keinen zu verwerfenden Dienst geleistet, wenn er die Übersetzung ins Französische dadurch hätte hintertreiben können. Noch viel mehr zweifle ich, du werdest es selbst übel empfunden haben, daß gewisse deutsche Rezensenten in gewissen schönen Bibliotheken so eifrig gegen die Übersetzung deiner Werke in unsere Sprache protestierten[3], als der selige Gottsched aus billiger Besorgnis für seine tragischen Reimereien nur immer hätte tun können, wenn er dies Herzeleid noch erlebt hätte. Hättest du aber gewisse Kommentatoren, Nachahmer und Rezensenten erlebt, welch einen Stoff zu lustigen Szenen würden sie dir geliefert haben!

Man muß gestehen, auch die echtere Kritik, wie nützlich und notwendig sie sein möge, gehört, für sich betrachtet, keineswegs unter die ergötzlichsten Dinge auf dieser Erde, wenn sie schon nicht immer ein so fürchterliches Antlitz hat wie Doktor Samuel Johnson[4], der alle Welt richtete. Der Genuß edler Geisteswerke ist unabhängig von ihr, denn er muß ihr vorangehen; sie kann ihn eigentlich nicht erhöhen, wohl aber ihm vieles abziehen, aufs höchste ihn zergliedern und erklären. Ihr rühmlichstes Geschäft ist es, den großen Sinn, den ein schöpferischer Genius in seine Werke legt, den er oft im Innersten ihrer Zusammensetzung aufbewahrt, rein, vollständig, mit scharfer Bestimmtheit zu fassen und zu deuten und dadurch weniger selbständige, aber empfängliche Betrachter auf die Höhe des richtigen Standpunkts zu heben. Dies hat sie jedoch nur selten geleistet. Warum? Weil jenes nahe und unmittelbare Anschauen fremder Eigentümlichkeit, als wäre sie mit im eigenen Bewußtsein begriffen, mit dem göttlichen Vermögen, selbst zu schaffen, innig verwandt ist, und weil dieses sich immer lieber mit den Gegenständen zunächst zu tun macht als mit den Begriffen davon, den Hilfsmitteln einer unvollkommenen

Erkenntnis, wodurch die Klarheit der seinigen nichts gewinnen kann. Nur das, was man selbst auf dem Umwege des Nachdenkens gefunden, was man gelernt hat, kann man andere durch eben dieses Mittel lehren und sie durch Beweise davon überzeugen. Was uns hingegen schon vermöge unserer Anlagen so gegeben ist, daß es nur einer äußeren Berührung bedarf, um es ohne unser weiteres Zutun auf einmal in uns zur Wirklichkeit zu bringen, das offenbaren wir eigentlich nur; wir sagen „so ist es", und fordern von anderen Wesen, bei welchen wir ähnliche Anlagen voraussetzen, Glauben für unsere Aussage. So verhält es sich mit der anschaulichen Erkenntnis vom Dasein und der Beschaffenheit sinnlicher Gegenstände. Wie sehr auch darin die Menschen wegen der Verschiedenheit ihrer Organe voneinander abweichen, so lange sie die Richtigkeit ihrer Empfindungen nicht zu einer Angelegenheit des Verstandes machen, werden sie niemals mit Gründen darüber streiten, sondern sich durchaus nur auf die Wirklichkeit berufen. Von der wesentlichen Beschaffenheit menschlicher Gemüter, ihrer unsichtbaren Gestalt, wenn ich so sagen darf, fallen nur die äußerlichen Wirkungen, kundgegebene Gesinnungen und Handlungen in die Sinne. Die Fertigkeit, auch die feineren unwillkürlichen Äußerungen des inneren Menschen zu bemerken, und die durch Erfahrung und Nachdenken herausgebrachte Bedeutung dieser Zeichen mit Sicherheit anzugeben, macht den Menschenbeobachter; der Scharfsinn, hieraus noch weiter zu schließen und einzelne Angaben nach Gründen der Wahrscheinlichkeit zu einem bündigen Zusammenhange zu ordnen, den Menschenkenner. Die auszeichnende Eigenschaft des großen dramatischen Dichters ist etwas hiervon noch ganz Verschiedenes; das aber, wie man es nehmen will, entweder jene Fertigkeit und jenen Scharfsinn in sich faßt, oder ihn (zwar nicht für das wirkliche Leben, aber für die Ausübung seiner Kunst) beider überhebt. Es ist ein Blick, ein wunderbarer Blick in die Seelen, vor dem sich das Unsichtbare sichtbar enthüllt, verbunden mit der Gabe, die vermöge einer so außerordentlichen Sehkraft gesammelten Bilder wiederum auf die Oberfläche des geistigen Auges zurücksenden, und sie anderen darin wie in einem klaren Spiegel erscheinen lassen zu können. Wenn also ein großer dramatischer Dichter Werke eines ihm verbrüderten Geistes nach ihrem Gehalt und Wesen prüft, so wird er auch hier seine Art nicht verleugnen, und nicht sowohl beweisen, was er denkt, als darstellen, was er sieht. Sehr unsinnlichen Begriffen wird er das Einleuchtende sinnlicher Wahrheit und Gegenwart zu geben wissen, und was er sagt, wird vielmehr der Kunst selbst als ihrer Theorie anzugehören scheinen.

Die Gedanken, welche Wilhelm Meister über Shakespeares *Hamlet* vorträgt, sind so einzig treffend, sie umfassen das Ganze mit einem solchen Seherauge, daß man vielleicht den Einwurf machen könnte, er gehe dabei zu weit über seinen bisherigen Kreis hinaus, wie vieles auch schon von seinen Talenten vorgekommen sein mag, und sein Geschichtschreiber habe ihm zu reichlich aus eigener Fülle geliehen, was er nicht wieder im Handel und Wandel anbringen könne, ohne durch Bild und Überschrift der Münze den wahren Eigentümer zu verraten. Aber der Held des Romans ist gerade in den Jahren der entscheidendsten Entwicklung; diese geht nicht immer gleichförmig vor sich. Wie sie zuweilen stillsteht, so tut sie auch wohl plötzlich einen Riesenschritt, wenn ein ungewöhnlicher Anlaß schlummernde Kräfte weckt, und ein solcher Anlaß ist eben für Wilhelm die mit dem großen Dichter gestiftete Bekanntschaft. Auch ist durch einige Bemerkungen Aureliens über ihren Freund jener Einwendung schon hinlänglich vorgebeugt.

Hamlet ist von jeher vielleicht das bewundertste und gewiß das mißverstandenste unter allen Stücken Shakespeares gewesen. Wie verträgt sich dies beides miteinander? Woher die große Popularität eines Schauspiels, das den Denker in trostlose Labyrinthe der Betrachtung verstrickt, und in dessen Gange die Armut an Handlung auch einem gemeinen Blick schwerlich entgehen kann. Wenigstens bleibt der Held, für den man sich so sehr interessiert, unter allen auf ihn losdringenden Vorfällen größtenteils leidend. Taten werden von ihm gefordert, und er gibt nur Gefühle und Gedanken. Allein wenngleich wenig getan wird, so geschieht doch viel, und viel wird zu denken aufgegeben. Grausen, Erstaunen und Mitleid ketten den großen Haufen an die Bühne, die von den wundervollen und furchtbaren Schlägen des Schicksals gleichsam in ihren Grundfesten wankt, während den weiseren Hörer die unaufgelösten Rätsel seines Daseins, welche er in Hamlets Seele ließ, in sein eigenes Innere versenken.

Es könnte befremden, daß es möglich war, über Hamlets Charakter, nachdem er sich so unzählig vielen Lesern und Zuschauern dargestellt und so viele gute Köpfe beschäftigt, nachdem ihn schätzbare Philosophen zergliedert, und die größten Schauspieler, die es in neueren Zeiten, die es vielleicht jemals gab, mit dem höchsten Aufwande ihrer Kunst vollendet und ausgemalt, noch etwas Neues und Wahreres wie bisher zu sagen. Freilich sollte der Sittenlehrer den Menschen kennen; der große Schauspieler weiß ihn zuverlässig auf das Feinste zu beobachten; aber es ist nicht nötig, daß beiden auch nur ein Funke von dramatischem Genius, vielleicht dem seltensten aller Vorzüge des menschlichen Geistes, innewohne. Je mehr der Philosoph sich gewöhnt hat, vorsichtig zu schließen, desto weniger ist es seine Sache, glücklich kühn zu erraten, und Verhältnisse, die sich vielfach durchkreuzen und unübersehlich auseinanderlaufen, durch einen raschen Griff bei dem einzigen gemeinschaftlichen Berührungspunkte aller zu fassen. Die Bestrebungen des Schauspielers sind immer am meisten auf die Außenseite des Menschen gerichtet. Er kann daher sehr gut imstande sein, sich treu in die vorgezeichneten Umrisse zu fügen, und sie durch das kräftigste und schönste Kolorit seiner Person, seiner Stimme, seiner Gebärden zu beleben, ja er kann eine vollkommene Harmonie in die Äußerungen eines Charakters bringen, ohne doch die geheimsten und ersten Gründe, warum jedes so oder so ist, zu durchschauen[5]. Also könnte wohl gar ein Schauspieler den Hamlet übereinstimmend mit Wilhelm Meisters Erklärung vorstellen, ohne von dieser zu wissen und ohne imstande zu sein, sie selbst zu geben? Nicht anders. Genug, wenn es ihm nur gelungen ist, alles einzelne (nicht die einzelnen Stellen, denn das reicht nicht hin, wie Wilhelm sehr richtig bemerkt, sondern die verschiedenen Seiten des Charakters) vollkommen zu fassen und auszudrücken. Der Dichter überhebt ihn der Sorge für einen großen, innigen Zusammenhang in allem diesem. Wenn er denselben nur nicht zerstört, so werden ihn die Zuschauer nach Maßgabe ihrer Fähigkeiten mehr oder weniger dunkel fühlen, bis ihnen einmal ein überlegener Geist hilft, die Ahnung bis zur Erkenntnis aufzuhellen. Unternehmen sie ohne das, ihn nach Begriffen zu erklären, so können sie sich freilich leicht verirren.

Doch wie, möchte man fragen? Ist es nicht ein wesentlicher Fehler an einer Dichtung, die ja nicht bloß für wenige Menschen überhaupt bestimmt ist, wenn sie so sehr Gefahr läuft, mißverstanden oder wenigstens nicht vollständig begriffen zu werden? Die Antwort ist nicht schwer. Es gibt Künstler, die gute Gedanken haben, aber wegen einer gewissen Ohnmacht der Darstellung nicht umhin können, immer die beste Hälfte davon zurückzubehalten[6]; furchtbare Phantasien gibt es, die dabei mit einer Art von Verworrenheit behaftete sind, welche sie hindert, ihre Geburten jemals recht aufs Reine zu bringen. Aus diesen beiden Gebrechen entstehen zwei Arten der Dunkelheit; beide verwerflich und dem Vergnügen, das ein schönes Geisteswerk gewähren soll, mehrenteils tödlich. Hingegen ist Klarheit eben sehr wie Fülle und Kraft ein unterscheidendes Merkmal des Genius und folglich kann in seinen Schöpfungen nicht wohl eine andere Art von Dunkelheit stattfinden als die Unergründlichkeit der schaffenden Natur, deren Ebenbild er im Kleinen ist. An den wirklichen Dingen, wie sie aus der Hand der Natur hervorgehen, ist das Gepräge einer höheren, selbständigen Macht auch für das beschränkte Erkenntnisvermögen im geringsten nicht zweideutig oder unbestimmt; es fühlt sehr wohl, so wenig es von ihrer Beschaffenheit einsieht, daß sie, unabhängig von seinen Vorstellungen oder Irrtümern, sind, was sie sind. Jeder mehr umfassende, auch der höchste endliche Verstand steht in demselben Verhältnisse zur Natur. Er treibe seine Forschungen noch so weit, endlich wird er doch bei der Betrachtung der Wesen auf einen Punkt gelangen, wo er mit seinem Gefühle stillstehen und sich unerkannten Gesetzen des Daseins gläubig unterwerfen muß. Obgleich sich die menschliche Wissenschaft nicht rühmen darf, das Wesen eines einzigen Atoms erschöpft zu haben, so kann sie doch die toten Erzeugnisse der Körperwelt in ihre einfacheren Bestandteile zerlegen; sie kann an organisierten Geschöpfen alle Werkzeuge des Lebens nach ihrem Bau und ihren Bestandteilen sehr genau untersuchen. Allein hat sie jemals die lebendigen Kräfte selbst erhascht, die wir überall um uns her wirkend sehen, deren eine wir in uns fühlen? Leben ist das große Geheimnis der Natur; es ist der Nilstrom, der Länder befruchtet und sich mit vielen Armen in das Meer stürzt, aber dessen Quelle kein Sterblicher erblickt hat[7]. Um nun die Anwendung zu machen und Großes mit Kleinem zu vergleichen: der dramatische Künstler im höchsten Sinne des Wortes, sei er Maler oder Dichter, bildet Menschen; er beseelt sie durch einen göttlichen Funken des Lebens, den er rauben muß, denn auf einem rechtmäßigen Wege ist nicht daranzukommen. Die anderen Menschen, welche die Natur selbst erschaffen hat, können sich nicht erwehren, jene anziehenden Geschöpfe für ihresgleichen anzuerkennen und sich des Umganges mit ihnen zu freuen, wenn schon in ihrer Art zu sein und zu handeln manches ihnen nicht ganz verständlich ist. Wissen wir doch von unseren vertrautesten Bekannten, wenn sie einige Tiefe und Umfang des Charakters haben, nicht immer mit deutlichen Gründen darzutun, warum sie sich jedes Mal unter besonderen Umständen so oder so benehmen, ohne daß wir darum an dem Bestande ihrer Persönlichkeit irre würden. Jene entweder in der Ausführung verfehlten oder schon in der Anlage verworrenen Darstellungen, wovon ich oben sprach, könnte man mit trüben Strömen vergleichen, worin das schärfste Gesicht so wenig etwas unterscheiden kann, als das blödeste; die Werke des echten Genius hingegen mit einem reinen und stillen Wasser von unermeßlicher Tiefe. Sollte auch kein Auge ganz bis auf den Boden dringen, so findet doch jedes für seine Sehkraft Befriedigung; denn so weit diese reicht, erblickt es die in dem flüssigen Elemente enthaltenen Gegenstände vollkommen deutlich und unentstellt. Nur der ist durch eigene Schuld irrigen Vorstellungen ausgesetzt, der sich einbildet oder anmaßt, tiefer zu sehen, als er wirklich sieht.

Ob der Dichter beim Hamlet alles so gedacht hat, wie Wilhelm Meister ihn auslegt, das ist ein Zweifel, den Shakespeare allein, wenn er könnte, zu bekräftigen das Recht hätte. Es muß aber dabei die anschauliche Wahrnehmung von dem entwickelten Begriffe unterschieden werden. Man kann sich recht gut denken, daß Shakespeare mehr von seinem Hamlet wußte als ihm selbst bewußt war; ja er läßt ihn vielleicht ausführlicher über sich und seine sittlichen Verhältnisse philosophieren, als er es bei Anlegung dieses Charakters in eigener Person tat. In einem solchen Dichtergeiste müssen alle Kräfte in so inniger Gemeinschaft wirken, daß es gar nicht zu verwundern ist, wenn der Verstand erst hinterdrein seine Verdienste geltend zu machen und seinen Anteil an der vollendeten Schöpfung zurückzufordern weiß. Am Hamlet ist er in der Tat so hervorstechend, daß man das Ganze, wie Goethes *Faust,* ein Gedankenschauspiel nennen könnte. Nämlich nicht ein Schauspiel, durch welches eine Reihe von Gedanken neben der Handlung hinläuft, und zwar so, daß diese sich in ihren Fortschritten nach der Folge jener richten muß, um damit immer in gleich naher Beziehung zu bleiben; wo also die dramatische Verknüpfung gewissermaßen ein Bild des logischen Zusammenhanges wird (wie etwa in Lessings *Nathan);* sondern ein solches, aus dessen Verwicklung Aufgaben hervorgehen, welche aufzulösen dem Nachdenken des Lesers oder Zuschauers überlassen wird. Hierzu wird der Charakter eines Helden am brauchbarsten sein, dem die Widersprüche seiner sittlichen Natur zum Hauptgegenstande der Betrachtung werden müssen, weil seine Erkenntnis seiner Willenskraft weit überlegen ist; und darauf beruht eben die Ähnlichkeit zwischen den beiden genannten Schauspielen.

Doch nichts weiter über Hamlets Charakter, nach dem was Wilhelm

Meister gesagt: keine *Ilias* nach dem Homer! Aus demselben Grunde schweige ich auch von den Bemerkungen über Ophelia, und den wenigen, aber köstlichen Worten über Polonius und das doppelte Exemplar von Höflingen, Rosenkranz und Güldenstern. Was die Aufführung betrifft, so ist sehr zu wünschen, daß jeder Schauspieler, der sie künftig anordnen oder nur daran teilnehmen soll, die darüber gegebenen Winke auf das sorgfältigste erwäge und beherzige. Nur hüte sich der, welcher den Geist spielen soll, nicht, wie der Unbekannte hier tut, sein Visier herunterzulassen. Dort in dem Schauspiel mußte Hamlet die Gesichtszüge seines Vaters sehen, um vollkommen überzeugt zu werden, daß ihm wirklich sein Geist erschienen[8], hier im Roman war es wesentlich, daß Wilhelm den Schalk im Harnisch nicht erkennte, um allerliebste Abenteuer vorzubereiten; und nur einem Dichter ziemt es, sich mit den offenbaren Absichten eines anderen poetische Lizenzen herauszunehmen. Hingegen läßt sich schwerlich mit Gewißheit ausmachen, wie Shakespeare in der Szene zwischen Hamlet und seiner Mutter es mit den Bildnissen hat gehalten wissen wollen, da die ältesten Ausgaben seiner Schauspiele ganz ohne theatralische Anweisungen sind, und in den Zeiten des barbarischen Geschmacks in England, wo Shakespeares Stücke entweder gar nicht oder sehr selten gespielt wurden, die ursprüngliche Überlieferung der Bühne sich nicht erhalten haben kann. Wilhelm erklärt sich, gegen den allgemein eingeführten Gebrauch, nach welchem Hamlet zwei Miniaturbilder hervorzieht, oft auch das eine zu Boden wirft, für zwei Gemälde in Lebensgröße, an der Dekoration angebracht. Der Gedanke, durch die Ähnlichkeit zwischen der Abbildung des verstorbenen Königs und seinem Geiste die Täuschung zu erhöhen, ist neu und groß und überwiegt leicht den Einwurf, es sei nicht wahrscheinlich, daß die Königin das Bildnis ihres ersten Gemahls, gleichsam einen beständigen Zeugen ihrer Schande, in ihrem Kabinett habe dulden können. Für die Miniaturbilder ließe sich eine Stelle des Hamlet anführen, woraus man sieht, daß dem Dichter die Vorstellung geläufig war, sich dergleichen von geschätzten Personen machen zu lassen[9]. Ja, Shakespeare ist zuweilen so seltsam in seinen Ausdrücken, daß sich selbst die Meinung derer nicht ganz verwerfen läßt, welche annehmen, es sei nur von Bildnissen im metaphysischen Sinne die Rede, und Hamlet sehe die Gestalten der beiden Brüder bloß in seiner erhitzten Einbildungskraft vor sich[10].

Manche Bewunderer Shakespeares werden Wilhelm Meister dafür

liebhaben, daß er sich so ernstlich gegen eine Verstümmelung des Stückes sträubt, daß er am Ende nur der gebieterischen Konvenienz nachgibt und die Umarbeitung selbst übernimmt, um größeren Übeln vorzubeugen. Bei dem Gleichnis mit einem Baume, das er gebraucht, möchte man immer noch zugeben, daß Zweige weggeschnitten, andere eingeimpft werden können, ohne den freien königlichen Wuchs zu entstellen und die Spur der Schere sichtbar werden zu lassen. Wie aber, wenn ein dramatisches Gedicht dieser Art noch mehr Ähnlichkeit mit höheren Organisationen hätte, an denen zuweilen die angeborene Mißgestalt eines einzigen Gliedes nicht geheilt werden kann, ohne dem Ganzen ans Leben zu kommen? Indessen die Bühne hat ihre Rechte: um einzig zu werden, müssen sich Dichter und Schauspieler auf halbem Wege entgegenkommen. Shakespeare hat sich gewiß in vielen Äußerlichkeiten nach den Bedürfnissen seines Theaters gerichtet; würde er weniger für das unsrige tun, wenn er jetzt lebte? Da er so reich an tiefliegenden und feinen Schönheiten ist, die bei dem schnellen Fortgange und unter den unvermeidlichen Zerstreuungen einer öffentlichen Vorstellung leicht verlorengehen, und, um ganz gefühlt zu werden, die ruhigste Sammlung des einsamen Lesers erfordern, so mögen die eigensinnigen Leute (worunter ich bekennen muß, mitzugehören), die ihren Dichter durchaus so verlangen, wie er ist, wie sich Verliebte die Sommersprossen ihrer Schönen nicht wollen nehmen lassen, sich damit zufriedenstellen, daß ihnen der Originalkodex nicht genommen werden soll noch kann.

Die hier vorgeschlagene Veränderung des *Hamlet* bloß nach der Übersicht des Plans, wie ihn Wilhelm Meister angibt, beurteilen zu wollen, wäre unstreitig zu voreilig. Was für schöne Stellen demzufolge übergangen werden müssen, fällt sogleich in Augen; aber um den Gewinn, der aus der Vereinfachung der äußerlichen Verhältnisse für den Gang des Stückes zu hoffen ist, recht einzusehen, müßte man die ausgeführte Bearbeitung im Zusammenhange vor sich haben. Und um einzelne neue Schönheiten vorherzusehen, wodurch seine Einbuße etwa vergütet werden möchte, müßte man selbst eine Dichtungskraft besitzen, die befähigt wäre, Shakespeare zu bereichern. Die Reisemoral, welche Polonius seinem Sohn mitgibt, erließe man ihm noch wohl. Desto mehr ist es schade um die unvergleichliche Szene zwischen Polonius und Reynaldo, und doch muß sie ohne Gnade fort; denn wenn Laertes nicht seiner Ausbildung wegen auf Reisen geht, sondern in königlichen Angelegenheiten abgesandt wird, so möchte sichs nicht sonderlich passen, daß ihm der Vater einen Bedienten nachschickt, um auf eine pfiffige Weise hinter seine wahre Lebensart zu kommen. Auch verliert durch denselben Umstand der Zweikampf einen Beweggrund, der ihn beim Shakespeare wahrscheinlicher macht, obgleich er immer noch sonderbar genug bleibt. In Frankreich, welches Laertes als den Hauptsitz ritterlicher Vorzüge besucht, konnte er die Fechtkunst als einen derselben auf eine in Dänemark seltene Höhe getrieben haben, und dadurch Hamlets Wetteifer rege machen; aber auch in Norwegen, einer eroberten Provinz? Daß der an sich vortreffliche Monolog Hamlets im vierten Aufzug, wie er die Armee des Fortinbras auf ihrem Zuge nach Polen gesehen hat, wegfällt, ist vielleicht weniger zu beklagen, da er im wesentlichen mit dem, welchen der rauhe Pyrrhus veranlaßt, übereinkommt. Verloren geht er dennoch nicht, wenn die Aufschlüsse über Hamlets Charakter, an denen er fast noch reichhaltiger ist als jener, anderweitig benutzt werden. Den Fortinbras, diesen wackeren jungen Krieger, pflegt man überhaupt bei allen Abänderungen immer am ersten aufzuopfern, und doch wüßte ich im ganzen Stücke nichts, was, wenigstens beim Lesen, inniger erschütterte als seine feierlich wundervolle Erscheinung auf der Wahlstatt, wo das Schicksal eben seine furchtbaren Entscheidungen vollendet hat. Bleibt sie weg, so werden Gute und Böse einander auch im Tode gleich gemacht, alle sterben ohne Feierklage, und der einzige überlebende Horatio kann sich als Zeuge jener Begebenheiten nur an unbedeutende Hörer wenden. Wie groß tritt Fortinbras auf, um dem unglücklichen Edlen im Namen der Nachwelt, deren Ausspruch seine letzte Bekümmernis war, zum ersten Male Gerechtigkeit widerfahren zu lassen. Eine so außerordentliche Verwüstung verlangt einen erhabenen Zuschauer, und nur ein Held ist würdig, einer zertrümmerten Welt (denn mit diesem Eindrucke endigt das Trauerspiel) die letzte Ehre zu erweisen.

Soll indessen Hamlet unter uns verändert aufgeführt werden, wie es bisher immer geschehen, und wie er sichs ja auch in England muß gefallen lassen, so ist nichts mehr zu wünschen, als daß die von Wilhelm Meisters Geschichtsschreiber erregte Hoffnung bald erfüllt werden mag. Eine solche neue Bearbeitung würde durch ihren Wert alle künftigen überflüssig und durch ihr Ansehen verdächtig machen. Daß niemand mehr Beruf haben kann, in Shakespeares Sinne zu dichten als der Schöpfer des *Götz von Berlichingen*, des *Faust*, des *Egmont*, leuchtet von selbst ein. Schwerlich wird sich einer der Schriftgelehrten unterstehen, ihn zu fragen: „aus waser Macht tust du das?"

Aus „ein paar kleinen Bruchstücken sieht man, daß Wilhelm Meisters Übersetzung des Hamlet prosaisch war. Es begreift sich, daß er vor der Aufführung keine Muße zu einer poetischen hatte; und wozu auch, bei einer zunächst für das Theater bestimmten Arbeit, da doch unsere meisten Schauspieler nicht gern mit Versen zu tun haben, weil sie wohl fühlen, daß sie selbige entweder radebrechen oder skandieren? Allein bei weitem die meisten Stücke Shakespeares werden bei uns nicht auf die Bühne gebracht, und man hat auch keine Hoffnung, sie darauf zu sehen. Es bleibt dem Leser überlassen, sich mit ihren Schönheiten vertraut zu machen, und diesem würde vermutlich eine poetische Übersetzung nicht unwillkommener sein als die prosaische gewesen ist.

Vor mehr als dreißig Jahren wagte sich zuerst ein Schriftsteller, der wegen der eigenen Fruchtbarkeit seines Geistes am wenigsten zum Übersetzer bestimmt schien, der aber nachher auch in diesem Fache für uns klassisch geworden, an die herkulische Arbeit, den größeren Teil der Werke Shakespeares zu verdeutschen. Sie war es damals noch weit mehr, da man weniger Hilfsmittel zur Kenntnis der englischen Sprache hatte und selbst in England noch wenig für die Erläuterung des oft so schweren, hier und da ganz unverständlichen Dichters geschehen war. Indessen wurde dies Verdienst nicht gleich gehörig anerkannt, und das war nicht zu verwundern, da auf unserer Bühne schale Nachahmungen der Franzosen noch allgemein herrschten, und auch unsere besten dramatischen Werke ganz nach ihrem Muster gearbeitet waren. Wer hätte sich damals einbilden dürfen, daß so heidnisch regellose, barbarische Stücke, wie man aus einem dunklen Gerüchte wußte, daß ein gewisser Engländer, Shakespeare, geschrieben habe, uns jemals vor die Augen gebracht werden dürfen? Lessing, dieser rüstige Feind der Vorurteile, zeigte zuerst die tragische Kunst der Franzosen in ihrer Blöße, erhob eine nachdrückliche Stimme über Shakespeares Verdienste, und erinnerte die Deutschen, weil sie es so bald vergessen zu haben schienen, sie besitzen eine Übersetzung des großen Dichters, woran sie, ungeachtet ihrer Mängel, noch lange genug würden zu lernen haben, ehe sie notwendig eine bessere haben müßten [11].

Freilich konnte er nicht vorhersehen, was wenige Jahre nachher geschah und wofür er selbst durch den Stil seiner dramatischen Werke, besonders der *Emilia Galotti,* die Empfänglichkeit seiner Landsleute hatte wecken helfen. Die Erscheinung des *Götz von Berlichingen* stiftete, in Verbindung mit einigen anderen Umständen, eine ganz neue Epoche unserer Bühne im Guten und Bösen[12]. Nicht lange vorher war der einzige Brite mit glühender Beredtsamkeit, die seine Gegner, wo nicht überzeugen, doch hinreißen mußte, gepriesen, und besonders die Wahrheit eingeschärft worden, daß sich der Regelkram modischer Verfeinerung schlechterdings nicht als Maßstab für seine Schöpfungen gebrauchen lasse[13]. Schon neun Jahre nach Erscheinung der wielandischen Übersetzung stellte sich das Bedürfnis, nicht eines neuen Abdruckes derselben, sondern einer verbesserten Verdeutschung der sämtlichen Werke Shakespeares ein. Da Wieland selbst diese Arbeit nicht übernehmen konnte, fiel sie glücklicherweise einem unserer gelehrtesten und geschmackvollsten Literatoren in die Hände, der mit gründlicher Sprachkunde, seltenem Scharfsinn im Auslegen und beharrlicher Sorgfalt der Übersetzung erteilte, was ihr bisher noch gefehlt, nämlich Vollständigkeit im Ganzen und Genauigkeit im Einzelnen. Jetzt wurde auch mehreren Schauspielen Shakespeares eine öffentliche Huldigung geleistet; von der Bühne herab bemächtigten sie sich der Gemüter und ließen unauslöschliche Eindrücke zurück. Unsere größten Schauspieler fanden hier freien Spielraum für Talente, die sie sonst nicht so glänzend hätten entwickeln können[14]. Er wurde immer mehr einheimisch unter uns. Auch Laien der ausländischen Literatur lernten seinen Namen mit Ehrerbietung aussprechen, und man darf kühnlich behaupten, daß er nächst den Engländern keinem Volke so eigentümlich angehört wie den Deutschen, weil er von keinem im Original und in der Kopie so viel gelesen, so tief studiert, so warm geliebt und so einsichtsvoll bewundert wird. Und dies ist nicht etwa eine vorübergehende Mode; es ist nicht, daß wir uns auch einmal zu dieser Form dramatischer Poesie bequemt hätten, wie wir immer vor anderen Nationen geneigt und fertig sind, uns in fremde Denkarten und Sitten zu fügen. Nein, er ist uns nicht fremd. Wir brauchen keinen Schritt aus unserem Charakter herauszugehen, um ihn „ganz unser" nennen zu dürfen. Die Sonne kann zuweilen durch Nebel, der Genius durch Vorurteile verdunkelt werden; aber bis etwa aller Sinn für Einfalt und Wahrheit unter uns ausstirbt, werden wir immer mit Liebe zu ihm zurückkehren. Was er sich hier und da erlaubt, findet bei uns am leichtesten Nachsicht, weil uns eine gewisse gezierte Ängstlichkeit doch nicht natürlich ist, wenn wir sie uns auch anschwatzen lassen; die Ausschweifungen seiner Phantasie und seines Gefühls (gibt es anderes dergleichen) sind gerade die, denen wir selbst am meisten ausgesetzt sind, und seine eigentümlichen Tugenden gelten einem edlen Deutschen unter allen am höchsten. Ich meine damit sowohl die Tugenden des Dichters als des Menschen, insofern sich dieser in jenem offenbaren kann; in Shakespeare ist beides auf das innigste verbunden; er dichtete wie er war. In allem, was aus seiner Seele geflossen[15], lebt und spricht altväterliche Treuherzigkeit, männliche Gediegenheit, bescheidene Größe, unverlierbare heilige Unschuld, göttliche Milde.

> His life was gentle, and the elements
> So mix'd in him, that nature might stand up
> And say to all the world: this is a man![16]

Doch zu so herrlichen Schätzen ist die englische Sprache der einzige Schlüssel; zwar nicht ein goldener, wie Gibbon mit Recht die griechische Sprache nennt, doch wenn schon aus mehr gemischtem, gewiß aus ebenso edlem Metall als die unsrige. Wie sehr sich auch die Kenntnis derselben in Deutschland verbreitet hat, so ist sie doch selten genug in dem Grade, der erfordert wird, um von der Menge der Schwierigkeiten nicht beständig im Genuß unterbrochen oder gar von der Lesung des Dichters abgeschreckt zu werden. Wie wenige gibt es wohl unter denen, welche ihn im ganzen (d. h. die Stellen ausgenommen, wo die Engländer selbst eines Kommentars bedürfen, weil die Wörter veraltet, die Anspielungen unbekannt oder die Lesarten verderbt sind) ohne Anstoß lesen können, denen alle die feineren Schönheiten, die zarten Abschattungen des Ausdrucks, worauf die Harmonie eines poetischen Gemäldes beruht, so fühlbar und geläufig wären wie in ihrer Muttersprache! Wie wenige, die es in der englischen Aussprache zu der Fertigkeit gebracht hätten, die dazu gehört, sich den Dichter mit dem gehörigen Nachdruck und Wohlklang vorzulesen! Und dennoch erhöht dies immer die Wirkung beträchtlich, denn die Poesie ist einmal keine stumme Kunst. Solche Leser Shakespeares, bei denen alles Obige zutrifft, möchten sichs doch wohl der Abwechslung wegen gefallen lassen, zuweilen auf vaterländischem Boden im Schatten seiner Dichtungen auszuruhen, wenn sie sich nur ohne zu beträchtlichen Verlust an ihrem schönen Blätterschmuck dahin verpflanzen ließen. Wäre also eine Übersetzung derselben nicht eine sehr wünschenswerte Sache? „Wir haben ja schon eine, und zwar eine vollständige, richtige, gute." Ganz recht! So viel mußten wir auch haben, um noch mehr begehren zu können. Nach der Befriedigung des Bedürfnisses tut sich der Hang zum Wohlleben hervor; jetzt ist das Beste in diesem Fache nicht mehr zu gut für uns. Soll und kann Shakespeare nur in Prosa übersetzt werden, so müßte es allerdings bei den bisherigen Bemühungen so ziemlich sein Bewenden haben. Allein er ist ein Dichter, auch in der Bedeutung, da man diesen Namen an den Gebrauch des Silbenmaßes knüpft. Wenn es nun möglich wäre, ihn treu und zugleich poetisch nachzubilden, Schritt vor Schritt dem Buchstaben des Sinnes zu folgen, und doch einen Teil der unzähligen, unbeschreiblichen Schönheiten, die nicht im Buchstaben liegen, die wie ein geistiger Hauch über ihm schweben, zu erhaschen! Es gilt einen Versuch. Bildsamkeit ist der ausgezeichnetste Vorzug unserer Sprache, und sie hat in dieser Art schon vieles geleistet, was anderen Sprachen mißglückt oder weniger gelungen ist. Man muß an nichts verzweifeln.

Wir sind jedoch an prosaische Dramen aller Art, von der Posse bis zum heroischen Trauerspiel, so sehr gewöhnt, daß mancher hierbei denken möchte, Shakespeare sei ja ein dramatischer Dichter; an seinen Versen als solchen könne daher nicht viel gelegen sein. Es komme auf die Handlung, die Charaktere, die Reden der Personen an und der Übersetzer, der ihn in Prosa überträgt, nehme ihm höchstens einen entbehrlichen, zufälligen Zierat, befreie ihn wohl gar von einem wahren Fehler. Wie sehr würde er sich irren! Doch um dies einleuchtend zu beweisen, muß ich tiefer in Shakespeares eigentümliche Form der Darstellung eingehen.

„Die Nataks oder indischen Schauspiele", sagt der berühmte Sir William Jones in seiner Vorrede zur *Sakontala* [17], „sind durchgehends in Versen, wo der Dialog einen höheren Schwung nimmt, und in Prosa, wo er sich zur gewöhnlichen Unterredung herabläßt. Den Vornehmen und Gelehrten wird das reine Sanskrit in den Mund gelegt, die Weiber hingegen sprechen Prakrit, welches nicht viel anders ist als die Bramensprache durch eine weichere Aussprache bis zur Zartheit des italienischen verschmelzt, und die geringen Leute den Dialekt der Provinz, die sie jedesmal nach der Voraussetzung bewohnen." Dies ist schon an sich merkwürdig genug. Es ließe sich eine Abhandlung von Schlußfolgen darüber schreiben, welchen Grad der Bildung es bei den Hindus in dem Zeitpunkte voraussetzt, da jene Schauspiele geschrieben wurden. Aber ungemein merkwürdig wird es, wenn man einen Blick der Vergleichung auf unseren Dichter wirft. Eine so auffallende, genaue Übereinstimmung in einem ganz besonderen Punkte zwischen zwei Dichtern, die durch ein paar Jahrtausende, durch ganze Weltteile, durch den größten möglichen Abstand des Klimas, des Nationalgeistes, der Sitten und Sprachen voneinander geschieden werden! Man wird wohl annehmen müssen, daß sie nicht durch ein blindes Spiel der Willkür zusammentreffen, sondern daß beide aus einer gemeinschaftlichen Quelle geschöpft haben, die in allen Zonen und Zeitaltern fließt, wenn menschliche Verkehrtheit sie nicht verstopft. Zu argwöhnen, Sir William Jones habe seinen Landsleuten durch eine vorgegebene Ähnlichkeit mit ihrem Lieblingsdichter zu schmeicheln oder jenem mehr Eingang zu verschaffen gesucht, wäre ohne weitere Gründe ungerecht gegen den großen verdienten Kenner des Morgenlandes, besonders da er gar keine solche Anwendung davon macht; und wider die Echtheit der *Sakontala* möchte es schwer halten, Zweifel aufzutreiben.

Shakespeares Schauspiele insgesamt, gleichviel ob sie Tragödien, Komödien oder Historien heißen (denn, wie bekannt, gehören sie alle eigentlich zu einer einzigen Hauptgattung), sind aus Poesie und Prosa, aus dem vertraulichen Ton des Umgangs und einem edleren Gange der Rede gemischt. Nur wenige sind fast ganz in Prosa geschrieben, in den mehrsten überwiegt um ein Großes der poetische Teil. In diesem ist der fünffüßige reimlose Jambe die herrschende Versart; aber häufig sind am Schlusse der Szenen und Aufzüge einige gereimte Zeilen in demselben Silbenmaße angebracht; in verschiedenen Stücken sind auch sonst Reime eingestreut oder ganze Szenen darin gearbeitet. Außerdem kommen Lieder vor, wo es die Gelegenheit gibt, und zwar gewöhnlich nicht als episodische Ergötzlichkeit, sondern sie sind in das Gespräch, ja in die Handlungen selbst miteingewebt. Obgleich es in England keine zwei völlig abgesonderten Sprachen der Vornehmen und Geringen, kein Sanskrit und Prakrit gibt, so weicht doch Shakespeares poetische Sprache von seiner prosaischen durch die Wahl, Zusammensetzung, Anordnung und Bindung der Worte vielleicht ebenso weit ab als jene indischen Dialekte voneinander. Aber der Gebrauch der einen oder der anderen hängt bei ihm nicht so sehr am Stande als am Charakter und den Gemütsbestimmungen der redenden Personen. Freilich paßt sich das Edle und Auserlesene nur zu einer gewissen Anständigkeit der Sitten, die sowohl Laster als Tugenden überkleidet und auch unter heftigen Leidenschaften nicht ganz verschwindet. Wie nun diese den höheren Ständen, wenngleich nicht ausschließend, doch natürlicherweise mehr eigen ist als den geringen, so ist auch bei Shakespeare Würde und Vertraulichkeit der Rede, Poesie und Prosa, auf eben die Art unter die Personen verteilt. Daher sprechen seine gemeinen Bürger, Bauern, Soldaten, Matrosen, Bedienten, hauptsächlich aber seine Narren und Possenreißer fast ohne Ausnahme im Tone ihres wirklichen Lebens. Indessen offenbart sich innere Würde der Gesinnungen, wo sie sich immer finden mag, durch einen gewissen äußeren Anstand, ohne daß es dazu durch Erziehung und Gewohnheit angekünstelter Zierlichkeiten bedürfte; jene ist ein allgemeines Recht der Menschen, der niedrigsten wie der höchsten: und so gilt bei Shakespeare die Rangordnung der Natur und der Sittlichkeit hierin nicht mehr wie die bürgerliche. Auch läßt er nicht selten dieselben Personen zu verschiedenen Zeiten die erhabenste und dann wieder die gemeinste Sprache führen, und diese Ungleichheit ist ebenfalls in der Wahrheit gegründet. Außerordentliche Lagen, die den Kopf lebhaft beschäftigen und mächtige Leidenschaften ins Spiel setzen, heben und spannen die Seele: sie rafft alle ihre Kräfte zusammen und zeigt, wie in ihrem ganzen Wirken, so auch in der Mitteilung durch Worte einen ungewöhnlichen Nachdruck. Hingegen gibt es selbst für den größten Menschen Augenblicke des Nachlassens, wo er die Würde seines Charakters bis auf einen gewissen Grad in sorgloser Ungebundenheit vergißt. Um sich an den Scherzen anderer zu belustigen oder selbst zu scherzen, was keinen Helden entehrt, ist sogar diese Stimmung nötig. Man gehe zum Beispiel die Rolle Hamlets durch. Welche kühne, kräftige Poesie spricht er, wenn er den Geist seines Vaters beschwört, sich selbst zu der blutigen Tat anspornt, seiner Mutter in die Seele donnert! Und wie steigt er in seinem Tone in das gemeine Leben hinab, wenn er sich wahnsinnig stellt, oder es mit Personen zu tun hat, mit denen er nach ihrer Würdigkeit nicht anders umgehen kann: wenn er den Polonius und die Höflinge zum Besten hat, die Schauspieler unterrichtet und sich auf die Späße des Totengräbers einläßt. Unter allen ernsten Hauptcharakteren des Dichters ist keiner so reich wie Hamlet, an Witz und Laune, denen er sich mitten in seiner Schwermut überläßt; darum bedient er sich auch unter allen am meisten des vertraulichen Stils. Andere verfallen gar nicht darein, entweder weil der Pomp des Ranges sie beständig umgibt, oder weil ein gleichförmiger Ernst ihnen natürlich ist, oder endlich weil eine Leidenschaft, nicht von der niederdrückenden Art wie Hamlets Kummer, sondern eine erweckende Leidenschaft sie das ganze Stück hindurch beherrscht. So feine Unterscheidungen findet man in diesem Punkte überall von Shakespeare beobachtet; ja ich möchte behaupten, wo er eine Person in derselben Rede aus Prosa in Poesie, oder umgekehrt, übergehen läßt, würde man dies nicht ohne Gefahr, ihm zu schaden, ändern können. Nicht als ob er immer dabei mit besonnener Überlegung verfahren wäre; vermutlich vertrat ein fast untrüglicher Instinkt des Schicklichen auch hier die Stelle der Kunst.

Die Rücksichten oder Leitungen des Gefühls, wonach er sich beim Gebrauch des Reimes richtete, lassen sich nicht so ganz bestimmt angeben. Man sieht wohl, daß er sinnreiche Sprüche ganz in Reime kleidet, besonders wo sie symmetrisch neben oder gegeneinander gestellt sind. Dies ist nicht selten der Fall am Schlusse der Szenen, der zuweilen eine epigrammatische Wendung nimmt, so daß gleichsam das Resultat des Vorhergegangenen in einige Zeilen zusammengedrängt wird. Fortgehend gereimt findet man andere Stellen, wo Feierlichkeit und theatralischer Pomp passend ist, wie die sogenannte Maske im *Sturm,* und das Schauspiel, das im Hamlet aufgeführt wird. Räumte er deswegen vielleicht an einigen Stücken, am *Sommernachtstraum,* an *Romeo und Julia* dem Reime einen bedeutenden Anteil ein, weil ihr Stoff vorzüglich viel Anlässe zu gefälligen Spielen der Phantasie darbot? Es mag immer sein, daß er mitunter auch aus keinem anderen Grunde in Reimen gedichtet, als weil er gerade Lust daran fand. Denn, daß er den Reim geliebt, erhellt teils aus seiner Fruchtbarkeit an Sonetten, teils aus mehreren seiner Lieder, worin er mit diesem dichterischen Wiederhall gar künstlich und artig tändelt. Man hat bemerkt, daß in seinen späteren dramatischen Arbeiten wenige gereimte Stellen angetroffen werden und bei der Untersuchung über ihre mutmaßliche Zeitfolge dies sogar zu einem Merkmale gemacht. Aber würde jene Bemerkung auch durchgängig bestätigt (und sie leidet ihre Ausnahmen: *Was ihr wollt,* das letzte Stück Shakespeares nach Malones eigener Angabe, gewiß eines seiner reifsten, enthält unter den Versen ziemlich viel Reime, obgleich es großenteils in Prosa geschrieben ist), so folgt daraus noch nicht, daß er seinen jugendlichen Geschmack in der Folge verworfen. Er konnte ja auch im höheren Alter die Biegsamkeit der Einbildungskraft und den Reichtum an Wendungen verloren haben, welcher dazu gehört, um mit Leichtigkeit zu reimen. Dem sei wie ihm wolle, so ist es offenbar, daß die Verschiedenheit der metrischen Bearbeitung sehr wesentlich auf den Inhalt zurückgewirkt. Seine gereimten Jamben sind seinen reimlosen nicht nur im Ton und Gange unähnlich, sie haben auch eine ganz andere Farbe des Ausdrucks und sind sozusagen in einer anderen Gegend der Bilder und poetischen Figuren zu Hause.

Allein macht eine so bunte Vermischung verschiedener Stile nicht einen häßlichen Übelstand? Wohl mehr für das Auge, das diese Ungleichheiten nebeneinander sieht, mit dem wir aber hier nichts zu schaffen haben, als für das Ohr, das sie nacheinander vernimmt. Überhaupt möchte sie den mehr beleidigen, der gewohnt ist, die Alexandriner des französisch modernen Trauerspiels alle von gleichem Maß und mit gleichem Tritt auf ihre Parade ziehen zu sehen, als den Leser der griechischen Tragödien, wo nicht nur lyrischer Gesang das Gespräch unterbricht, sondern auch zu diesem, außer den Jamben, anapästische und trochäische Versarten gebraucht werden; ja, wo zuweilen eine Person in derselben Rede aus Jamben in lyrischen Gesang übergeht. Indessen bleibt der Stil in allen verschiedenen Silbenmaßen immer edel und poetisch, und dies mußte auch so sein. Auf schöne Einfachheit und harmonisches Ebenmaß war im griechischen Heldendrama alles gerichtet. Der Charakter der einzelnen Personen mußte sich unter den allgemeinen, erhöhten Charakter einer Darstellung fügen, welche den Zuschauer durchaus in eine vergötterte Vorwelt versetzen sollte. Auch der Bote, der Diener, die Magd oder Wärterin, trugen von der Würde des vorgestellten Mythus, wozu sie mitgehörten, ihr bescheidenes Teil davon. Shakespeares Theaterwelt ist eben so grenzenlos mannigfaltig als die wirkliche nach seinen Ansichten: er schloß nichts davon aus, was irgend in der menschlichen Natur und in der bürgerlichen Gesellschaft stattfand. Wie hätte er sich nun dabei auf einen einzigen, gleichförmigen Stil der Darstellung beschränken können? Die Natur der Sache bewahrte ihn vor einer solchen Abgeschmacktheit, denn sobald er es versuchte, mußten seine Dramen aufhören zu sein, was sie sind; und aus höchst interessanten wären nicht schöne, sondern gleichgültige Gedichte geworden. Jede seiner Personen hatte gleiche Rechte auf die Behauptung ihrer Eigentümlichkeit. Nach wessen Weise hätte sie also reden sollen, wenn ihr verboten worden wäre, es nach ihrer eigenen zu tun? Wir haben die Wahl, ob wir uns, was nur eine kleine Angewöhnung erfordert, zu dem äußern, ich darf sagen, nur scheinbaren Mißverhältnis des häufigen und schnellen Wechsels der Stile bequemen oder die ganze dramatische Gattung verwerfen wollen, welche ohne jene Vergünstigung nicht bestehen kann, sie aber auch mit unendlichen Vorzügen bezahlt.

Ich darf Leser voraussetzen, die sich darüber schon auf eine oder die andere Art entschieden haben. Es würde mich daher nur von meinem Zwecke abführen, die so oft unternommenen Rechtfertigungen Shakespeares wegen seiner Verknüpfung komischer und tragischer Teile zum Ganzen einer Handlung von neuem vorzutragen.

„Gut", könnte man sagen, „wenn er uns denn schlechterdings in so geringe Gesellschaft führen wollte, so mußte er auch seinen Ton danach stimmen. Wir verlangen keine tragische Würde; aber was verhinderte ihn, eine Gleichförmigkeit der entgegengesetzten Art zu beobachten? Warum legt er den höchsten Charakteren nicht Prosa, zwar edlere, aber doch schlichte Prosa in den Mund, so gut wie den gemeinsten? Wir wollen auf der Bühne natürliche, wirkliche Menschen auf das täuschendste nachgeahmt sehen. Man rühmt von Shakespeares Menschen, daß sie das sind, und doch wissen wir wohl, niemand spricht in Versen. Ein wohlklingendes Silbenmaß, eine gewählte poetische Sprache sind schön; aber darf das Wahre, worauf doch allein die Teilnahme an einem Schauspiele sich gründet, dem Schönen aufgeopfert werden?" Diese Einwendungen, welche dem gesunden Urteile, wenn es nicht recht in das Wesen der Poesie eingedrungen ist, so naheliegen, lassen sich nicht wohl ohne weitere Umstände mit einer bloßen Berufung auf das Beispiel der Alten und mancher vortrefflichen Neueren abfertigen, da in den neuesten Zeiten einsichtsvolle Kenner sie durch Lehre und Beispiel unterstützt haben[18]. Das Ansehen der Alten soll nichts mehr gelten als die Gründe, welche sie selbst bei dem oder jenem Verfahren für sich hatten, und man könnte ihm hier mit aller Ehrerbietung ausweichen, wenn man sagte, der Gebrauch des Silbenmaßes sei bei ihnen mehr eine Sache der Notwendigkeit als der Wahl gewesen, wie schon dadurch wahrscheinlich werde, daß sie es von allen Gattungen vom Trauerspiele des Äschylus an bis zur neueren Komödie, ja bis zu den Mimen des Syrus und Laberius[19] herunter, durchgängig angebracht. Wenn die Stimme des Schauspielers auf ihren großen Theatern nicht ungehört verhallen sollte, so mußte sie sich zur musikalischen Rezitation erheben, und diese setzte einen regelmäßigen Rhythmus voraus. In der Tat loben auch alte Schriftsteller den Jambus als den fürs Theater passenden Vers wegen seiner akustischen Eigenschaft[20]. Um also die obigen Zweifel gründlich zu lösen, müssen wir uns an das Wesen des Dialogs und den Grundsatz der Nachahmung selbst nach seinem gültigen Sinne und seinen Einschränkungen wenden.

Menschen will man auf dem Theater sehen und hören, wirkliche
Menschen, und sie sollen so genau nachgeahmt sein, daß man sie durch
keinen einzigen Zug von den anderen außerhalb des Theaters unterscheiden könne. Nichts weiter? Das ließe sich wohlfeiler haben, sollte
man denken. Auf Straßen und Märkten begegnen einem ja wirkliche
Menschen zu ganzen Haufen, man kann ihnen fast nirgends aus dem
Wege gehen. Und doch hält man sie für etwas so Seltenes und Sehens-
würdiges, daß man ein eigenes Gebäude errichtet, ein Gerüst erleuch-
tet, viele mühsame Anstalten macht, um etwa ein Dutzend von ihnen
vor einer Versammlung, die aus eben dergleichen besteht, zur Schau
zu stellen! Wahrlich, man möchte auf den Verdacht kommen, es
widerfahre bloß deswegen einigen wirklichen Menschen so unverdiente Auszeichnung, um den übrigen einen hohen Begriff von ihrer
eigenen Wichtigkeit zu geben. – „Nein, so ist es nicht gemeint: man
muß merkwürdige oder unterhaltende Eigenschaften haben, wenn
man dieser Ehre würdig geachtet werden soll." – Das wäre denn doch
ein Umstand, der die theatralischen Personen stark von den wirklichen, wie sie so gewöhnlich sind, unterscheiden würde. Denn jeder
gesteht gern ein, mit der gehörigen Ausnahme für sich selbst, daß er
sie, im ganzen genommen, weder sehr merkwürdig, noch sehr unter-
haltend findet. Aber auch Menschen, die eins oder das andere in
hohem Grade sind, stellen sich doch nicht in ihrem ganzen Lebens-
laufe so dar: es gibt Augenblicke, ja beträchtliche Zeiten, wo der
merkwürdige Mann in seinem Tun ganz alltäglich scheint, und der
unterhaltende Kopf zur Langweiligkeit herabsinkt. Oft entwickeln
sich erst nach einem fortgesetzten Umgange die am meisten charakteristischen Eigenschaften eines Menschen vollständig und entschieden.

Mit den Personen auf der Bühne muß unsere Bekanntschaft in ein
paar kurzen Stunden gestiftet werden und ihren höchsten Punkt erreichen. Dazu ist es erforderlich, daß sie in mancherlei, und zwar in
solche Lagen versetzt werden, die am geschicktesten sind, das Wesen
ihres Charakters in ein helles Licht zu stellen. Wir erlauben dem
Dichter daher (und müssen es, wenn wir nicht selbst unsere Absichten
durch die Bedingungen, denen wir ihre Ausführung unterwerfen, ver-
eiteln wollen) eine Verwicklung, eine Anordnung der Ereignisse zu
erfinden, die dergleichen am besten herbeiführt, obschon wir sehr gut
wissen, daß im wirklichen Leben interessante Lagen nie oder fast nie

so gedrängt, und von gleichgültigen nicht unterbrochen, aufeinander folgen. Aber Lagen sind nur das entferntere Mittel, Menschen kennenzulernen. Zunächst kommt es dabei auf ihr eigenes Benehmen an, auf ihre Gebärden, Reden und Handlungen. Die Gebärden sind die Sache des Schauspielers, nicht des Dichters; schon deswegen nicht, weil ihre schriftliche Bezeichnung bei den gröberen Merkmalen stehenbleiben muß und von dem feineren seelenvollen nur dem eine Vorstellung zu geben vermag, der sie schon hat. Der Dichter darf höchstens einige Anweisungen für jenen einstreuen. Eine Rolle wäre unvollkommen ausgeführt, wenn ein guter Schauspieler aus den Reden und Handlungen nicht hinlänglich einsehen könnte, wie er sie zu spielen hat[22]. Worte werden häufig den Taten entgegengesetzt, und in einem gewissen Sinne mit Recht, insofern sie nämlich Richtungen der Willenskraft ankündigen, die entweder gar nicht vorhanden sind oder doch ohne weitere Wirkungen bleiben. Aber Worte können auch Taten sein; die größten Dinge wurden nicht selten bloß durch Worte verrichtet. So wenig in einem Schauspiel müßige Reden geduldet werden dürfen, die selbst nicht Handlung sind und die Handlung weder fördern noch aufhalten, so wird auf der anderen Seite großenteils nur redend gehandelt; und das muß so sein, weil wir die sittlichen Verhältnisse der Personen zueinander, worauf uns alles ankommt, allein vermittelst gegenseitiger Mitteilungen ihrer Gedanken, Absichten, Gesinnungen einsehen können. Müssen auch Handlungen vorgestellt werden, die nicht bloß in dergleichen bestehen, so erhalten sie gleichwohl erst durch die vorhergegangenen oder die begleitenden Reden ihren dramatischen Wert; denn nur diese können uns Aufschlüsse über die Triebfedern geben, woraus sie entsprungen sind.

Am Ende muß also doch die ganze Darstellung der Charaktere bloß durch den Dialog bewerkstelligt werden. Alles was mittelbar dazu helfen kann, bleibt ohne Anwendung, wenn der Dichter es nicht in Dialog zu verwandeln weiß. Muß ihm also nicht bei Benutzung des einzigen Mittels zu einem so großen und schwierigen Zwecke eine ähnliche Freiheit verstattet werden wie bei der Anlegung des Plans? Darf er nicht, wenn er nur das Wesen des Dialogs schont, die zufälligen Beschaffenheiten so einrichten, wie es ihm am vorteilhaftesten dünkt? Darf er dabei nicht, nach dem allgemeinen, nie bestrittenen Vorrechte der Dichtkunst, über die Wirklichkeit hinausgehen, wenn seine Erdichtungen nur in den Grenzen der Wahrscheinlichkeit bleiben? Die Verneinung dieser Fragen möchte aller dramatischen Kunst ein Ende machen.

Zum Wesen des Dialogs gehört zweierlei: augenblickliche Entstehung der Reden in den Gemütern der Sprechenden und Abhängigkeit der Wechselreden voneinander, so daß sie eine Reihe von Wirkungen und Gegenwirkungen ausmachen. Das erste ist in dem letzten gewissermaßen mit enthalten; denn soll meine Antwort ganz so beschaffen sein, wie die Rede des anderen sie in mir veranlassen muß, so kann ich sie nicht bestimmt zuvor ausgesonnen haben, weil ich höchstens nur mutmaße, was er sagen wird. Alles übrige ist beim Dialog zufällig: die Zahl der Personen, die Länge der Reden usw. Sogar ein Monolog kann in hohem Grade dialogisch sein, und er sollte in einem Schauspiele nie etwas anderes scheinen, als was man im gemeinen Leben nennt: „sich mit sich selbst besprechen". Dabei findet nicht bloß augenblickliche Eingebung statt, sondern auch eine Art von Wirkung und Gegenwirkung, indem man sich gleichsam in zwei Personen teilt. Was die Länge betrifft, so haben wir Dramen, deren Verfasser zu glauben scheinen, die Lebhaftigkeit des Dialogs bestehe darin, daß ihre Personen immer nur drei Worte hintereinander sagen und sich gegenseitig fast nicht zu Worte kommen lassen; da doch im wirklichen Leben schwerlich ein bedeutendes Gespräch in solchen Brocken zum Vorschein kommt, und das letzte unter gesitteten Leuten gar nicht hergebracht ist.

Man kann den Dialog in zwei verschiedenen Bedeutungen vollkommen nennen: nämlich insbesondere als Dialog, dann in allgemeiner Hinsicht nach seinem Gehalt und Ausdruck. Mit Unvollkommenheiten der einen und der anderen Art ist er im gemeinen Umgange oft reichlich genug ausgesteuert, um Verdruß und Langeweile zu erregen. Billig entfernt daher der Dichter alle solche, die nicht aus den Charakteren und Lagen der Personen entspringen. Zufällig begegnet es wohl jedem Menschen, daß er nur mit halbem Ohre hört, und mit halber Besinnung antwortet; daß er sich wiederholen lassen muß, was der andere gesagt, weil er es nicht begriffen; daß er immer auf dasselbe zurückkommt, ohne auf die Gründe des andern zu achten; aber nur an dem Zerstreuten, dem langsamen Kopfe, dem Hartnäckigen ist es charakteristisch. Sobald dialogische Unvollkommenheiten dieses sind, kann man sie nicht von der dramatischen Darstellung ausschließen; sie dürfen sogar Hauptgegenstand derselben werden[23]. Eben dies gilt von den Mängeln der Reden, für sich, außer dem Zusammenhange des Gesprächs betrachtet. Dagegen darf der Dichter den Reden alle Vorzüge verleihen, welche den Charakteren und Lagen der Personen nicht widersprechen, und er wird dadurch unsere Lust unfehlbar erhöhen. Finden wir wohl jemals im wirklichen Leben, wenn sich nicht Eigenliebe ins Spiel mischt, daß jemand zu treffend, zu lebhaft, zu witzig, zu anschaulich, zu seelenvoll spricht? Nur müssen wir ja keine Spuren von Vorbereitung entdecken, die augenblickliche Eingebung muß immer die Muse des Gesprächs bleiben. Sonst sagen wir, er rede wie ein Buch, und die vortrefflichsten Dinge, die er vorbringt, können uns keine gesellschaftliche Unterhaltung mehr gewähren. Einen solchen Dialog verwerfen wir, nicht als ob er allzu vollkommen wäre, sondern weil es gar kein Dialog ist.

Die Anwendung dieser letzten Bemerkung auf die dramatische Kunst macht sich von selbst. Nun fragt sichs nur: kann Poesie des Stils die Vollkommenheit des Dialogs in seiner besonderen Eigenschaft vermehren oder hebt sie vielmehr sein Wesen unvermeidlich auf? Es ist ein grobes, aber gewöhnliches Mißverständnis, das Geschmückte und Rednerische mit dem wahrhaft Poetischen für einerlei zu halten. Leider wird es durch so viele angebliche Gedichte bestätigt, wo man statt dichterischer Kunst mit rhetorischen Künsten abgefunden wird. Nur die anschaulichste Bezeichnung der Vorstellungen, der innigste Ausdruck der Empfindungen heißt mit Recht poetisch, und dies ist unserer Natur so wenig fremd, daß man es vielmehr in den unvorbereiteten Reden von Menschen ohne Bildung und Unterricht, wenn ihre Einbildungskraft erhitzt oder ihr Herz bewegt ist, oft am auffallendsten wahrnimmt. Echte Poesie des Stils ist daher nichts anderes als die unmittelbarste, natürlichste Sprache, die wir nämlich reden würden, wenn unsere Natur sich immer, von zufälligen Einschränkungen befreit, in ihrer ganzen Kraft und Fülle offenbarte; sie ist mehr die Sprache der Seelen als der Zungen. Hieraus folgt, daß der Gebrauch einer solchen Sprache den Dialog, insofern er eine Reihe von Wechselwirkungen ist, allerdings vollkommener machen kann. Je geschickter das Werkzeug der Mitteilung ist, Gedanken und Gefühle nicht bloß so ungefähr nach ihrem Stoff und ihrer allgemeinen Beschaffenheit anzudeuten, sondern ihre besonderste, eigentümlichste Gestalt darzustellen, desto vollständiger versteht man sich gegenseitig, und desto genauer wird jede Rede der, wodurch sie veranlaßt worden, entsprechen. Eher könnte es Zweifeln unterworfen sein, ob sich der poetische Ausdruck mit dem zweiten wesentlichen Kennzeichen des Dialogs, der augenblicklichen Entstehung, verträgt. Ich bemerke hier zuerst, daß alle Poesie mehr oder weniger nach den Gattungen Ansprüche darauf macht, für eine zwar ungewöhnliche, aber doch schnelle, ungeteilte, ununterbrochene Eingebung, nicht für eine allmähliche Hervorbringung gehalten zu werden; daß die letzte, und nicht die leichteste Kunst des Dichters darin besteht, alle Kunst zu verbergen, und über das tiefste Studium, die sorgsamste Wahl den Anstand ungezwungener Leichtigkeit zu verbreiten, als hätte er alles nur so eben hingegossen. Zweitens: wie aus dem Wesen jeder Dichtungsart besondere Gesetze des Stils herfließen, so hat auch das Drama die seinigen. Vieles muß darin vermieden werden, was schön und vortrefflich wäre, wenn der Dichter es in seinem eigenen Namen sagte. Dramatische Schicklichkeit ist hier die erste Rücksicht, welcher alle anderen nachstehen müssen.

Aber nicht genug, daß die poetische Behandlung der Wahrheit des Dialogs nicht notwendig Eintrag tut, ich möchte behaupten, er könne durch sie noch dialogischer gemacht werden. Daß den Redenden das, was sie sagen, in demselben Augenblicke einfällt, erkennen wir an gewissen Merkmalen, die in der Wirklichkeit nicht immer in gleichem Maße vorhanden sind, zufällig fehlen oder absichtlich nachgeahmt werden können. Gibt es nicht Menschen, welche das, was sich in der Tat soeben in ihnen entwickelt, so feierlich und abgemessen vortragen, als hätten sie es zuvor auswendig gelernt, während andere durch Impromptus überraschen, worauf sie drei Tage lang gesonnen haben? Für das Vergnügen der Unterhaltung entscheidet hierbei der Schein mehr als die Wahrheit; im Drama versteht es sich ohnehin schon, daß das Ansehen des Unvorbereiteten in den Reden bloßer Schein ist. Es beruht aber, außer dem Ton und den Gebärden, die immer sehr viel tun müssen, auf allerlei kleinen, in der Büchersprache nicht erlaubten Freiheiten und Nachlässigkeiten; auf Verschweigungen und zuweilen sogar auf einem scheinbaren Mangel an Zusammenhang; auf der Stellung, welche so beschaffen sein muß, wie die Vorstellungen am natürlichsten nach und durcheinander rege werden, nicht wie man sie nachgehends am vorteilhaftesten anordnen könnte; auf einfachen und geraden Wortfügungen. Künstlich verflochtene Perioden (die überhaupt mehr der Beredsamkeit als der Poesie angehören) verraten immer eine Art von Vorbereitung: man kann sie nicht wohl anfangen, ohne zu wissen, wie man sie zum Ende führen will, und dazu muß man schon die ganze Reihe von Sätzen, woraus sie bestehen, im Zusammenhange überschaut haben. Alle diese Merkmale muß der Schauspieldichter Sorge tragen, auch im prosaischen Dialog anzubringen. Behandelt er ihn aber poetisch, so wird er durch die unumschränktere Gewalt über die Sprache, wodurch die Poesie alles, was im Menschen vorgeht, anschaulicher zu machen geschickt ist, in den Stand gesetzt, die Zeichen der unmittelbaren Entstehung noch entschiedener hervorzuheben. Schon wegen der sonstigen Schönheit und Stärke des Ausdrucks müssen sie die Aufmerksamkeit mehr an sich ziehen, weil man nicht gewohnt ist, sie in solcher Gesellschaft anzutreffen; so wie hinwieder jene Vorzüge dadurch, daß sie freiwillige Gaben des Augenblicks scheinen, einen ganz eigenen Zauber gewinnen. Das Silbenmaß selbst, wenn es nicht an eine steife Regelmäßigkeit gebunden ist, kann durch einen geschickten Gebrauch die Täuschung vermehren helfen: kleine Unebenheiten darin, unerwartete Pausen, dann wieder fortströmende Fülle oder ein sanfter und stetiger Fluß, können den Anstoß, den Stillstand der Gedanken, die rasche Bewegung des Gemüts oder das Gleichgewicht seiner Kräfte einigermaßen sinnlich bezeichnen.

„Das Silbenmaß! Also doch durchaus in Versen?" Freilich, weil Poesie des Stils aus Ursachen, welche zu ergründen hier nicht der Ort ist, ohne geordnete Verhältnisse der Bewegung gar nicht bestehen kann. Der wiederkehrende Rhythmus ist der Pulsschlag ihres Lebens. Nur dadurch, daß die Sprache sich diese sinnlichen Fesseln anlegen läßt und sie gefällig zu tragen weiß, erkauft sie die edelsten Vorrechte, die innere höhere Freiheit von allerlei irdischen Obliegenheiten. Soll das Silbenmaß im Drama nicht stattfinden, so muß es ja bei der schlichtesten Prosa sein Bewenden haben; denn sonst wird unvermeidlich eine sogenannte poetische Prosa entstehen, und poetische Prosa ist nicht nur überhaupt sehr unpoetisch, sondern vollends im höchsten Grade undialogisch. Sie hat die natürliche Leichtigkeit der Prosa verloren, ohne die künstliche der Poesie wiederzugewinnen, und wird durch ihren Schmuck nur belastet, nicht wirklich verschönert. Ohne Flügel, um sich kühn in die Lüfte zu heben, und zu anmaßend für den gewöhnlichen Gang der Menschenkinder, fährt sie, unbeholfen und schwerfällig, wie der Vogel Strauß, zwischen Fliegen und Laufen über den Erdboden hin.

„Indessen bleibt das Silbenmaß im Munde dramatischer Personen immer Erdichtung: und ist es nicht die unwahrscheinlichste, die sich denken läßt? Wie soll man glauben, daß Brutus und Cassius, als sie Cäsar ermordeten, in ihren Reden auf den Wechsel der langen und kurzen Silben geachtet haben? Man muß gestehen, es ist um nichts glaublicher, als daß Cäsar, von dem wir wissen, daß er vor achtzehn Jahrhunderten auf dem Kapitol umgebracht worden, vor unseren Augen zu Paris oder London unter den Dolchen der Verschworenen fällt. Die angeführten Beispiele sind nicht gleichartig, wird man einwenden: hier braucht sich der Zuschauer nur in Gedanken von seinem Ort, seiner Zeit wegzuversetzen, dort wird ihm zugemutet, etwas für wahr zu halten, das von dem ewigen Lauf der Dinge abweicht, und schlechthin unmöglich ist. Wie die Frage oben gestellt war, würde es sich freilich so verhalten; allein warum sollte man nicht, ebenso gut als man jene Römer englisch oder deutsch sprechen läßt, ihre Reden in eine Sprache übersetzen dürfen, worin sich alles, was man sagt, notwendigerweise und wie von selbst in Verse ordnet? Und solch eine allen menschlichen Zungen gemeinschaftliche Mundart ist ja doch in gewissem Betracht die Poesie. Bei der theatralischen Täuschung kommt es gar nicht auf jene Wahrscheinlichkeit an, die man unter mehreren möglichen Erfolgen demjenigen zuschreibt, welcher die meisten Gründe für sich hat, und die sich in vielen Fällen sogar arithmetisch bestimmen läßt, sondern auf den sinnlichen Schein der Wahrheit. Was in jener Bedeutung unwahrscheinlich, völlig falsch, ja fast unmöglich ist, kann dennoch wahr zu sein scheinen, wenn nur der Grund der Unmöglichkeit außer dem Kreise unserer Erkenntnis liegt, oder uns geschickt verschleiert wird. Mit dem Verstande untersucht, muß das Silbenmaß freilich für das, was es ist, nämlich für eine Erdichtung erkannt werden; aber der zergliedernde Verstand und die Täuschung vertragen sich überhaupt nicht zum Besten miteinander; genug wenn der Eindruck des Silbenmaßes auf das Gehör bei einem lebendigen Vortrage sie nicht zerstört. Der Versbau mag den Dichter noch so viele Mühe gekostet haben, wofern sie gelungen ist, so wird sie im geringsten nicht mehr hörbar sein, sondern nur durch Schlüsse vermutet werden können. Die Verse sind bei ihrer Ausarbeitung nach einer Regel abgemessen worden, aber es wäre höchst fehlerhaft, durch die Art, sie herzusagen, die Aufmerksamkeit hauptsächlich auf diese zu lenken. Sie kann fühlbar bleiben, ohne daß man sich ihrer abgesondert bewußt wird. Sie soll dem Wohlklange nur zur Unterlage dienen, und indem sie die endlose Mannigfaltigkeit der Töne bis zum schönen Wechsel begrenzt, dem Ohr ihre harmonischen Verhältnisse faßlich machen. Wie sollte der Zuhörer, ist nur der Inhalt so beschaffen, daß er seinen Geist lebhaft beschäftigt, nicht vergessen den prosodischen Maßstab anzulegen, da ihn der Dichtende selbst im Feuer der Empfindung zugleich beobachten und vergessen kann? Daß dies möglich sei, wird unwidersprechlich durch das Improvisieren dargetan; ich meine hier nicht die spätere Kunst der Improvisatoren vom Handwerk, die man eine poetische Seiltänzerei nennen könnte, sondern das natürliche, zum Teil dialogische Dichten aus dem Stegreif, das bei mehreren Völkern eine gewöhnliche gesellschaftliche Ergötzung war oder noch ist[24]. Sehr merkwürdig ist es, und kann gewissermaßen für einen historischen Beweis gelten, daß der dramatische Gebrauch des Silbenmaßes unsrer Natur nicht sogar fremde sei, daß schon in der frühesten Kindheit der theatralischen Kunst die Reden, welche man noch nicht ausschrieb und auswendig lernte, sondern aus dem Stegreif erfand, doch schon in Versen, so gut oder so schlecht man sie zu machen verstand, hingeschüttet wurden[25].

Alles obige findet, wie sich versteht, nur bei einer schicklichen Wahl des Silbenmaßes statt: es muß weder die feierliche Fülle des epischen, noch die melodischen Schwünge der lyrischen haben; es muß den gewöhnlichen Schritt der Rede beflügeln, ohne sich zu auffallend von ihm zu entfernen. Diese Eigenschaften hat der Jambe, der eigentliche dialogische Vers, wofür ihn schon die Alten rühmen[26]. Aristoteles bemerkt, daß man im Gespräch sehr häufig Jamben einmische, aber selten Hexameter. Der Trimeter der Alten ist zwar noch merklich von dem englischen *blank verse* und unseren fünffüßigen Jamben unterschieden; aber für die beiden Sprachen leisten diese ungefähr eben das, was jener für die griechische und römische. Um über die dramatische Untauglichkeit des Reimes, den das allgemeine Urteil in England schon vor geraumer Zeit, später bei uns, von der Bühne verbannt hat, gründlich zu entscheiden, müßte man wohl noch tiefer in sein Wesen eindringen, als bisher geschehen ist. Das ist offenbar, daß es sehr fehlerhaft ist, wenn er der Symmetrie einer eintönigen Versart symmetrisch angehängt wird, wie in den französischen Trauerspielen. Überhaupt geben diese ziemlich vollständige Muster ab, wie man sowohl das Silbenmaß als die Poesie des Stils im Drama nicht gebrauchen soll; wenn wir sie anders im Gebiet der Dichtkunst anerkennen, und nicht lieber gerades Wegs in die Schulen der Rhetoren, als ihre Heimat, verweisen wollen.

Wie viel anders Shakespeare! Die Darstellung in seinen prosaischen Szenen ist meisterhaft. Die kecksten Züge einer komischen Alltagswelt scheint er mit ebenso unbekümmertem Mutwillen hinzuzeichnen, als er sie aufgefaßt haben mochte. Aber dennoch erreicht er erst vermittelst der dichterischen Behandlung den Gipfel seiner dramatischen Vortrefflichkeit. Hier ist sein Stil einfältig, kräftig, groß und edel. Wer wird sich nicht gern zu einigen Härten bequemen, wo ihn so viel einschmeichelnde Zartheit dafür entschädigt? Shakespeare hat alles Hohe und Tiefe in seinem Dasein verknüpft; seine fremdartigsten Eigenschaften bestehen friedlich nebeneinander: in seiner kühnsten Erhabenheit ist er noch schlicht und bescheiden, in seiner Seltsamkeit natürlich. So zieht sich selbst die höchste tragische Würde niemals wie eine Glorie um seine Menschen her; nein, es wird uns immer eine gleich vertraute Nähe gestattet. In den vergleichungsweise wenigen Stellen, wo seine Poesie aus dem wahren Dialog heraustritt, machten ihm eine zu gewaltige Einbildungskraft, ein zu üppiger Witz die völlige dramatische Entäußerung seiner selbst unmöglich. Er gibt alsdann mehr als er sollte, aber oft ist es von der Art, daß man es sich nicht ohne Bedauern würde nehmen lassen.

Die Vorzüge seines Versbaues zu fühlen und zu würdigen, steht fremden Lesern weniger zu als den Landsleuten des Dichters. Auch haben ihm englische Beurteiler in diesem Stück volle Gerechtigkeit widerfahren lassen. Seine reimlosen Jamben sind überaus mannigfaltig, bald mehr, bald weniger regelmäßig, hier und da sogar regellos (wovon doch manches auf die veränderte Aussprache, manches auch darauf zu schieben ist, daß Shakespeare gar nicht für genaue Abschriften seiner Stücke sorgte); immer aber ausdrucksvoll und gedrängt, oft von großer Schönheit und Lieblichkeit. Er ist darin das älteste, aber in seiner Gattung (denn Miltons Versbau mit seinen atemlosen Perioden würde für das Schauspiel höchst unpassend sein) immer noch unübertroffene Vorbild der Engländer. Von seinen gereimten Versen läßt sich nicht dasselbe sagen. Sei es nun, daß die englische Dichtkunst sich von dieser Seite später ausgebildet, oder daß gewisse Reize der Sprache, wie manche Arten der Malerei, den Verwüstungen der Zeit mehr ausgesetzt sind als andere; genug, Shakespeares Reime sind mehr veraltet, dunkel und fremd geworden als seine reimlosen Verse. In diesen hat nach ihm nur Milton eigentlich Epoche gemacht; die Kunst harmonisch zu reimen hingegen, worin die Dichter im Zeitalter der Königin Elisabeth nicht ganz unglücklich gewesen waren, ging im nächstfolgenden völlig verloren, wurde dann in der letzten Hälfte des siebzehnten Jahrhunderts wieder erworben, vielfach bearbeitet, von Dryden und endlich von Pope zur höchsten möglichen Vollendung gebracht, aber auch für immer an eine wohlklingende Einförmigkeit gefesselt. Man muß also, um billig zu sein, in diesem Teil der Verskunst nicht von Shakespeare fordern, was die englische Sprache erst hundert Jahre nachher liefern konnte, sondern ihn etwa mit seinem Zeitgenossen Spencer vergleichen, was gewiß sehr zu seinem Vorteile ausschlägt. Denn Spencer ist oft gedehnt, Shakespeare, wenn schon gezwungen, doch immer kurz und bündig. Der Reim hat ihn weit häufiger dazu gebracht, etwas Nötiges auszulassen, als etwas Unbedeutendes einzuschalten. Doch sind viele seiner gereimten Zeilen noch jetzt untadelig; sinnreich mit anmutiger Leichtigkeit und blühend ohne falschen Schimmer. Die eingestreuten Lieder (des Dichters eigene nämlich) sind meistens süße kleine Spiele und ganz Gesang; man hört in Gedanken eine Melodie dazu, während man sie bloß liest.

Eine poetische Übersetzung, welche keinen von den charakteristischen Unterschieden der Form auslöschte, und „seine" Schönheiten, so viel möglich, bewahrte, ohne die Anmaßung ihm jemals andere zu leihen; welche auch die mißfallenden Eigenheiten seines Stils, was oft nicht weniger Mühe machen dürfte, mitübertrüge, würde zwar gewiß ein Unternehmen von großen, aber in unserer Sprache nicht unübersteiglichen Schwierigkeiten sein. Haben doch die Engländer schon eine gelungene poetische Nachbildung von einem dramatischen Meisterwerke: sollte dies um die Verdienste der Ausländer sonst so unbekümmerte Volk wärmere Freunde unserer großen Dichter aufzuweisen haben als wir der seinigen? Denn herzliche Liebe zur Sache ist freilich ein so wesentliches Erfordernis bei einer solchen Arbeit, daß ohne sie alle übrigen Geschicklichkeiten nichts helfen können. Auch möchten die sechsunddreißig Stücke Shakespeares eine zu lange Bahn für einen Einzigen sein, um sie auf diese Art zu durchlaufen. Vor der Hand wäre es genug, wenn mit einzelnen Stücken der Versuch gemacht würde.

Ich wage zu behaupten, daß eine solche Übersetzung in gewissem Sinne noch treuer als die treueste prosaische sein könnte. Denn nicht gerechnet, daß diese eine entschiedene Unähnlichkeit mit dem Original hat, welche sich über das Ganze verbreitet, so stellt sich dabei oft die Verlegenheit ein, entweder den Ausdruck schwächen oder sich in Prosa erlauben zu müssen, was nur der Poesie, und auch ihr kaum ansteht. Ferner würde es erlaubt sein, sich dem Dichter in seiner Gedrungenheit, seinen Auslassungen, seinen kühnen und nachdrücklichen Wendungen und Stellungen weit näher anzuschmiegen. Hart möchte die Treue des Übersetzers zuweilen sein, und er müßte sich den freiesten Gebrauch unserer Sprache in ihrem ganzen Umfange (eine alte Ge-

rechtsame der Dichter, was auch Grammatiker einwenden mögen) nicht
vorwerfen lassen; aber nie dürfte sie schwerfällig werden. Er über-
hüpfe lieber eine widerspenstige Kleinigkeit, als daß er in Umschrei-
bungen verfallen sollte. In der Kürze wetteifere er mit seinem Meister,
obgleich die englische Sprache wegen ihrer Einsilbigkeit, welche sonst
der Schönheit des Versbaues nicht sehr günstig ist, hierin vieles voraus
hat, und ruhe nicht eher, als bis er sich überzeugt, er habe darin alles
im Deutschen Tunliche geleistet. Nicht immer wird er Vers um Vers
geben können, aber doch meistenteils, und den Raum, den er an einer
Stelle einbüßt, muß er an einer anderen wiederzugewinnen suchen.
Dies ist sehr wichtig, denn geht er in einem Verse über das Maß
hinaus, so muß er es auch in den folgenden, bis er sich wieder in gleichen
Schritt gesetzt hat. Dadurch werden dann Sätze, welche im englischen
eine Zeile mit schöner Rundung umschließt, in zwei auseinander ge-
rissen, und die bedeutenden Schlüsse der Verse, worauf bei ihrem harmonischen Falle so viel beruht, verändert. Es beweist die große Übereinstimmung der beiden Sprachen, daß manche Zeilen Shakespeares,
wenn man sie wörtlich und mit beibehaltener Ordnung überträgt, sich
wie von selbst in dasselbe Maß fügen; hingegen stehe ich dem Übersetzer nicht dafür, daß bei manchen anderen auch die vielfältigsten
Versuche nur ein halbes Gelingen zuwege bringen möchten. Er hüte sich
vor einer zu steifen Regelmäßigkeit in seinen reimlosen Jamben; aber
zu schön können sie schwerlich sein. Es ist in unserer Sprache nicht so
leicht, als man sich gewöhnlich einbildet, diesem Silbenmaße alle Vollkommenheit, deren es empfänglich ist, zu geben, wie schon daraus
erhellt, daß wir so wenig Vortreffliches darin besitzen. In den gereimten Versen wird man sich mit einer weniger wörtlichen Treue begnügen müssen. Ihr eigentümliches Kolorit ist die Hauptsache, und
dieses kann nur durch Beibehaltung des Reimes übertragen werden.
Vielleicht wird es hier oft unvermeidlich sein, wenn man nicht zu viel
weglassen oder gar ein paar Verse in zwei ausdehnen will, statt des
fünffüßigen den sechsfüßigen Jamben zu gebrauchen, wodurch Sen-
tenzen und Schilderungen weniger verlieren als die eigentlich dialogischen Stellen.

Übrigens wäre alles sorgfältig zu entfernen, was daran erinnern
könnte, daß man eine Kopie vor sich hat. Die Wortspiele, welche sich
nicht übertragen oder durch ähnliche ersetzen lassen, müßten zwar
wegbleiben, aber so, daß keine Lücke sichtbar würde. Eben so hätte es
der Übersetzer mit durchaus fremden und ohne Kommentar unver-

ständlichen Anspielungen zu halten. Von bloß zufälligen Dunkelheiten dürfte er den Text befreien; aber wo der Ausdruck seinem Wesen nach verworren ist, da könnte auch dem deutschen Leser die Mühe des Nachsinnens nicht erspart werden. Schon Wieland hat treffend dargetan, warum man Shakespeare nirgends und in keinem Stücke muß verschönern wollen. Ein ganz leichter Anstrich des Alten in Wörtern und Redensarten würde keinen Schaden tun. Nicht alles Alte ist veraltet, und Luthers Kernsprache ist noch jetzt deutscher als manche neumodische Zierlichkeit. Obgleich Shakespeares Sprache in dem Zeitalter, worin er schrieb, neu und gebräuchlich war, so trägt sie doch das Gepräge der damaligen noch einfältigeren Sitten, und in der Sprache unserer biederen Voreltern drücken sich dergleichen ebenfalls aus. Solche Wörter und Redensarten, welche unsere heutige Verfeinerung bloß zu ihrem Behufe ersonnen, wären wenigstens sorgfältig zu vermeiden. Die dramatische Wahrheit müßte überall das erste Augenmerk sein. Im Notfall wäre es besser, ihr etwas von dem poetischen Wert aufzuopfern, als umgekehrt.

Diese Forderungen ließen sich leicht noch mit vielen anderen vermehren; allein ich möchte einem Verehrer Shakespeares, der, wie ich weiß, es mit einigen Stücken versucht hat, keinen sehr willkommenen Dienst tun, indem ich durch den aufgestellten Begriff einer Vollendung, die vielleicht gar nicht erreicht werden kann, seine Arbeit schon im voraus unter ihren wahren Wert herabsetze. Er liebt indessen den göttlichen Dichter so sehr, daß er sich freuen wird, wenn mein Eifer ihm Nebenbuhler bei dieser Unternehmung erweckt, die durch ein glücklicheres Gelingen seine Bemühungen verdunkeln.

Zusatz zum neuen Abdruck. 1827

Die obigen Bemerkungen sind aus einem Aufsatze in Schillers *Horen*, „Etwas über William Shakespeare bei Gelegenheit Wilhelm Meisters", ausgehoben, worin ich, jedoch ohne Nennung meines noch unbekannten Namens, mein Vorhaben, den Shakespeare zu übersetzen, auf einem Umwege ankündigte. Das Bedürfnis einer Übersetzung, worin die dichterischen Formen des Originals beibehalten wären, schien damals noch nicht sonderlich gefühlt zu werden. Shakespeare war schon vor langen Jahren, zuerst von Wieland, dann genauer und vollständiger von Eschenburg, in Prosa übertragen; in dieser Gestalt hatte man ihn, freilich außerdem noch mannigfaltig verstümmelt und verunstaltet, auf die Bühne gebracht; und selbst in einer so unvollkommenen Erscheinung hatte der hohe Genius seine Zaubergewalt bewährt. Auch Bürger blieb in seiner Bearbeitung des *Macbeth*, die Hexengesänge ausgenommen, bei der Prosa; und noch kurz vor Abfassung meines Aufsatzes gab Goethe im *Wilhelm Meister* nicht die leiseste Andeutung, als ob man wünschen könne, in Deutschland etwas anderes als einen prosaischen *Hamlet* aufgeführt zu sehen. Dieses war um so weniger zu verwundern, da durch Lehre und Ausübung der versifizierte Dialog damals beinahe ganz von unserer Bühne verbannt zu sein schien. Lessings Vorurteil gegen den Gebrauch des Silbenmaßes im Schauspiel, – man kann es nicht anders als ein Vorurteil nennen, und zwar ein ganz persönliches Vorurteil; denn seine Gründe galten nur dem fehlerhaften Beispiel der französischen Tragödie; durch die allgemeine Verwerfung rächte er sich gewissermaßen für die Pein, welche seine mißglückten Anfänge von Trauerspielen in Alexandrinern ihm verursacht hatten; – Lessings Vorurteil also hatte in Deutschland nur allzu tiefe Wurzeln geschlagen. Sogar so unabhängige und zu freier Meisterschaft bestimmte Geister wie Goethe und Schiller konnten sich bei dem Eintritt in ihre Laufbahn dem Einfluß des Zeitgeschmacks nicht entziehen. Von ihnen ging dies auf die Schriftsteller vom zweiten Range über und so weiter auf die beliebten Verfertiger von Schauspielen für den täglichen Verbrauch. Es kam dahin, daß bei dem Entwurfe eines dramatischen Werkes, zu welcher Gattung es auch gehören mochte, der prosaische Dialog schon ohne weiteres vorausgesetzt, und dessen Zulänglichkeit für alles gar nicht mehr in Frage gestellt ward. Freilich hatte, wie es zu gehen pflegt, die Form, oder vielmehr in diesem Falle die Abwesenheit jeder metrischen Form, auf den Ton der Darstellung zurückgewirkt. Alles wurde möglichst in die Nähe der gewöhnlichen Wirklichkeit, der einheimischen und der heutigen Sitte herangerückt. Sogar da, wo die geschichtliche Beschaffenheit des Gegenstandes dies nicht ganz gestattete, wurde dennoch die Prosa beibehalten: in Klopstocks *Bardieten*, die Bardengesänge ausgenommen; im *Götz von Berlichingen*; in Gerstenbergs *Ugolino und Minona*; im *Julius von Tarent*; im *Faust* vom Maler Müller; in der *Medea* von Klinger; in *Otto von Wittelsbach* und so vielen andern Ritterschauspielen. Der Urheber der falschen Theorie hatte selbst im *Nathan*, jedoch nur ganz leise, wieder eingelenkt. Bei Goethe eilte das Gefühl des künstlerischen Bedürfnisses dem deutlich gefaßten Vorhaben voran: in die leidenschaftlichen Szenen des *Egmont* haben sich die Jamben eingedrängt, sind aber auf dem halben Wege zur regelmäßigen Versifikation stehengeblieben. Man versichert, die *Iphigenia* sei zuerst auch in Prosa abgefaßt gewesen und erst beträchtlich später in Verse gebracht. Dieselbe Umgestaltung (daneben allerdings eine noch wesentlichere) nahm der Dichter mit Erwin und Claudine vor. Allein Goethes reimlose Jamben, besonders in der *Iphigenia* und im *Tasso*, können bei der vollendeten Zierlichkeit des Ausdrucks und dem gefälligsten Wohllaut dennoch nicht für Muster von dem dramatischen Gebrauche dieser Versart gelten. Sie sind nicht dialogisch genug; es fehlt darin, was man in der Malerei *heurté* nennt; die Perioden schlingen sich in harmonischem Wellengange durch zu viele Zeilen fort. Der Gebrauch des Reimes im *Faust* hingegen, wo er bald kurze Verspaare in hans-sachsischer Weise bindet, bald Jamben von verschiedener Länge bis zum Alexandriner, mannigfaltig alternierend, begrenzt, ist Goethes eigener, einzig glücklicher Gedanke, mit einer Meisterschaft durchgeführt, die mich in ein immer neues Erstaunen setzt. Die Reime werden gar leicht zu Gemeinplätzen; hier, sie mögen nun im idealischen Gebiet der Sprache daheim sein oder ins Barocke übergehen, sind sie immer neu, bedeutsam und gleichsam die Lichtpunkte der Darstellung. Auch in der Versifikation des *Faust* ist alles unmittelbar und augenblicklich, alles ist Leben, Charakter, Seele, Geist und Zauberei.

Schiller hatte sich bei seinem *Don Carlos* zuerst wieder zu einer Art von Versbau bequemt. Aber seine Erklärung über die Gründe, die ihn dazu bewogen, war ebenso unbefriedigend, als die Jamben selbst, besonders in den Schlußfällen und Zäsuren, nachlässig und locker hingeworfen oder vielmehr auseinander geschwemmt sind.

Die Gewohnheiten der Dichter wirkten wie natürlich auf die Schauspieler. Eckhof scheint die Rezitation der tragischen Alexandriner in großer Vollkommenheit besessen zu haben. Bei der verwandelten Verfassung des Theaters starb diese Kunst mit ihm aus. Die ausgezeichneten Schauspieler des nächsten Zeitraumes, Schröder, Brockmann, dann Fleck und Iffland fanden die Prosa schon im ausschließlichen Besitz der Bühne und waren daher nie veranlaßt, ihrem Gedächtnisse und ihrer Stimme irgendeine auf den Vortrag von Versen abzweckende Übung zuzumuten. Engel pflanzte Lessings Lehre fort, er trieb sie in seiner Mimik, wo möglich, noch weiter; er sanktionierte sie für die Schauspieler, und Engeln war geraume Zeit die Leitung des berlinischen Theaters anvertraut. Nur ein Mann von so großem Ansehen, und der die theatralische Wirkung so ganz in seiner Gewalt hatte, wie Schiller, konnte die Wiedereinführung der Verse durchsetzen. Von jedem andern hätten damals die Direktionen versifizierte und vollends teilweise in Reimen abgefaßte Stücke als eben deswegen unbrauchbar zurückgeschoben. Doch mußten ihm noch die Vorübungen auf dem weimarischen Theater unter Goethes Leitung zu Hilfe kommen. Anderswo gebärdeten die Schauspieler sich sehr wunderlich dabei: ungefähr wie jemand, dem zum ersten Mal eine Ananas dargeboten wird, und der die unbekannte Frucht mit der stachligen Krone voran zum Munde führt. Insbesondere schienen unsere jungen Helden und ersten Liebhaber überzeugt gewesen zu sein, es sei die Hauptsache bei der Schauspielkunst, sich mit einer stattlichen Figur auf den Brettern zu spreizen; man müsse mit seiner Person bezahlen; die Worte der Rolle seien dabei nur ein notwendiges Übel, womit man sich so wohlfeil abfinden dürfe wie möglich. Sie wußten durchaus keine Vermittlung zwischen dem belebten freien Ausdruck und einer erhöhten Rezitation zu treffen, und suchten also das verhaßte Silbenmaß ganz zu vernichten. Man fand es sehr unbequem, genauer auswendig lernen zu müssen, als es bei der bisherigen platten Prosa nötig gewesen war. Die Rollen wurden wie Prosa ausgeschrieben, damit nur der rohe Naturalismus des Vortrags ja nicht gestört würde. Iffland, ein so vortrefflicher Schauspieler im charakteristischen Fache, hat niemals die ersten Elemente des Versbaues begriffen. Vergeblich hätte man sich bemüht, ihm ins Klare zu setzen, daß die Umstellung einiger Wörter, irgendein beweglich eingeschobenes „o Himmel!" oder dergleichen, die Ordnung der Verse zerstöre. Nur eine ebenso genialische als besonnene Künstlerin, Friederike Unzelmann, nachherige Bethmann, kam der Neuerung mit Eifer entgegen. Sie sah darin eine Gelegenheit, ihre Talente von einer neuen Seite zu zeigen; und ohne eines methodischen Unterrichtes zu bedürfen, bloß vermöge ihres zarten Sinnes für Wohllaut und Ebenmaß, wurde sie auch in der Rezitation der Verse Meisterin.

Da seit dreißig Jahren so viel versifizierte Schauspiele, nicht nur in reimfreien Jamben, sondern auch in mannigfaltigen Reimformen, auf die deutsche Bühne gebracht worden sind, so hat ohne Zweifel durch Übung und Erfahrung auch die Schauspielerkunst von dieser Seite gewonnen. Doch artet immer noch zuweilen die Deklamation in ein Gepolter aus; und es wird nicht unnütz sein, die Erinnerung Shakespeares zu wiederholen, daß selbst im Wirbelwinde der Leidenschaft eine gewisse Mäßigung und Geschmeidigkeit beibehalten werden müsse.

Die Versifikation ist unleugbar ein akustisches Hilfsmittel. Von Meisterwerken der dramatischen Kunst darf keine Silbe verlorengehen. Dies kann ohne übermäßige Anstrengung der Stimme geleistet werden, durch reine Artikulation, richtige Betonung und die Beobachtung der gehörigen Pausen. Wenn unsere Schauspieler sich diese Kunst erst ganz zu eigen gemacht haben, dann werden wohl auch die häufigen Klagen über die fehlerhafte akustische Beschaffenheit der Theater wegfallen. Bei der Neigung unserer Sprache zur Härte kann Biegsamkeit der Stimme und Gelindigkeit der Aussprache nicht genug empfohlen werden. Unsere Schauspielerinnen besitzen diese Eigenschaften häufiger als unsere Schauspieler. Weibliche Hauptrollen Shakespeares, eine Julia, eine Porcia im *Kaufmann von Venedig* habe ich schon so vollkommen darstellen sehen, auch von Seiten der Rezitation, als ich es in jener Zeit, wo ich den Shakespeare zu übersetzen unternahm, schwerlich erwarten durfte.

Dieser Blick auf die Zeitumstände und auf die Geschichte unseres Theaters wird die Leser des vorstehenden Aufsatzes, der zwölf Jahre vor der Herausgabe meiner Vorlesungen über dramatische Kunst geschrieben ward, in den rechten Gesichtspunkt stellen. Jetzt habe ich freilich wenig Widerspruch zu befürchten; damals aber standen sehr angesehene Autoritäten mir entgegen. Die Theorie des prosaischen Dialogs zu widerlegen, kann immer noch nicht überflüssig scheinen; denn wie sie von Diderot, Lessing und Engel gelehrt, von vielen ausgezeichneten Köpfen angenommen worden, so könnte sie auch einmal wieder aufkommen. Das beste Vorkehrungsmittel dagegen ist die deutliche Einsicht, warum und wie das Drama versifiziert werden soll.

Wenn aber die Ansicht der dramatischen Darstellung und die Verfassung des Theaters in Deutschland seit dreißig Jahren so beträchtlich verändert ist, so hat gewiß die Bekanntschaft mit den Werken Shakespeares in ihrer echten Gestalt dazu beigetragen. Jetzt dürfte es an der Zeit sein, den Gebrauch der Prosa, wenigstens teilweise, wieder zu empfehlen. Shakespeare hat durch die Einmischung prosaischer und eigentlich mimischer Szenen den dichterischen Teil seiner Schauspiele vortrefflich zu heben gewußt; das Beispiel des großen Meisters sollte auch von dieser Seite für uns nicht verloren sein.

Über Shakespeares *Romeo und Julia*

1797

Man hat viel Gewicht auf den Umstand gelegt, daß Shakespeare die diesem Schauspiel zugrunde liegende Geschichte sogar in kleinen Besonderheiten ohne alle eigene Erfindung gerade so genommen, wie er sie vorfand. Auch mir scheint dieser Umstand merkwürdig, aber in einer anderen Hinsicht. Der Dichter, der, ohne auf den Stoff auch nur entfernt Ansprüche zu machen, die ganze Macht seines Genius auf die Gestaltung wandte, setzte ohne Zweifel das Wesen seines Geschäftes einzig in diese, sonst hätte er fürchten müssen, man werde ihm zugleich mit dem Eigentum des Stoffes alles Verdienst absprechen. Er hatte also feinere, geistigere Begriffe von der dramatischen Kunst, als man gewöhnlich ihm zuzuschreiben geneigt ist. Aber auch von der Bildung der Zuschauer, für die Shakespeare eine so allgemein bekannte und populäre Erzählung (denn dies war sie damals) dramatisch bearbeitete, erweckt es eine günstige Vorstellung, daß sie nicht durch materielle Neuheit gereizt zu werden verlangten, und daß es ihnen mehr auf das Wie als das Was ankam. Vielleicht ließe es sich aus mancherlei Andeutungen wahrscheinlich genug zeigen, daß die Engländer in jenem Zeitalter, trotz ihrer Unwissenheit und einer gewissen Rauheit der Sitten, mehr dichterischen Sinn und einen freieren Schwung der Einbildungskraft gehabt haben als je nachher.

In vielen anderen Schauspielen ist Shakespeare, was den Gang der Begebenheiten betrifft, irgendeiner alten Chronik oder einer schlechten Übersetzung des Plutarch, oder einer Novelle mit ebenso gewissenhafter Treue gefolgt als im *Romeo*. Wo er bloß Winke benutzt oder unabhängig ersonnen zu haben scheint, ist man vielleicht den rechten Quellen noch nicht auf der Spur, oder sie können auch verlorengegangen sein. Über diesen Punkt haben hauptsächlich die neuesten Herausgeber, Stevens und Malone, so viele vorher vernachlässigte Entdeckungen gemacht, daß sich noch manche erwarten lassen, wenn mit ihrem forschenden Fleiße fortgefahren wird. Die Geschichte Romeos und Juliens war aus der Luigi da Porta[1] ursprünglicher Erzählung[2] von Bandello, Boisteau und Belleforest[3] in ihre Novellensammlungen aufgenommen worden. Auch hatte man vor Shakespeares Zeit verschiedene Übertragungen ins Englische. Die, welche er, wie nunmehr ausgemacht ist, wohl nicht ausschließend, vorzüglich vor Augen gehabt, heißt: *The tragicall History of Romeus and Juliet: Contayning in it a rare Example of true Constancie etc.,* und ist in Versen abgefaßt. Ihrer Seltenheit wegen hat Malone sie hinter dem Romeo von neuem abdrucken lassen, so daß nun jeder die Vergleichung anstellen kann. Shakespeare hat sie eben nicht zu fürchten. Gibt es doch nichts Gedehnteres, Langweiligeres als diese gereimte Historie, welche

> Sein Geist, so wie der reiche Stein der Weisen,
> In Schönheit umschuf und in Würdigkeit[4].

Nur die Freude, diese wundervolle Umwandlung deutlicher einzusehen, kann die Mühseligkeit vergüten, mehr als dreitausend sechs- und siebenfüßige Jamben durchzulesen, die in Ansehung alles dessen, was uns in dem Schauspiele ergötzt, rührt und hinreißt, ein leeres Blatt sind. Mit der trockensten Kürze vorgetragen, werden die unglücklichen Schicksale der beiden Liebenden das Herz und die Phantasie immer noch treffen; aber hier wird unter den breiten, schwerfälligen Anmaßungen einer anschaulich schildernden und rednerischen Erzählung die Teilnahme gänzlich erstickt. Wieviel war nicht wegzuräumen, ehe dieser gestaltlosen Masse Leben und Seele eingehaucht werden konnte! In manchen Stücken verhält sich das Gegebene und das, was Shakespeare daraus gemacht, wie ungefähre Beschreibung einer Sache zu der Sache selbst. So ist aus folgender Aufgabe:

> A Courtier, that eche where was highly had in price,
> For he was courteous of his speeche and pleasant of devise,
> Even as a lyon would emong the lambes be bolde,
> Such was emong the bashfull maydes Mercutio to beholde;

und dem Zusatze, daß besagter Mercutio von Kindesbeinen an beständig kalte Hände gehabt, eine glänzende, mit Witz verschwenderisch ausgestattete Rolle geworden. Man muß streng auf dem Begriffe der Schöpfung aus Nichts bestehen, um dies nicht für eine wahre Schöpfung gelten zu lassen. Einer Menge feinerer Abweichungen nicht zu gedenken, finden wir auch einige bedeutende Vorfälle von der Erfindung des Dichters, z. B. das Zusammentreffen und den Zweikampf der beiden Nebenbuhler Paris und Romeo an Juliens Grabe. Gesetzt aber auch, alle Umstände, bis auf die Klötze, die Capulets Bedienter zur Bereitung des Hochzeitsmahles herbeischleppt, wären ihm fertig geliefert, und ihre Beibehaltung vorgeschrieben worden, so würde es desto bewundernswürdiger sein, daß er mit gebundenen Händen, Buchstaben in Geist, eine handwerksmäßige Pfuscherei in ein dichterisches Meisterwerk umzuzaubern gewußt.

Shakespeares gewöhnliche Anhänglichkeit an etwas Vorhandenes läßt sich nicht ganz aus der vielleicht von ihm gehegten Meinung erklären, als ob dies Pflicht sei, noch weniger aus einem bloßen Bedürfnisse; denn zuweilen hat er dreist genug durcheinander geworfen, was ihm in der ursprünglichen Beschaffenheit untauglich schien, und seine Erfindsamkeit, besonders in komischen Situationen, glänzend bewährt. Welche Fülle und Leichtigkeit er gehabt, weiß man. Konnte ihm sein Überfluß nicht das Wählen und Anordnen erschweren, wenn er das unermeßliche Gebiet der Dichtung bloß nach Willkür durchschweifte? Bedurfte er vielleicht einer äußeren Umgrenzung, um sich der Freiheit seines Genius wohltätig bewußt zu werden? In der entlehnten Fabel baut er immer noch einen höheren, geistigeren Entwurf, worin sich seine Eigentümlichkeit offenbart. Sollte nicht eben die Fremdheit des rohen Stoffes zu manchen Schönheiten Anlaß gegeben haben, indem die nur durch gröbere Bande zusammenhängenden Teile durch die Behandlung erst innere Einheit gewannen? Und diese Einheit, wo sie sich mit scheinbaren Widersprüchen beisammen findet, bringt eben jenen wundervollen Geist hervor, dem wir immer neue Geheimnisse ablocken und nicht müde werden, ihn zu ergründen.

Mit der letzten Bemerkung ziele ich mehr auf einige andere Stücke als auf den *Romeo*. Dieser ist voll tiefer Bedeutung, aber doch einfach; es sind keine Rätsel darin zu entziffern. Daß Shakespeare sowohl durch die bestimmte und leicht übersehbare Begrenzung der Handlung, als durch eine nicht nur die Teilnahme, sondern auch die Neugier spannende Verflechtung, den bloß technischen Forderungen an den Mechanismus des Dramas hier mehr Genüge geleistet hat als er meistens pflegt, ist ein fremdes und zufälliges Verdienst, denn es lag in der Novelle, und doch war es gewiß nicht diese Beschaffenheit, was sie ihm zur dramatischen Bearbeitung empfahl. Das Zusammendrängen der Zeit, worin die Begebenheiten vorgehen, gehört schon weniger zu den Äußerlichkeiten: sie folgt dem reißenden Strome der Leidenschaften. Das Schauspiel endigt mit dem Morgen des sechsten Tages, da sich in der Erzählung alles in langen Zwischenräumen hinschleppt. Doch sollten wir Shakespearen wohl so genau nicht nachrechnen, der diese Dinge mit einer heroischen Nachlässigkeit treibt, und unter anderen die Gräfin Capulet, die im ersten Aufzuge eine junge Frau von noch nicht dreißig Jahren ist, im letzten plötzlich von ihrem hohen Alter reden läßt.

Die Feindschaft der beiden Familien ist die Angel, um welche sich alles dreht. Sehr richtig hebt also die Exposition mit ihr an. Der Zuschauer muß ihre Ausbrüche selbst gesehen haben, um zu wissen, welch unübersteigliches Hindernis sie für die Vereinigung der Liebenden ist. Die Erbitterung der Herren hat an den Bedienten etwas plumpe, aber kräftige Repräsentanten. Es zeigt, wie weit sie geht, daß selbst diese albernen Gesellen einander nicht begegnen können, ohne sogleich in Händel zu geraten. Romeos Liebe zu Rosalinden macht die andere Hälfte der Exposition aus. Sie ist vielen ein Anstoß gewesen, auch Garrick[5] hat sie in seiner Umarbeitung weggeschafft. Ich möchte sie mir nicht nehmen lassen: sie ist gleichsam die Ouvertüre zu der musikalischen Folge von Momenten, die sich alle aus dem ersten entwickeln, wo Romeo Julien erblickt. Das Stück würde, nicht in pragmatischer Hinsicht, aber lyrisch genommen (und sein ganzer Zauber beruht ja auf der zärtlichen Begeisterung, die es atmet), unvollständig sein, wenn es die Entstehung seiner Leidenschaft für sie nicht in sich begriffe. Sollten wir ihn aber anfangs in einer gleichgültigen Stimmung sehen? Wie wird seine erste Erscheinung dadurch gehoben, daß er, schon von den Umgebungen der kalten Wirklichkeit gesondert, auf dem geweihten Boden der Phantasie wandelt! Die zärtliche Bekümmernis seiner Eltern, sein unruhiges Schmachten, seine verschlossene Schwermut, sein schwärmerischer Hang zur Einsamkeit, alles an ihm verkündigt den Günstling und das Opfer der Liebe. Seine Jugend ist wie ein Gewittertag im Frühling, wo schwüler Duft die schönsten, üppigsten Blüten umlagert. Wird sein schneller Wankelmut die Teilnahme von ihm abwenden? Oder schließen wir vielmehr von der augenblicklichen Besiegung des ersten Hanges, der schon so mächtig schien, auf die Allgewalt des neuen Eindrucks? Romeo gehört wenigstens nicht zu den Flatterhaften, deren Leidenschaft sich nur an Hoffnungen erhitzt und doch in der Befriedigung erkaltet. Ohne Aussicht auf Erwiderung hingegeben, flieht er die Gelegenheit, sein Herz auf andere Gegegenstände zu lenken, die ihm Benvolio zu suchen anrät; und ohne ein Verhängnis, das ihn mit widerstrebenden Ahnungen auf den Ball in Capulets Hause führt, hätte er noch lange um Rosalinden seufzen können. Er sieht Julien. Das Los seines Lebens ist entschieden. Jenes war nur willig gehegte Täuschung, ein Gesicht der Zukunft, der Traum eines sehnsuchtsvollen Gemüts. Die zartere Innigkeit, der heiligere Ernst seiner zweiten Leidenschaft, die doch eigentlich seine erste ist, wird unverkennbar bezeichnet. Doch staunt er über die Widersprüche der Liebe, die wie ein fremdes Kleid ihm noch nicht natürlich sitzt; hier ist sie mit seinem Wesen zu sehr eins geworden, als daß er sich noch von ihr unterscheiden könnte. Dort schildert er seine hoffnungslose Pein in sinnreichen Gegensätzen; hier bringt ihn die Furcht vor der Trennung zur wildesten Verzweiflung, ja fast zum Wahnsinne. Seine Liebe zu Italien schwärmt nicht müßig, sie handelt aus ihm mit dem entschlossensten Nachdrucke. Daß er sein Leben wagt, um sie in der Nacht nach dem Balle im Garten zu sprechen, ist ein Geringes; der Schwierigkeiten, die sich seiner Verbindung mit ihr entgegensetzen, wird nicht gedacht; wenn sie nur sein ist, bietet er allen Leiden Trotz.

Julia durfte nicht an Liebe gedacht haben, ehe sie den Romeo sah: es ist das erste Entfalten der jungfräulichen Knospe. Ihre Wahl ist ebenfalls augenblicklich:

> Amor' al cor gentil ratto s'apprende;
> Die Liebe zündet schnell in edlen Herzen;

aber sie gilt für ewig. Es wäre unmöglich, sie für nichts weiter als ein unbesonnenes Mädchen zu halten, die im Gedränge unbestimmter Regungen, deren sie sich zum ersten Male bewußt wird, gleichviel auf welchen Gegenstand verfällt. Man glaubt mit den beiden Liebenden, daß hier keine Verblendung stattfinden kann, daß ihr guter Geist sie einander zuführt. In Juliens Hingebung ist noch eine göttliche Freiheit sichtbar. Zürnet nicht mit ihr, daß sie so leicht gewonnen wird. Sie ist so jung und ungekünstelt, sie weiß von keiner andern Unschuld, als ohne Falsch dem Rufe ihres innersten Herzens zu folgen. Im Romeo kann nichts ihre Zartheit zurückscheuchen, noch die feinsten Forderungen einer wahrhaft von Liebe durchdrungenen Seele verletzen. Sie redet offen mit ihm und mit sich selbst: sie redet nicht mit vorlauten Sinnen, sondern nur laut, was das sittliche Wesen denken darf. Ohne

Rückhalt gesteht sie sich die ungeduldige Erwartung, womit sie am nächsten Abend ihrem Geliebten entgegensieht; denn sie fühlt, daß holde Weiblichkeit ihr auch in den Augenblicken des Taumels zur Seite stehen und jede Gewährung heiligen wird. Im Gedränge zwischen schüchternen Wallungen und den Bildern ihrer entflammten Phantasie ergießt sie sich in einen Hymnus an die Nacht und fleht sie an, sowohl diesen Regungen als der verstohlenen Vermählung ihren Schleier zu gönnen.

Der früheste Wunsch der Liebe ist, zu gefallen; er beseelt auch die erste Annäherung Romeos und Juliens beim Tanze. Es ist unendliche Anmut über ihre Reden hingehaucht, wie sie nur aus dem reinsten Sittenadel und natürlicher Schönheit der Seele hervorgehen kann. Wie zart weiß Romeo die Kühnheit seiner Bitten unter Bildern der schüchternen Anbetung zu verschleiern! Ein in der Nähe so vieler Zeugen geraubter Kuß darf uns nicht befremden. Man führt Beispiele an, welche zeigen, daß dies zu Shakespeares Zeiten nicht für eine bedeutende Vertraulichkeit galt. Vielleicht dachte er aber auch an die freiere Lebensweise südlicher Länder, die ihm hier oft vorgeschwebt hat, so daß durch das Ganze hin eine italienische Luft zu wehen scheint. Ich denke, dem Sinne des Dichters gemäß müßte dies Gespräch so vorgestellt werden, daß Romeo wie Julien nach dem Tanz ausruht, an der Rücklehne ihres Sitzes steht und sich seitwärts zu ihr hinüberneigt. Gröber kann man wohl nicht mißverstehen, als der Maler, der auf einem Bilde der Shakespeares-Gallery den Romeo als Pilger verkleidet vor Julien hintreten läßt, weil sie ihn Pilger nennt, indem sie die liebliche Tändelei seiner Anrede fortführt.

Die Unterredung im Garten hat einen romantischen Schwung, und doch ist auch hier das Bildlichste und Phantasiereichste immer mit der Einfalt verschwistert, woran man die unmittelbaren Eingebungen des Herzens erkennt. Welche süßen Geheimnisse verrät uns die Allwissenheit des Dichters! Nur die verschwiegene Nacht darf Zeugin dieser rührenden Klagen, dieser hohen Beteuerungen, dieser Geständnisse, dieses Abschiednehmens und Wiederkommens sein. Die arme Kleine! Wie sie eilt, den Bund unauflöslich zu knüpfen! – Auch der Schauplatz ist nichts weniger als gleichgültig. Unter dem heiteren Himmel, bei dessen Anblick Romeo Juliens Augen wohl mit Sternen vergleichen konnte, von den Bäumen umgeben, deren Wipfel der Mond mit Silber säumt, stehen die Liebenden unter dem näheren Einfluß der Natur und sind gleichsam von den künstlichen Verhältnissen der Gesellschaft losgesprochen. Ebenso wird in der Abschiedsszene durch die Nachtigall, die nachts auf dem Granatbaum singt, ein südlicher Frühling herbeigezaubert; und nicht etwa ein Glockenschlag, sondern die Stimme der Lerche mahnt sie an die feindliche Ankunft des Tages.

Eine Lage wie die, worein Julien die Nachricht von dem unglücklichen Zweikampfe und von Romeos Verbannung versetzt, ließ sich schwerlich ohne alle Härten und Dissonanzen darstellen; indessen will ich nicht leugnen, das Shakespeare sie weniger gespart habe, als unumgänglich nötig war. Johnsons Tadel, den Personen dieses Stücks, wie bedrängt sie auch seien, bleibe in ihrer Not immer noch ein sinnreicher Einfall übrig, hat vielleicht bei den Ausbrüchen der Verzweiflung Juliens am ersten einigen Schein. Doch glaube ich, bis auf wenige Zeilen, die ich glücklicherweise in meiner Übersetzung auslassen mußte, weil sie ganz in Wortspielen bestehen, läßt sich mit richtigen Begriffen von der Wahrheit im Ausdrucke der Empfindungen alles retten. Ich behalte mir darüber eine allgemeine Bemerkung vor.

Romeos Qual ist noch zerreißender, weil er mit Unrecht, aber doch natürlicher Weise, sich als schuldig anklagen muß. Es entehrt ihn nicht, daß er seiner durchaus nicht mehr mächtig ist. Wer wollte dies von dem Jünglinge fordern? Was dem Manne ziemt, weiß der Mönch wohl, aber auch, daß er in die Luft redet und nur die Amme erbauen wird. Doch vergehen darüber einige Minuten, während welcher der Verzweifelnde sich sammeln und dann auf den bündigeren Trost horchen kann, daß ihm eine Julia zugesagt wird, was die Philosophie nicht vermochte. Romeos sanfte Männlichkeit gibt sich bei anderen Gelegenheiten kund. Auch ohne die Vermittlung der Liebe scheint er über den Haß hinweg zu sein und an der Feindschaft der beiden Familien keinen Anteil zu nehmen. Mit Capulets Tochter verbunden, läßt er sich von Thybalt auf das schnödeste reizen, ohne es zu ahnden. Er besitzt Mut genug, um hier feig scheinen zu wollen, und nur der Tod des edlen Freundes waffnet seinen Arm.

Wenn der Dichter uns von dem stürmischen Schmerze der Liebenden nichts erließ, so ist es dagegen himmlisch zu sehen, wie sich dessen Ungestüm am Morgen darauf in den Entzückungen der Liebe besänftigt hat, wie diese bei dem wehmütigen Abschiede zugleich vertrauensvoll und Unglück ahnend aus ihnen spricht. Nachher ist Romeo, obschon in der Verbannung, nicht mehr niedergeschlagen; die Hoffnung, die blühende, jugendliche Hoffnung hat sich seiner bemeistert; fast fröhlich wartet er auf Nachricht. Ach! es ist nur ein letzter Lebensblitz, wie er selbst nachher solche Aufwallungen nennt. Was er nun von seinem Bedienten hört, verwandelt auch wie ein Blitz sein Inneres: zwei Worte, und er ist entschlossen, zum Tode in die Erde hinabzusteigen, die ihn eben noch so schwebend trug.

Nach dieser unerschütterlichen Entscheidung ist eine Rückkehr in sich selbst nicht am unrechten Orte. Die Beratschlagung, wie er sich Gift verschaffen soll und seine Bitterkeit gegen die Welt in dem Gespräche mit dem Apotheker hat etwas vom Tone des Hamlet. Daß Romeo den Paris an Juliens Grabe treffen muß, ist eine von den vielen Zusammenstellungen des gewöhnlichen Lebens mit dem ganz eigenen selbstgeschaffenen Dasein der Liebenden, wodurch Shakespeare den unendlichen Abstand des letzten von jenem anschaulich macht, und zugleich das Wunderbare der Geschichte beglaubigt, indem er es mit dem ganz bekannten Laufe der Dinge umgibt. Der gutgesinnte Bräutigam, der Julien recht zärtlich geliebt zu haben glaubt, will ein Außerordentliches tun. Seine Empfindung wagt sich aus ihrem bürgerlichen Kreise, wiewohl furchtsam, bis an die Grenze des Romanhaften hin. Und doch, wie anders ist seine Totenfeier als die des Geliebten! Wie gelassen streut er seine Blumen! Ich kann daher nicht fragen: war es nötig, daß diese redliche Seele noch hingeopfert wird? Daß Romeo zum zweiten Male wieder Blut vergießt? Paris gehört zu den Personen, die man im Leben lobpreist, aber im Tode nicht unmäßig betrauert; im Augenblicke des Sterbens gewinnt er zu allererst unsere Teilnahme durch die Bitte, in Juliens Grab gelegt zu werden. Romeos Edelmut bricht auch hier wie ein Strahl aus düsteren Wolken hervor, da er über dem durch Unglück mit ihm Verbrüderten die letzten Segensworte spricht.

Wie Juliens ganzes Wesen Liebe, so ist Treue ihre Tugend. Von dem Augenblicke an, da sie Romeos Gattin wird, ist ihr Schicksal an das seinige gefesselt; sie hat den tiefsten Abscheu gegen alles, was sie von ihm abwendig machen will und fürchtet im gleichen Grade die Gefahr entweiht oder ihm entrissen zu werden. Die tyrannische Heftigkeit ihres Vaters, das Gemeine im Betragen beider Eltern ist sehr anstößig; allein es rettet Julien von dem Kampfe zwischen Liebe und kindlicher Gesinnung, der hier gar nicht an seiner Stelle gewesen wäre; denn jene soll hier nicht als aus sittlichen Verhältnissen abgeleitet, und mit Pflichten im Streit, sondern in ihrer ursprünglichen Reinheit als das erste Gebot der Natur vorgestellt werden. Nach einer solchen Begegnung konnte Julia ihre Eltern nicht mehr achten; da sie gezwungen wird, sich zu verstellen, tut sie es daher mit Festigkeit und ohne Gewissenszweifel.

Daß zu ihrem furchtbaren Selbstgespräch, ehe sie den Trank nimmt, die Anlage in der Erzählung schon vorhanden war, gereicht wieder zu Shakespeares Ruhme. Diese oberflächliche Ähnlichkeit des Gemeinsten mit dem Höchsten ist der Triumph der Kunst. Mit welcher Überlegenheit hat er ein solche Wagestück von Darstellung bestanden! Erst Juliens Schauer, sich allein zu fühlen, fast schon wie im Grabe; das Bestreben, sich zu fassen; der so natürliche Verdacht, und wie sie ihn mit einer über alles Arge erhabenen Seele von sich weist, größer als jener Held, der wohl nicht ohne seine Zuversicht zu Schau zu tragen die angeblich vergiftete Arznei austrank; wie dann die Einbildung in Aufruhr gerät, so viele Schrecken das zarte Gehirn des Mädchens verwirren, und sie den Kelch im Taumel hinunterstürzt, den gelassen auszuleeren eine zu männliche Entschlossenheit bewiesen hätte.

Ihr Erwachen im Grabe und die wenigen Augenblicke nachher schließen sich, eben durch den Gegensatz, auf das schönste hier an. Der Schlummer, der ihre Lebensgeister so lange gefesselt hielt, hat den Aufruhr ihres Blutes gestillt. Sie schlägt die Augen auf wie ein Kind, dem die Mutter etwas versprach und dem davon geträumt hat, mit voller Besinnung sich selbst zurechtweisend über das Grauenvolle um sie her. Sie läßt sich nicht hinreißen von der Stätte zu weichen, wo sie ihren Geliebten tot sieht, sie fragt nicht, sie weiß damit genug.

Wie eine milde sorgsame Vorsehung, die jedoch nicht mächtig genug ist, um dem feindseligen Zufalle vorzubeugen, steht vom Anfange an Bruder Lorenzo in der Mitte der beiden Liebenden. Kein Heiliger, aber ein Weiser in der Mönchskutte, ein würdiger, sanft nachdenkender Alter, fast erhaben in seiner vertrauten Beschäftigung mit der leblosen Natur, und äußerst anziehend durch seine ebenso genaue Kenntnis des menschlichen Herzens, die mit einer fröhlichen, ja witzigen Laune gefärbt ist. So liebenswürdig er sich zeigt, lassen uns doch seine naivsten Äußerungen noch eine achtungswürdige Gewalt in seinem Wesen fühlen. Er hat einen schnellen Kopf, sich in den Augenblick zu finden und ihn zu nutzen; mutig in Anschlägen und Entschlüssen, fühlt er ihre Wichtigkeit mit menschenfreundlichem Ernst, und setzt sich ohne Bedenken Gefahren aus, um Gutes zu stiften. Wenn er tut, was seine jungen Freunde von ihm verlangen, so gibt er nicht leidend ihrem Ungestüme nach, sondern seiner eigenen Überzeugung, seiner Ehrerbietung vor einer Leidenschaft wie diese, welche sein Herz errät, wenn er gleich ihre Herrschaft nie an sich selbst erfuhr, oder wenigstens die geläuterte Atmosphäre seines Daseins längst nicht mehr von Stürmen getrübt wird. Er tut an Julien eine Forderung wie an eine Heldin, ermahnt sie zur Standhaftigkeit in der Liebe wie an eine Tugend und scheint vorher zu wissen, daß er sich in ihr nicht betrügen wird. Von seinem Orden hat er nichts an sich als ein wenig Verstellungskunst und psychische Furchtsamkeit. Indessen muß die letzte wohl auch auf Rechnung des Alters kommen. Sie übermannt und verwirrt ihn so, daß er in der unglücklichen Nacht auf dem Kirchhof Julien in dem Grabmale allein läßt, was freilich bei ruhiger Besonnenheit gar nicht zu entschuldigen wäre. Doch ist er gleich darauf in einer Gefahr, der er nicht mehr entrinnen kann, freimütig und Herr seiner selbst. Es ist sonderbar, daß diesem Mönche bei allen Gelegenheiten religiöse Vorstellungsarten ebenso weit aus dem Wege liegen, als ihm sittliche Betrachtungen geläufig sind. Wie er den verzweifelten Romeo zu trösten sucht, bietet er ihm

Der Trübsal süße Milch, Philosophie; –

und in der Tat ist die vortreffliche Rede, die er kurz darauf an ihn hält, eine Predigt aus der bloßen Vernunft. Ein einziges Mal teilt er Anweisungen auf den Himmel aus, nämlich wie er den trostlosen Eltern über Juliens vermeinten Tod zuspricht; also bei einem Anlaß, wo es ihm nicht Ernst damit ist. Man sieht heraus, mit welchem dumpfen Sinne Johnson den Dichter muß gelesen haben, da er meint, Shakespeare habe an Julien ein Beispiel der bestraften Heuchelei aufstellen wollen, weil sie ihre Streiche meistens unter dem Vorwande der Religion spiele. Was für Namen soll man einer so dickhäutigen Fühllosigkeit geben?

Mercutio ist nach dem äußeren Bau der Fabel eine Nebenperson. Das einzige, wodurch er auf eine bedeutende Art in die Handlung eingreift, ist, daß er durch seinen Zweikampf mit Tybalt den des Romeo herbeiführt (ein Umstand, den Shakespeare nicht einmal in der Erzählung vorfand), und dazu bedurfte es keines so hervorstechenden und reichlich begabten Charakters. Aber da es im Geiste des Ganzen liegt, daß die streitenden Elemente des Lebens, in ihrer höchsten Energie zueinander gemischt, ungestüm aufbrausen,

– wie Feu'r und Pulver
Im Kusse sich verzehrt;

da das Stück, könnte man sagen, durchhin eine große Antithese ist, wo Liebe und Haß, das Süßeste und das Herbste, Freudenfeste und düstere Ahnungen, liebkosende Umarmungen und Totengrüfte, blühende Jugend und Selbstvernichtung unmittelbar beisammenstehen, so wird auch Mercutios fröhlicher Leichtsinn der schwermütigen Schwärmerei des Romeo in einem großen Sinne zugesellt und entgegengesetzt. Mercutios Witz ist nicht die kalte Geburt von Bestrebungen des Verstandes, sondern geht aus der unruhigen Keckheit seines Gemüts unwillkürlich hervor. Eben das reiche Maß von Phantasie, das im Romeo mit tiefem Gefühle gepaart einen romantischen Hang erzeugt, nimmt im Mercutio unter den Einflüssen eines hellen Kopfes eine genialische Wendung. In beiden ist ein Gipfel der Lebensfülle sichtbar, in beiden erscheint auch die vorüberrauschende Flüchtigkeit des Köstlichen, die vergängliche Natur aller Blüten, über die das ganze Schauspiel ein so zartes Klagelied ist. Ebensowohl wie Romeo ist Mercutio zu frühzeitigem Tode bestimmt. Er geht mit seinem Leben um wie mit einem perlenden Weine, den man auszutrinken eilt, ehe der rege Geist verdampft. Immer aufgeweckt, immer ein Spötter, ein großer Bewunderer der Schönen, wie es scheint, obgleich ein verstockter Ketzer in der Liebe, so mutig als mutwillig, so bereit mit dem Degen als mit der Zunge zu fechten, wird er durch eine tödliche Wunde nicht aus seiner Laune gebracht und verläßt mit einem Spaße die Welt, in der er sich über alles lustig gemacht hat.

Die Rolle der Amme hat Shakespeare unstreitig mit Lust und Behagen ausgeführt. Alles an ihr hat eine sprechende Wahrheit. Wie in ihrem Kopfe die Ideen nach willkürlichen Verknüpfungen durcheinander gehen, so ist in ihrem Betragen nur der Zusammenhang der Inkonsequenz, und doch weiß sie sich ebenso viel mit ihrem schlauen Verstande als mit ihrer Rechtlichkeit. Sie gehört zu den Seelen, in denen nichts fest haftet als Vorurteile, und deren Sittlichkeit immer von dem Wechsel des Augenblicks abhängt. Sie hält eifrig auf ihre Reputation, hat aber dabei ein uneigennütziges Wohlgefallen an Sünden einer gewissen Art und verrät nicht verwerfliche Anlagen zu einer ehrbaren Kupplerin. Es macht ihr eigentlich unendlich Freude, eine Heiratsgeschichte, das Unterhaltendste, was sie im Leben weiß, wie einen verbotenen Liebeshandel zu betreiben. Darum rechnet sie auch Julien die Beschwerden der Botschaft so hoch an. Wäre sie nicht so sehr albern, so würde sie ganz und gar nichts taugen. So aber ist es doch nur eine sündhafte Gutmütigkeit, was ihr den Rat eingibt, Julia solle, um der

Bedrängnis zu entgehen, den Romeo verleugnen und sich mit Paris vermählen. Daß ihre Treue gegen die Liebenden die Prüfung der Not nicht besteht, ist wesentlich, um Juliens Seelenstärke vollkommener zu entfalten, da sie nun bei denen, die sie zunächst umgeben, nirgends einen Halt mehr findet und bei der Ausführung des vom Lorenzo ihr angegebenen Entschlusses ganz sich selbst überlassen bleibt. Wenn auf der anderen Seite diese Abtrünnigkeit aus wahrer Verderbtheit herrührte, so ließe sich nicht begreifen, wie Julia sie je zu ihrer Vertrauten hätte machen können. Das kauderwelsche Gemisch von Gutem und Schlechtem im Gemüt der Amme ist also ihrer Bestimmung völlig gemäß, und man kann nicht sagen, daß Shakespeare den bei ihr aufgewandten Schatz von Menschenkenntnis verschwendet habe. Allerdings hätte er mit wenigerem ausreichen können, allein Freigebigkeit ist überhaupt seine Art, Freigebigkeit mit allem, außer mit dem, was nur bei einem sparsamen Gebrauche wirken kann. Das Verhältnis seiner Kunst zur Natur erfordert nicht jene strenge Sonderung des Zufälligen vom Notwendigen, welche ein unterscheidendes Merkmal der tragischen Poesie der Griechen ausmacht. Das obige gilt auch vom alten Capulet (bei dem die Zugabe von Lächerlichkeit uns zum Teil des ernsteren Unwillens überhebt, den sein Betragen gegen Julien sonst verdient) und von den übrigen komischen Nebenrollen Peters, der Bedienten und Musikanten. Der gesellige, wohlmeinende, redliche Benvolio, der rohe Tybalt, der feine, gesittete Graf Paris sind bloß nach dem Gesetze der Zweckmäßigkeit mit wenigen, aber bestimmten Zügen gezeichnet. Der Prinz ist gerade, wie man ihn sich wünschen möchte, ehrenfest und stattlich. Daß ihn der Augenblick des Bedürfnisses immer so auf den Punkt herbeiruft, ist eine theatralische Freiheit, die nicht nach kleinen Wahrscheinlichkeiten berechnet werden darf, und den Vorteil gewährt, daß diese unerwartete Dazwischenkunft unter dem heftigen Sturme feindseliger Leidenschaften wie die eines Wesens aus einer höheren Ordnung der Dinge wirkt. Die letzte Erscheinung des Prinzen wird groß und feierlich, weniger durch seine persönlichen Eigenschaften als durch seine Stellung, der eben vollendeten tragischen Begebenheit und den dabei betroffenen Personen gegenüber. Nicht bloß mit dem Ansehen eines irdischen Richters, sondern als Wortführer der Weisheit und Menschlichkeit, versammelt er das Leiden, die Schuld und die Teilnahme um sich her und redet auf eine dieses ernsten Berufes würdige Art. Die betrachtende Stille, welche sein Nachforschen auf den Sturm der Entscheidungen folgen läßt, ordnet und bekräftigt den verwirrten Schmerz, und sein letzter Ausspruch drückt ihn, gleichsam zur ewigen Grabschrift der beiden Unglücklichen, mit ehernem Griffel in die Tafel des Gedächtnisses.

Lorenzos Erzählung hat den Kunstrichtern Anstoß gegeben, weil sie nur das wiederhole, wovon der Zuschauer schon unterrichtet ist. „Es ist sehr zu beklagen", sagt Johnson, „daß der Dichter den Dialog nicht zugleich mit der Handlung beschloß." Ei ja, sobald die Katastrophe da ist, das heißt, sobald die gehörige Anzahl Personen zum Tode befördert worden, darf der Vorhang nur ohne weitere Umstände fallen! – Ist es ein Wunder, daß man bei so groben körperlichen Begriffen von der Vollständigkeit einer tragischen Handlung nichts von Befriedigungen des Gefühls weiß? Hat uns denn der Mönch so gar nicht interessiert, daß es uns gleichgültig sein könnte, ob die Reinheit seiner Gesinnungen verkannt wird? Noch mehr: die Aussöhnung der beiden Familienhäupter über den Leichen ihrer Kinder, der einzige Balsamtropfen für das zerrissene Herz, wird nur durch ihre Verständigung über den Hergang der Begebenheit möglich. Das Unglück der Liebenden ist nun doch nicht gänzlich verloren; aus dem Haß entsprungen, womit das Stück anhebt, wendet es sich im Kreislauf der Dinge gegen seine Quelle und verstopft sie. Aber nicht bloß als notwendiges Mittel sind die Aussagen des Mönches und der beiden Bedienten gerechtfertigt: sie haben an sich Wert, indem sie die zerstreuten Eindrücke des Geschehenen auf der traurigen Wahlstatt in einen einfachen Bericht zusammenfassen.

Man hat gefunden, Shakespeare habe die Gelegenheit zu einer sehr pathetischen Szene versäumt, indem er Julien nicht vor Romeos Tode, in dem Augenblicke, wie er das Gift genommen, erwachen läßt. Große Erfindung hätte nicht zu dieser Abänderung gehört, ebensowenig als zu dem entgegengesetzten Auswege, daß Julia erwacht, ehe er noch seinen Tod entschieden hat und daß alles glücklich endigt. Indessen scheint mir Shakespeare, sei es aus Treue gegen die Erzählung, welche er zunächst vor sich hatte, oder aus überlegter Wahl, das Bessere getroffen zu haben. Es gibt ein Maß der Erschütterung, über welches hinaus alles Hinzugefügte entweder zur Folter wird oder von dem schon durchdrungenen Gemüte wirkungslos abgleitet. Bei der grausamen Wiedervereinigung der Liebenden auf einen Augenblick hätte Romeos Reue über seinen vorschnellen Selbstmord, Juliens Verzweiflung über die erst genährte, dann zernichtete Täuschung, als sei sie am Ziele ihrer Wünsche, in Verzerrungen übergehen müssen. Niemand zweifelt wohl, daß Shakespeare diese mit angemessener Stärke darzustellen vermochte; aber hier war alles Mildernde willkommen, damit man aus der Wehmut, der man sich willig hingibt, nicht durch allzu peinliche Mißklänge aufgeschreckt würde. Warum bürdet man dem schon so schuldigen Zufalle noch mehr auf? Warum soll der gequälte Romeo nicht ruhig „das Joch feindseliger Gestirne von dem lebensmüden Leibe schütteln? Er hält seine Geliebte im Arm und labt sich sterbend mit einem Wahne ewiger Vermählung. Auch sie sucht den Tod im Kusse auf seinen Lippen. Diese letzten Augenblicke müssen ungeteilt der Zärtlichkeit angehören, damit wir den Gedanken recht festhalten können, daß die Liebe fortlebt, obgleich die Liebenden untergehen.

Garrick hat diese Szene nach dem Glauben, je mehr Jammer, je besser, wirklich umgearbeitet; allein seine Ausführung wird eben niemanden unglücklich machen. Sie ist äußerst schwach. Auch das Erwachen Juliens hat er ganz verdorben. Sie erinnert sich nicht an Lorenzos Verheißungen, sondern glaubt, man wolle sie mit Gewalt dem Paris vermählen und erkennt den Romeo nicht, der darüber ausruft: „Sie ist noch nicht wieder bei sich – der Himmel helfe ihr!“ – Jawohl! und behüte sie vor ungeschicktem Umarbeiten! Nachher, wie der Mönch hereintritt, schilt sie heftig auf ihn und will ihn gar mit ihrem Dolch erstechen. Es ist nur gut, daß sie sich bald darauf entleibt, denn da sie so ungebärdig um sich ficht, so weiß man nicht, wieviel Unheil sie sonst noch angerichtet hätte. Sonderbar, daß ein großer Schauspieler dem Dichter, den er anbetete, den er sein halbes Leben hindurch studiert hatte, auf eine so verkehrte Art etwas anheften konnte!

Noch verdächtiger wird Garricks Sinn für das Höchste im Shakespeare dadurch, daß er es für nötig hielt, das Stück von dem unnatürlichen, tändelnden Witze zu reinigen, der darin nach seiner Meinung dem Ausdrucke der Empfindung untergeschoben war. Zwar behauptet Johnson ebenfalls, die pathetischen Reden seien immer durch unerwartete Verfälschungen entstellt; und das Ansehen dieser Kunstrichter mag viele verführt haben, besonders da ihr Urteil der allgemeinen Fassungskraft so herablassend entgegenkommt. Echte Poesie wird ja selten recht begriffen, und jeder Gebrauch der Einbildungskraft erscheint denen unnatürlich, die keinen Funken davon besitzen. Man vergißt, daß, wenn uns ein Gegenstand in einer bestimmten Form der Darstellung gezeigt wird, jeder Teil durch dies Medium gefärbt sein muß. Man nimmt das Dichterische im Drama historisch, da es doch eine Bezeichnungsart ist, deren Unwahrheit gar nicht verhehlt wird, die aber dennoch das Wesentliche der Sache richtiger und lebendiger zur Anschauung zu bringen dient als das gewissenhafteste Protokoll. Eben dadurch führt uns der Dichter mehr in das Innere der Gemüter, daß er seinen Personen ein vollkommnes Organ der Mitteilung leiht, als sie in der Natur haben; und da oft die Gewalt der Leidenschaft ihren Ausdruck hemmt und das Vermögen der Äußerung fesselt, wie lebhaft auch das Verlangen danach sein mag, so darf er dies Hindernis aus dem Wege räumen. Nur den wesentlichen Unterschied zwischen beredten und stummen, nach außen hin strebenden oder auf den inneren Menschen sich konzentrierenden Gefühlen hebe er nicht auf. Nie hat der reiche Strom seiner Bilder Shakespeare über diese Grenze hinweggerissen. Wie Romeo den vermeinten Tod Juliens erfährt, sagt er nichts weiter als:

> Ist es denn so? Ich biet' euch Trotz, ihr Sterne! –

Ebenso antwortet Julia nach ihrem Erwachen dem Mönche, der ihr das ganze vorgefallene Unglück in der Eil gemeldet, und sie zu fliehen beredet hat:

> Geh nur, entweich! denn ich will nicht von hinnen. –

Beide Male verrät sich die Stärke des Gefühls nur in dem Entschluß, wodurch sich die Freiheit dagegen auflehnt.

Wenn die Liebe sich der Liebe offenbart, so ist es das einzige Anliegen des Herzens, die Überzeugung von seiner Innigkeit dem anderen einzuflößen, gleichsam das Bewußtsein bis zu ihm zu erweitern. Es verschmäht dabei die Pracht der Rede, worein hohle Bezeugungen nicht gefühlter Anhänglichkeit sich ebensowohl kleiden können und wagt sich nicht an das Unaussprechliche; aber es versteht das Geheimnis, dem einfältigen, ja dem bescheidensten Ausdruck eine höhere Seele einzuhauchen. Sollte man diese rührende Herzlichkeit in den Geständnissen, den Beteuerungen, dem holden Liebesgeflüster Romeos und Juliens übersehen können? Julia gibt sich mit eben so kindlicher Offenheit hin, wie Miranda im *Sturm,* und was sie sagt,

> ist schlichte Einfalt,
> Und tändelt mit der Unschuld süßer Liebe.

Allein die Bewunderung, die Vergötterung des geliebten Wesens kann nicht bildlos sprechen; sie muß sich zu den kühnsten Vergleichungen aufschwingen. Mit dem Zauberschlage, der das eine, was ihr vor-schwebt, aussondert und über die ganze übrige Welt erhebt, hat sie den Maßstab des Wirklichen verloren, und kann bis an die Grenze der Dinge schwärmen, so weit die Flügel der Phantasie sie nur tragen wollen, ohne sich einer Verirrung bewußt zu werden. Liebe ist die Poesie des Lebens. Wie sollte sie über ihren Gegenstand nicht dichten? Je entferntere und ungleichartigere Bilder sie herbeiruft, desto sinnreicher müssen ihre Gleichnisse scheinen, und was der müßige Witz mühsam sucht, um zu glänzen, darein verfällt die ausschwei-fende Leidenschaft unwillkürlich. Unbegriffene Widersprüche liegen im Wesen der Liebe; sie kann sich auch bei der schönsten Erwiderung nicht in vollkommene Harmonie auflösen und ist daher schon an sich geneigt, sich antithetisch zu äußern. Noch natürlicher ist ihr dies, sobald äußerliche Verhältnisse sie drängen. Ein Wortspiel ist ein Gegensatz oder eine Vergleichung zwischen dem Sinne der Wörter und ihrem Klange; und wie in der Liebe überhaupt das Geistige und das Sinnliche sich innigst zu verschmelzen strebt, wie sie die zartesten Anspielungen des einen auf das andere wahrnimmt und sich daran weidet, so kann sie auch mit Ähnlichkeiten der Töne ahnungsvoll spielen.

Man verwirft gewöhnlich alle Wortspiele als etwas Kindisches und Unnatürliches. Ist das erste gegründet, so kann das zweite nicht sein; und die Erfahrung zeigt allerdings, daß Kinder sich gern mit den hörbaren Bestandteilen der Wörter zu schaffen machen, und sie auf andere Bedeutungen wenden. Die Liebe aber in ihrer unbefangen-sten Hingegebenheit versetzt die Seele bei entwickelten Organen und blühender Lebensfülle auf gewisse Weise in den Stand der Kindheit zurück. Ohne es zu wollen, habe ich Petrarcas Apologie gemacht, dessen wunderbare Bilder und Gleichnisse, immer wiederkehrende Gegensätze und leise mystische Anspielungen auch so vielen Lesern und Kunstrichtern ein Ärgernis gegeben haben. Seine idealische, äthe-rische, im Entsagen schwelgende Anbetung Lauras hat nichts mit der jugendlichen Kraft und Glut gemein, die Romeon und Julien für ein-ander zu leben und zu sterben treibt; aber der Stil seiner Poesie hat viel Ähnlichkeit mit dem Kolorit des zärtlichen Ausdrucks in unserem Schauspiele.

Ich möchte noch weitergehen und behaupten, nicht nur den Freuden und der süßen Pein einer Leidenschaft, wie die hier dargestellte ist, welche die äußerste Entzündbarkeit der Phantasie voraussetzt, sei

kühne Bildlichkeit und antithetische Wortfülle eigen; auch das nieder-
werfendste Leiden, das aus ihr herfließt, der herbste Schmerz über
Verlust oder Tod des Geliebten, verleugne in der Art sich zu äußern
seinen Ursprung nicht ganz. Aus diesem Gesichtspunkte, dessen Richtigkeit sich durch mancherlei Erfahrungen bestätigen ließe, betrachte
man die Szenen, wo die beiden Liebenden über Romeos Verbannung
außer sich sind, und Romeos letzte Rede: und sie sind gerechtfertigt.

Immerhin mag der dramatisierende Rhetor bei den frostigen De-
klamationen, die er an die Stelle der Ergießungen entflammter Leidenschaft setzt, sich ähnlicher Mittel bedienen. Wer irgend Empfänglichkeit hat, oder bei wem Vorurteile ihr nicht in den Weg treten, der
wird nicht in Gefahr sein, jene mit diesen zu verwechseln; er hat an
der Wirkung einen untrüglichen Prüfstein. Es lassen sich auch Kennzeichen angeben, allein ihre Anwendung auf den bestimmten Fall
fordert immer noch einen Sinn, den man niemanden geben kann. Das
wesentlichste Kennzeichen ist die Natur der dargestellten Empfindungen selbst, ihre Tiefe, ihre Eigentümlichkeit, ihre Konsequenz. Ferner
wird durch allen deklamatorischen Pomp das Bildlose und Abstrakte
häufig und schlecht verkleidet; denn nur eine arme Phantasie, die
nicht durch das Bedürfnis des Gefühls in Schwung gesetzt wird,
braucht zu dem Vorsatze, geschmückt zu erscheinen, ihre Zuflucht zu
nehmen; jedoch es ist ein vergebliches Bemühen, durch den Umweg
des toten Begriffs in das Leben zurückkehren zu wollen. Auch wird
der Dichter, welcher auf Kosten der Wahrheit und Schicklichkeit zu
glänzen strebt, die vertrauliche Nachlässigkeit in den Reden, den
Schein augenblicklicher Entstehung eher vermeiden als suchen. Er wird
besorgen, das Unbewußtsein der redenden Personen, daß sie etwas
Außerordentliches sagen, weil es für ihre Lage höchst natürlich ist,
möchte den Zuhörer täuschen, und das Gesuchte seinen einzigen Wert
verlieren, indem es für leicht gefunden gilt. Im Romeo bietet sich das
Dialogische, Freie, aus der Quelle Strömende selbst der bildlichsten
und im höchsten Grade antithetischen Reden überall dar; es im
einzelnen zu entwickeln, würde mich zu weit führen.

Da ich dem Tadel so angesehener englischer Kunstrichter habe
widersprechen müssen, so freut es mich dagegen, den Ausspruch eines
deutschen aufstellen zu können, der gewiß unbestechlich durch falschen
Schimmer und ein Antipode alles Phantastischen und Überspannten
war. Lessing erklärte *Romeo und Julia* für das einzige Trauerspiel,
das er kenne, woran die Liebe selbst habe arbeiten helfen. Ich weiß

nicht schöner zu schließen, als mit diesen einfachen Worten, in denen
so viel liegt. Ja man darf dies Gedicht ein harmonisches Wunder
nennen, dessen Bestandteile nur jene himmlische Gewalt so verschmelzen konnte. Es ist zugleich bezaubernd süß und schmerzlich, rein und
glühend, zart und ungestüm, voll elegischer Weichheit und tragisch
erschütternd.

Erster Brief

Der Dichter, so rühmten von jeher die glühenden Bewunderer seiner Kunst, ist vor allen anderen Sterblichen ein begünstigter Liebling der Natur, ein Vertrauter und Bote der Götter, deren Offenbarungen er jenen überbringt. Die irdische Sprache, die nur zu unverkennbar die Spuren des Bedürfnisses und der Eingeschränktheit, welche sie erzeugten, an sich trägt, kann ihm hierzu nicht genügen; die seinige atmet in reinem Äther, sie ist eine Tochter der unsterblichen Harmonie. Fast ohne daß er selbst es weiß, verwandelt sich auf seinen Lippen das Wort in Gesang. Das Entzücken, womit er das von oben Empfangene wieder ausströmt, wird die Belohnung seiner Wohltat. Leicht und frei wie auf Flügeln wird er über das Los der Sterblichkeit hinweggehoben, und der heilige Schimmer, der seine begeisterte Stirn verklärt, fordert Anbetung von seinen erstaunten, hingerissenen Zuhörern.

Aber ach! (verzeih mir die getäuschte Erwartung, liebste Freundin, wenn anders mein feierlicher Ton dich irreführen konnte) dieser Dichter ist selbst nur ein Geschöpf der dichtenden Phantasie. Wieviel anders erscheint er in der Wirklichkeit, wenn man ihn in seiner Werkstätte belauscht! Denn er hat eine Werkstätte wie jeder andere Künstler. Wohl nur scherzend hat man sie mit einer Schmiede verglichen. Hier scheinen nicht so wohl Donnerkeile, wie auf dem Amboß der Zyklopen, als Nadeln zugespitzt zu werden. Das schönste Gedicht besteht nur aus Versen; die Verse aus Wörtern; die Wörter aus Silben; die Silben aus einzelnen Lauten. Diese müssen nach ihrem Wohlklange oder Übelklange geprüft, die Silben gezählt, gemessen und gewogen, die Wörter gewählt, die Verse endlich zierlich geordnet und aneinander gefügt werden. Doch dies ist noch nicht alles. Man hat bemerkt, daß es das Ohr angenehm kitzelt, wenn nach bestimmten Zwischenräumen gleichlautende Endungen der Wörter wiederkehren. Diese muß der Dichter also aussuchen und oft einer einzigen wegen das ganze Gebiet der Sprache von Westen bis Osten durchstreifen. Bei großer Anstrengung körperlicher Kraft findet noch ein gewisses erhebendes Gefühl statt; aber was kann für den langweiligen Fleiß, für die kleinliche Sorgfalt entschädigen, womit ein vollendetes Gedicht allmählich zusammenbuchstabiert wird? Wie muß dies alles den erhabenen Geist demütigen, der des Umganges mit Göttern gewohnt ist! Gewiß, der Fluch der Mühseligkeit, der sich über alles menschliche Tun verbreitet, drückt ihn vorzüglich hart. Auch an ihn ergeht eine drohende Stimme: Im Schweiße deines Angesichtes sollst du Verse machen! Mit Schmerzen sollst du Gedichte zur Welt bringen.

Ich bitte dich indessen, liebe Amalie, was ich dir hier anvertraue, ja nicht weiter zu erzählen. Du würdest mich unfehlbar in üble Händel mit der Zunft verwickeln, für deren Mitglied du mich aus unverdienter Güte zählen willst. Sieh, das ist eben das Schlimmste. Andere wackere Leute dürfen sich wenigstens ihrer Arbeit nicht schämen; ja sie finden eine Erleichterung darin, es unverhohlen zu äußern, daß ihre Geduld oder ihre Kräfte der Erschöpfung nahe sind. Um den Dichter wäre es geschehen, wenn er sich nur von fern etwas dergleichen merken ließe. Er muß sich knechtischem Zwange mit der stolzen Miene der Freiheit unverwerfen. Seine mit Fesseln beladenen Hände und Füße bewegt er zum leichten anmutigen Tanze. Du glaubst, er ruhe wollüstig auf Rosen, während er sich auf dem Bette des Prokrustes peinlich dehnt oder krümmt.

Freilich gelingt es auch nicht immer damit. Irgendein hartnäckiges Wort will nicht aus seiner Stelle. Ein Reim, ein einziger, unerbittlicher Reim ist hinlänglich, um ihn in dem kühnsten und glücklichsten Fluge aufzuhalten. Stundenlang ruft er dieses spröde Echo, ohne daß sie ihm antwortet. Ja, nicht selten bricht der geheime und anhaltende Zwiespalt zwischen Gedanken und Ausdruck auf der einen, Silbenmaß und Reim auf der anderen Seite in so heftige Tätlichkeiten aus, daß er, unvermögend die Rechte beider Parteien zu schonen, zu einem Machtspruch genötigt wird, wodurch er es mit dem Ohr oder dem Geiste seiner Zuhörer oder auch wohl mit beiden verdirbt.

Hiermit hängt der Umstand zusammen, der dich gewiß in deiner Meinung von der geringen Wichtigkeit metrischer Vollendung bestärkt hat und sie in der Tat zu begünstigen scheint: daß nämlich die größten Originaldichter oft ein gewisses Ungeschick zum Versbau verraten und sich mehr als billig darin erlauben. Wem Bilder und Gedanken wie etwas Fremdes und Zufälliges gleichsam von außen gegeben werden, der kann leicht verändern und vertauschen, weglassen und hinzusetzen. Der selbständige Geist hingegen, welcher sie tief aus seinem Innern schöpft, würde bei diesen Umwandlungen an seinem teuersten Eigentum, ja gewissermaßen an seiner Person leiden. Nicht zum Dienen erschaffen, unterwirft er sich daher das Silbenmaß; und sollte selbst der Ausdruck hier und da ins Gedränge kommen, er bleibt unbekümmert dabei. Es ist zweifelhaft, ob Dante und Shakespeare, auch in einem mehr gebildeten Zeitalter, sich um Tassos und Popens glückliche Geschmeidigkeit beworben hätten, und noch zweifelhafter, ob es ihnen damit gelungen wäre. Wenn sich indessen jene unabhängige Fülle nicht mit diesem Talent in derselben Organisation verträgt, so macht sie es auch entbehrlich.

Vielleicht bist du mir bei der obigen, leider nicht übertriebenen Schilderung schon mit den Fragen zuvorgeeilt, die sich hier natürlich darbieten: Wozu also jene Einschränkungen? Ist das Silbenmaß der Poesie wesentlich? Ist es nicht vielmehr unnatürlich, die Ergüsse eines bewegten Herzens, einer entflammten Einbildung, eines ganz von seinem Gegenstande erfüllten Geistes, nach einer mechanischen Regel abzumessen? Und sollte man den Dichter nicht mehr über die Torheit seines Vornehmens als über die Schwierigkeit der Ausführung beklagen? Es ist unleugbar, daß nur die Allgemeinheit der Sitte das Fremde und Auffallende, was darin liegt, unserer Bemerkung entziehen kann. Aber eben dies muß uns auch von einer zu raschen Beantwortung jener Fragen warnen. Überall finden wir die Poesie vom Silbenmaß begleitet, damit verschwistert, davon unzertrennlich. Sein Gebrauch erstreckt sich also fast ebensoweit als die bewohnte Erde; seine Erfindung ist nicht viel jünger als das Menschengeschlecht.

Bei einer so allgemeinen Ansicht verdienen einige neuere Ausnahmen (bei den Alten würde man sie vergeblich suchen) kaum erwähnt zu werden. Ganz allgemein ist das Silbenmaß bei keinem heutigen Volke von der Bühne verbannt worden; wenn der dramatische Dichter diesen Schmuck verwirft oder vernachlässigt, so muß er zugleich alle Ansprüche auf eigentlich dichterische Schönheiten des Dialogs aufgeben, und selbst der tragische Schauspieler tut in diesem Falle wohl, den Kothurn abzulegen. Dies kann daher eher für eine Beschränkung des

Gebietes der Poesie gelten als für eine Erweiterung, wie man sie bei der sogenannten poetischen Prosa im Sinne gehabt zu haben scheint. Wirst du es auf dich nehmen, dieser zweideutigen Erfindung eine Schutzrede zu halten? Der Name weissagt nicht viel Gutes, und wenn man sich bei den Alten nach etwas Ähnlichem umsieht, so wird man unglücklicher Weise an die Romane der späteren Sophisten erinnert. Denn es gilt ziemlich gleich, ob rhetorische Anmaßung oder eine Art von dichterischem Unvermögen eine solche Gattung erzeugt, die, indem sie die ausschließenden Vorrechte der Poesie und Prosa vereinigen will, die echte Vollkommenheit beider verfehlt. Bemerke auch, daß sie unter den neueren Sprachen am besten in der französischen gediehen ist, welche mehr den Zwang als die Musik der Silbenmaße kennt. Es mag ihr also hingehen, daß sie sich für eine Verwahrlosung der Natur an der Kunst zu rächen sucht. Bei einigen geschätzten Werken dieser Art unterscheidet man billig den Geist der Urheber von dem Werte der von ihnen gewählten Form.

Jene Übereinstimmung der verschiedensten Völker und Zeiten läßt sich unmöglich zu einem willkürlichen, zufälligen Einverständnisse herabsetzen. So unstatthaft es ist, von der Allgemeinheit einer Meinung auf ihre Wahrheit zu schließen, wie man oft gewagt hat, so zuverlässig berechtigt uns die Allgemeinheit einer Sitte, ihr Gültigkeit für den Menschen zuzuschreiben, zu behaupten, sie gründe sich auf irgendein körperliches oder geistiges Bedürfnis seiner Natur. Streng genommen ist überhaupt nichts im menschlichen Tun willkürlich, auch das nicht, woran sich keine Spur von Absicht wahrnehmen läßt. Wenn man sich vornimmt, einmal ohne allen Grund bloß nach Willkür zu handeln, so ist eben dies schon der Grund, welcher den Willen bestimmt; und am unwillkürlichsten handeln wir unter dem Einfluß dunkler Antriebe, die sich unserm Bewußtsein entziehen. Zufällig nennen wir in Werken und Anordnungen des Menschen, was nicht durch wesentliche Verhältnisse notwendig bestimmt, sondern durch fremde Umstände hervorgebracht wird. Was daher unter ganz entgegengesetzten Einwirkungen des Himmelsstrichs und der Lebensweise, bei der abweichendsten Mannigfaltigkeit der Anlagen und auf jeder Stufe ihrer Entwicklung, immer wieder, dem Wesen nach unverändert, hervorgeht: wie könnte man das für zufällig erklären?

Hieraus folgt unleugbar, daß der rhythmische Gang der Poesie dem Menschen nicht weniger natürlich ist als sie selbst. Beides ist keine überlieferte Erfindung, sondern ebenso einheimisch in den erstarrten

Wüsten längs dem Eismeere wie auf den lieblichen Südseeinseln; am Ontario wie am Ganges. Überall, wo nur Menschen atmeten und lebten, empfangen und sprachen, da dichteten und sangen sie auch. Dies bezeugt die älteste Sage der Vorwelt, die selbst nur durch den Mund der Poesie zu uns redet; die Beobachtung ungebildeter roher Völker legt es uns täglich vor Augen.

In ihrem Ursprunge macht Poesie mit Musik und Tanz ein unteilbares Ganzes aus. Der Tanz hat in allen seinen Gestalten, von der einfachsten Natur bis zu den sinnreichsten Erweiterungen der Kunst, vom Freudensprunge des Wilden bis zum noverrischen Ballet[1], nie die Begleitung der Musik entbehren gelernt. Dagegen bestehen jetzt Poesie und Musik ganz unabhängig voneinander. Ihre Werke bilden sich vereinzelt in den Seelen verschiedener, oft sich mißverstehender Künstler, und müssen absichtlich darauf gerichtet werden, durch die Täuschung des Vortrages wieder eins zu scheinen. Es ist mit diesen Künsten wie mit den Gewerben ergangen. In den altväterlichen Zeiten trieb jeder sie alle für seine eigene Notdurft; mit dem Fortgange der geselligen Ausbildung schieden sie sich mehr und mehr. Der absondernde Verstand hat sich selbst an dem Eigentume des Dichtungsvermögens geübt, dessen Wirksamkeit im Verknüpfen besteht. Je mehr er die Oberhand gewinnt, desto mehr gelingt es ihm, jeden Zusammenhang zu lösen, der sich nicht auf die Begriffe zurückführen läßt. Alsdann spielt er gern den Ungläubigen und behauptet, was seine Geschäftigkeit zerstört hat, sei nie wirklich vorhanden gewesen. Aber der geheimste Zusammenhang ist oft auch der innigste; eben weil er nicht auf dem, was der Begriff erschöpft, sondern auf solchen Beschaffenheiten der Dinge beruht, welche nur durch die unmittelbare Anschauung aufgefaßt werden können, das heißt, auf ihrem eigentlichen Leben. Wir dürfen ihn nicht wegzuklügeln suchen, weil wir ihn bloß fühlen; denn was nicht ist, kann nicht auf uns wirken.

Die Sprache, die wunderbarste Schöpfung des menschlichen Dichtungsvermögens, gleichsam das große, nie vollendete Gedicht, worin die menschliche Natur sich selbst darstellt, bietet uns von dem, was ich eben sagte, ein auffallendes Beispiel dar. So wie sie auf der einen Seite, vom Verstande bearbeitet, an Brauchbarkeit zu allen seinen Verrichtungen zunimmt, so büßt sie auf der andern an jener ursprünglichen Kraft ein, die im notwendigen Zusammenhange zwischen den Zeichen der Mitteilung und dem Bezeichneten liegt. So wie die grenzenlose Mannigfaltigkeit der Natur in abgezogenen Begriffen verarmt, so sinkt die lebendige Fülle der Töne immer mehr zum toten Buchstaben hinab. Zwar ist es unmöglich, daß dieser jene völlig verdrängen sollte, weil der Mensch immer ein empfindendes Wesen bleibt, und sein angeborener Trieb, anderen von seinem innersten Dasein Zeugnis zu geben, und es dadurch in ihnen zu vervielfältigen (wie sehr ihn auch die Herrschaft des Verstandes, der sein Wesen sozusagen immer außer uns treibt, schwächen möge), doch nie ganz verlorengehen kann. Allein in den gebildeten Sprachen, hauptsächlich in der Gestalt, wie sie zum Vortrage der deutlichen Einsicht, der Wissenschaft gebraucht werden, wittern wir kaum noch einige verlorene Spuren ihres Ursprunges, von welchem sie so unermeßlich weit entfernt sind; wir können sie fast nicht anders als wie eine Sammlung durch Übereinkunft festgesetzter Zeiten betrachten. Indessen liegt doch jene innige, unwiderstehliche, eingeschränkte, aber selbst in ihrer Eingeschränktheit unendliche Sprache der Natur in ihnen verborgen; sie muß in ihnen liegen: nur dadurch wird eine Poesie möglich. Der ist ein Dichter, der die unsichtbare Gottheit nicht nur entdeckt, sondern sie auch andern zu offenbaren weiß; und der Grad von Klarheit, womit dies noch in einer Sprache geschehen kann, bestimmt ihre poetische Stärke.

Ich hatte dir vorgeworfen, du wärest bei deinem seelenvollen Vorlesen doch in Gefahr, einem Gedichte hier und da Schaden zuzufügen, oder wenigstens nicht alle Schönheiten geltend zu machen, weil du dich niemals im mindesten um die Verskunst bekümmert hast. Du wolltest dies zwar nicht eingestehen, doch einige prosodische Erörterungen dir wohl gefallen lassen, wenn sie nur recht kurz und bündig wären; und nun findest du dich unversehens von der Mühe, die es heutzutage unseren Dichtern kostet, die Geburten ihrer Phantasie in Verse oder, wie die ehrlichen Alten sagten, in Reime zu zwingen, bis zum Ursprunge der Poesie, ja bis zur ersten Entwicklung der Sprache weggerückt. Schreibe dies indessen lieber jener sinnreich bemerkten Ähnlichkeit zwischen der Sprache der Philosophie und dem Dithyramben als der Absicht zu, dich mit Hinterlist in theoretische Untersuchungen der Kunst zu verstricken, vor welchen ich deine Abneigung kenne. Du weißt, daß ich selbst die Theorie, an sich betrachtet, nicht liebe, sondern sie nur als ein notwendiges Übel ansehe. Sie ist für die Poesie der Baum der Erkenntnis des Guten und Bösen; sobald diese davon gekostet hatte, war ihr Paradies der Unschuld verloren. Das Glück des goldenen Zeitalters bestand darin, keiner Gesetze zu bedürfen;

aber in dem unsrigen können wir leider so wenig in der Kunst als in der bürgerlichen Gesellschaft ihrer entraten. Der Eifer mancher warmen Freunde des Schönen gegen sie darf sich daher, um nicht unbillig zu sein, nur wider die Machtgebote des Systems oder des Vorurteils, welche man für echte Gesetze der Kunst ausgibt, oder wider die gesetzgebenden Anmaßungen des Philosophen in einem ihm fremden Gebiete auflehnen. Diesem Mißverständnisse wäre vielleicht vorgebeugt worden, wenn man der Theorie, statt des wissenschaftlichen Vortrags, die mehr anziehende historische Form geliehen hätte. Sie kann sie annehmen; denn indem man erklärt, wie die Kunst wurde, zeigt man zugleich auf das einleuchtendste, was sie sein soll. Auch ist nicht zu besorgen, die Ansichten der Theorie möchten dadurch beschränkt werden; sie hat vielmehr Erweiterung davon zu hoffen. Eben deswegen haben ja viele Kunstrichter ein so enges Regelgebäude errichtet, weil sie nur die Werke ihres eigenen Volkes und zwar im Zeitalter der künstlichen Bildung vor Augen hatten; weil sie sich nie bis zur Weltgeschichte der Phantasie und des Gefühls erhoben. Welch ein weiter Horizont ist es, der alles uns bekannte Schöne der Poesie, was jemals irgendwo unter den Menschen erschien, in sich faßt! Gewiß, der Forscher hat keine Ursache, sich darüber zu beklagen, daß er jenseits desselben nichts wahrzunehmen vermag, und es dem dichtenden Geiste überlassen muß, die noch nicht vorhandene Vortrefflichkeit vorherzusehen.

Meine Absicht ist, dir darzutun, daß das Silbenmaß keineswegs ein äußerlicher Zierat, sondern innig in das Wesen der Poesie verwebt ist, und daß sein verborgener Zauber an ihren Eindrücken auf uns weit größeren Anteil hat, als wir gewöhnlich glauben. Ich unternehme es nicht, hierbei von allgemeinen Grundsätzen auszugehen, weil mir das meiste von unserer so wunderbar zusammengesetzten äußeren und inneren Organisation abzuhängen scheint, welche wir als eine Tatsache erst aus einzelnen Beobachtungen kennenlernen. Eine förmliche Geschichte der Metrik würde bei mir weit mehr Kenntnisse, bei dir vielleicht mehr Geduld erfordern, als wir beide haben. Indessen dürfen wir doch nicht bei den Werken unserer heutigen Dichtkunst stehen bleiben, deren musikalischer Teil, ganz vernachlässigt, beinah verstummend in Büchern aufbewahrt wird. Hier erscheint sie uns durch Erfindungen des geschäftig müßigen Witzes so vielfach bereichert oder entstellt und dem Eigensinn der Gewohnheit oft so untertänig, daß wir in Gefahr kommen möchten, das Ursprüngliche und Unabwendbare in ihr vergebens zu suchen oder, fänden wir es auch, es nicht für das, was es ist, anzuerkennen. Nein, laß uns in jene früheren Zeiten zurückkehren, wo die erst unmündige, bald kindliche, dann jugendliche Kunst (wenn sie anders da schon diesen Namen tragen soll, der die Vorstellung von besonnenen Absichten und von kühlem Überrechnen der Wirkung eines Verfahrens erregt) von der gütigen Natur selbst gepflegt und erzogen ward. Diese Wanderung wird wohltätig für uns sein; wir werden sie nicht in Gesellschaft jenes höchst verfeinerten Geschmacks anstellen, welcher oft nur in Empfindlichkeit gegen oberflächliche Berührungen bei einer gänzlichen Erstorbenheit des Innern besteht.

Die Folge meiner Betrachtungen war etwa diese. Der Zwang des Silbenmaßes scheint bei der Äußerung lebhafter Vorstellungen und nachdrücklicher Regungen nicht natürlich und daher auch mit der Absicht des Dichters, sie anderen so vollkommen als möglich mitzuteilen, im Widerspruch zu sein. Dennoch tritt die Poesie überall und zu allen Zeiten in irgendeiner gemessenen Bewegung auf. Dies muß, wie jede durchaus allgemeine Sitte, seinen Grund in der menschlichen Natur haben, dem man am leichtesten im Ursprunge derselben nachspüren kann, weil Absicht und Überlegung sich da noch am wenigsten in die Spiele des sicher leitenden Instinktes mischen. Poesie entstand gemeinschaftlich mit Musik und Tanz, und das Silbenmaß war das sinnliche Band ihrer Vereinigung mit diesen verschwisterten Künsten. Auch nachdem sie von ihnen getrennt ist, muß sie immer noch Gesang und gleichsam Tanz in die Rede zu bringen suchen, wenn sie noch dem dichtenden Vermögen angehören, und nicht bloß Übung des Verstandes sein will. Dies hängt genau mit ihrem Bestreben zusammen, die Sprache durch eine höhere Vollendung zu ihrer ursprünglichen Kraft zurückzuführen und Zeichen der Verabredung durch die Art des Gebrauches beinah in natürliche und an sich bedeutende Zeichen umzuschaffen.

Hier bin ich nun auf den Punkt gelangt, wovon ich wieder auszugehen wünschte. Ich mußte dir diesen Zusammenhang wenigstens in flüchtigen Zügen entwerfen, damit du mich nicht beschuldigtest, ich mache es wie jener Sänger des trojanischen Krieges, der vom Ei der Leda anhob, oder wie so mancher Chronikschreiber, der die Begebenheiten seiner kleinen Ortschaft unmittelbar an die Geschichte der Schöpfung anschließt. Laß mich erst in den einfachen Anlagen zur Metrik den Beweis ihrer Wichtigkeit, ich möchte sagen ihrer Unentbehrlichkeit, aufsuchen; hierauf an ihrer fortschreitenden Ausbildung im allgemeinen die Schönheit entwickeln, welche sie zu erreichen strebt; und endlich zeigen, wie diese durch den unendlich verschiedenen Bau der Sprachen in jeder eigentümlich, und zwar sehr abweichend bestimmt, bald begünstigt und bald gehindert wird.

Zweiter Brief

Fast gereut mich meines Vorhabens, liebe Freundin, da du mir bei seiner Ausführung so harte Bedingungen vorschreibst. Was ich nicht ohne Hilfe eines Kunstwortes sagen kann, soll ich nur verschweigen. Allem eigentlich Wissenschaftlichen, sei es nun Metaphysik oder Grammatik, willst du den Zutritt durchaus nicht verstatten. Gestehe nur, deine Absicht hierbei ist weniger, es dir leicht, als es mir schwer zu machen. Du besorgst, ich möchte ein unwillkommenes Licht auf Gegenstände werfen, die du lieber in einer freundlichen Dämmerung erblickst, und den Zauber vernichten, indem ich mich bemühe, ihn zu erklären. Aber gib mir nur Raum: auch nach den strengsten und sorgfältigsten Zergliederungen bleibt unsere eigene Natur uns immer noch ein Rätsel; besonders ist das Gewebe unserer Empfindungen so fein und dicht, daß sich die einzelnen Fäden, woraus es besteht, kaum unterscheiden, geschweige denn unversehrt auftrennen läßt. Wir werden oft Gelegenheit finden, im Genuß des Ahnens und halben Erratens den forschenden Ernst aufzuheitern.

Wenn du gleich auf der einen Seite die Langeweile eines methodischen Unterrichts fliehst, so bist du doch wohl auf der anderen nicht von jener Begierde nach versagter Erkenntnis frei, die zwar uns allen angeboren scheint, sich aber doch, wenn wir einer ehrwürdigen Urkunde trauen sollen, in deinem Geschlechte am frühesten verraten hat. Sie lockt auch mich, ich will es nicht leugnen, zu Untersuchungen über jene Geschichte hin, die aller eigentlichen Geschichte vorausgeht. Wir steigen gar zu gern in die Tiefe der Zeiten bis zu einer unbekannten und eben deswegen heiligen Urwelt hinab. Wir bekümmern uns genauer um den ersten Menschen als manchmal um unsere Vettern und Muhmen. Wir ängstigen uns, wie er doch seine von der armseligsten Tierheit gefesselten Anlagen entwickeln, wie er sich aus so manchen Verlegenheiten ziehen wird. Was gäben wir nicht darum, bei seiner Erschaffung, ja bei der Schöpfung überhaupt gegenwärtig gewesen zu sein!

Die Frage vom Ursprunge der Sprache steht mit den Meinungen über den anfänglichen Zustand des Menschen in engem Bezuge. Sie ist sehr alt, denn sie hat schon vor ein paar tausend Jahren Denker beschäftigt; und die mancherlei entgegengesetzten Auflösungen, welche man damals wie in den neuesten Zeiten, versucht hat, erinnern uns zwar, daß es fast ebenso schwer ist, neue Irrtümer als neue Wahrheiten zu ersinnen, aber sie dürfen uns keine Zweifel erregen, ob eine vollständige und genugtuende Beantwortung auch wohl möglich sei. Historische Nachrichten kann die Philosophie freilich nicht erteilen: sie begnügt sich darzutun, aus und mit welchen Anlagen des Menschen die Sprache sich entwickeln konnte und mußte, ohne den wirklichen Vorgang dieser Begebenheit nach Zeit, Ort und Umständen erzählen zu wollen. Zwischen der letzten, bestimmtesten Anwendung ihrer allgemeinen Lehren, und den ältesten Urkunden, die wir in aufbewahrten Schriften oder in der Kindheit noch vorhandener Sprachen entziffern können, ist der Abstand so groß, daß man nur durch einen tödlichen Sprung hinübergelangen kann. Viele haben ihn indessen von diesseits und jenseits gewagt, die Lücke ist mit sinnreichen Spielen oder schwerfälligen Grübeleien einer gewissen philosophischen Etymologie, die weder der genaue Sprachforscher, noch der nüchterne Philosoph anerkennt, reichlich bevölkert, scheinbar ausgefüllt worden; und wenn man jene Schattenwesen nicht so unstet und ohne Haltung herumschweben sähe, könnte man wirklich glauben, sie hätten festen Boden unter sich. Was das Übelste ist, so haben die mißlungenen Bemühungen, die Sprachen aller Völker von einem gemeinschaftlichen Stamme abzuleiten, indem man sie mit der philosophischen Theorie über ihren Ursprung verwechselte, diese selbst verdächtig gemacht. Du erlässest mir es gern, dir von den Schulübungen unseres ersten Stammvaters zu erzählen, von dem göttlichen Unterricht, der seiner Unfähigkeit, die Sprache zu erfinden, zu Hilfe gekommen sein soll, da doch zu ihrer Erlernung dasselbe Vermögen erfordert wird, dem ihre Erfindung angehört: nämlich das Vermögen, Vorstellungen durch Zeichen festzuhalten und zu erneuern; oder von der müßigen und überlegten Verabredung der Menschen, kraft welcher sie den Dingen diese oder jene beliebigen Namen gaben, wie man etwa seine Kinder tauft, und sich also verständigten, ehe sie ein Mittel der Verständigung hatten. Diese beiden Meinungen sind vielleicht noch nicht für immer abgewiesen, doch gewiß für immer widerlegt. Aber ihre siegreichen Gegner sind nur darin einig, daß sie keine Verirrung aus der menschlichen

Natur oder über sie hinaus gelten lassen und einen wesentlichen Zusammenhang zwischen den ersten Zeichen und ihrer Bedeutung anerkennen: sie widersprechen sich in der Art ihn zu erklären. Die Sprache ist entweder aus Tönen der Empfindung ganz allein oder aus Nachahmungen der Gegenstände ganz allein oder aus beiden zusammen entstanden. Der Hauptsache und dem Wesen nach lassen sich nicht mehr Systeme denken als diese drei. Und wenn die zahlreichen Schriften, worin sie vorgetragen werden, eine größere Mannigfaltigkeit darbieten, so liegt sie nur in ihrer Begründung und ausführlicheren Bestimmung.

Nicht dem Menschen allein, auch vielen Gattungen von Tieren dringt das Gefühl ihres Zustandes gewisse Laute ab, die von verwandten Geschöpfen mit einer ähnlichen, oft fast ebenso starken Erschütterung der Nerven wie die, welche sie erzeugte, vernommen werden. Bei manchen bleibt die Stimme nur für die dringendste Not, für die heftigsten Leidenschaften aufgespart, und selbst ihre Geselligkeit ist meistens stumm. Anderen hingegen ist bei einer Organisation, die sich der menschlichen weit weniger nähert, zum Teil auch bei beschränkteren Anlagen und einem geringen Maße von Gelehrigkeit, der vielfachste, beredteste Ausdruck sogar der zarteren Regungen, und, wie es scheint, eine unermüdliche Lust an ihren eigenen Tönen gegönnt.

Wenn man den Menschen, bloß nach seiner körperlichen Zusammensetzung betrachtet, zu jenen rechnet (und dies hat allen Anschein für sich; denn zu unsrer Demütigung gleichen wir dem häßlichsten Affen viel mehr als der Nachtigall), so ist es allerdings einleuchtend, daß der Schrei körperlicher Schmerzen oder tierischer Begierden vom ersten Wimmern des Neugeborenen bis zum letzten Ächzen des Sterbenden, sich nie bis zur Rede erheben kann; und der Empfindung wird folglich mit Recht aller Anteil an ihrer Entstehung abgesprochen. Selbst die einfachen Ausrufe der Leidenschaft (Interjektionen), welche auch die verfeinertste Sprache noch gelten läßt, sind eigentlich nicht mehr jene unwillkürlich hervorgebrachten Laute selbst, sondern vertreten sie nur durch ihren gemilderten Ausdruck, und fließen also mit allen übrigen Wörtern aus der gemeinschaftlichen Quelle der Nachahmung her.

Dennoch ist es unleugbar, und wir erfahren es täglich, daß der Mensch ebensowohl für seine Empfindungen als für seine Gedanken Zeichen der Mitteilung hat; und zwar nicht allein für die, welche seinen Organen von außen durch eine körperliche Gewalt eingedrückt werden, sondern auch für solche, deren ihn bloß seine höhere Natur empfänglich macht, und wodurch der prometheische Funke in dem Stoffe, den er belebt, sich freitätig und herrschend beweist. Diese Zeichen bestehen im lebendigen Vortrage der Rede und in den Gebärden. Wenn anders alles, wodurch sich das Innere im äußeren offenbart, mit Recht Sprache heißt, so verdienen sie ebensosehr diesen Namen zu tragen als die Schätze des Wörterbuchs. Einige Gebärden sind nachahmend oder zeigen auch gleichsam auf die Gegenstände hin; manche Biegungen der Stimme dienen dazu, die Beziehung der Begriffe aufeinander deutlich, ihre größere oder geringere Wichtigkeit anschaulich zu machen; allein in den meisten redet das Gefühl, und zwar wendet es sich hierbei nicht an den Verstand als an den Ausleger seiner Äußerungen, sondern weiß sich unmittelbar mitzuteilen. Wenn wir zum Beispiel die Mienen eines Traurigen sehen und den Ton seiner Stimme hören, ohne die Worte zu verstehen; ist etwa erst ein Schluß nötig, um uns von seiner Gemütslage zu unterrichten? Oder wird nicht vielmehr durch die Eindrücke auf Auge und Ohr in unseren inneren Organen und dadurch in unserer Seele eine ähnliche Bewegung hervorgebracht? „Jede Regung", sagt ein alter Philosoph, „hat von Natur ihre Gebärde, Miene und Stimme: der ganze Körper des Menschen gleicht den Saiten einer Leier, welche, je nachdem die Seele sie rührt, verschiedene Töne angeben." Könnte man dies schöne Gleichnis nicht auch auf die Mitteilung der Gefühle anwenden und, um sie zu erklären, an jenes Gesetz der tönenden Körper erinnern, nach welchem gleichgestimmte Saiten, ohne sich sichtbar zu berühren, nur durch die erschütternde Luft ihre Bebungen gegenseitig bis zueinander fortpflanzen? Aber wie es auch zugehen mag: wohl uns, daß ein innigeres Band des Mitgefühls als der eigennützige Ideenhandel des Verstandes, das menschliche Geschlecht zu einem Ganzen verknüpft! Wir würden sonst mitten in der Gesellschaft einsam, im Leiden von aller Teilnahme verlassen, im Glücke selbst zu den toten Freuden des Egoismus verdammt sein.

Diese Sprache schränkt sich keineswegs bloß auf die stärksten Regungen oder eigentlichen Leidenschaften ein. Sie folgt mit ihrem Ausdrucke den unendlich verschiedenen Graden und Abstufungen der Empfindung, im weitesten Sinne des Wortes, für Wahrnehmung des eigenen Zustandes genommen; ja selbst die Gleichgültigkeit hat den ihrigen. Irgendeiner wird daher mit allen ausgesprochenen Gedanken

vernommen, und nur, indem wir ihnen durch das künstliche Hilfsmittel der Schrift eine Art von Fortdauer außer uns verschaffen, wird
es möglich, ihn ganz davon abzusondern. Sobald aber diese Zeichen
wieder durch die Stimme belebt werden sollen, so muß der Leser den
Ausdruck hinzubringen, mit welchem er vermuten kann, daß der
Urheber eines Gedankens ihn ausgesprochen hätte.

Weit entfernt, daß die Sprache der Gebärden, Mienen und Akzente
von irgendeiner Übereinkunft abhinge oder erst durch die Erziehung
erlernt würde, ist aller Zwang der Erziehung und des Wohlstandes
nicht imstande, sie je ganz zu unterdrücken oder, wo es an innerer
Empfänglichkeit fehlt, den Mangel im Äußeren vollkommen zu
ersetzen. Wie weit man es auch in der Herrschaft über die Bewegungen des Körpers und der Stimme bringen mag; einige Gefühle sind
dennoch zu stark, als daß man ihren Ausdruck völlig ersticken, andere zu heilig, als daß man ihn erheucheln könnte. Selbst wo die verstrickenden Verhältnisse der bürgerlichen Gesellschaft die Verstellung
zum täglichen Geschäfte machen, täuscht man sich nicht sonderlich,
weil der Scharfsinn im Unterscheiden mit der Geschicklichkeit im
Nachahmen immer im gleichen Grade zunimmt. Die Einfalt der
Natur ist als Schauspielerin dessen, was sie wirklich fühlt, der geübtesten Kunst überlegen, die eine fremde Rolle übernimmt.

Nicht wahr, meine Freundin, jetzt gewinnt die Lehre, welche, mit
Ausschließung der Nachahmung, die Empfindung zur einzigen Bild-
nerin der Sprache macht, ein ganz anderes Ansehen? Wir forschen
nach dem Ursprunge der Sprache; wir betrachten ihre jetzigen Bestandteile; wir finden darunter etwas, was so wenig der künstlichen
Verabredung oder dem Witze einzelner Menschen angehört, daß es
vielmehr durch alle von diesen herrührende Zusätze und Veränder-
rungen unfehlbar geschwächt und entstellt wird; das sich in seiner
größten Reinheit und Stärke gerade unter solchen Völkern findet,
deren Zustand sich am wenigsten von dem Ursprünglichen zu entfernen scheint, oder deren reiche und regsame Empfänglichkeit den
Wirkungen der feineren Ausbildung das Gegengewicht hält; etwas,
worin jedes Kind und jeder Wilde die Beredsamkeit eines Demosthe-
nes beschämt; wodurch endlich Menschen aus den entferntesten Zonen,
und würden sie wieder ins Leben gerufen, aus den entferntesten Jahrhunderten, einander mitteilen könnten, was in ihrem Inneren vorgeht.
Dürfen wir also noch anstehen, dies für die echte, ewige, allgemein
gültige Sprache des Menschengeschlechts anzuerkennen? Und ist sie

das: wie ließe sich noch zweifeln, daß sie in allen einzelnen und abgeleiteten Sprachen das Ursprüngliche ausmacht?

Nun scheint auch der Einwurf wegzufallen, der von dem Gegensatze zwischen tierischem Geschrei und artikulierter Rede hergenommen wird, indem man behauptet, der gänzliche Mangel an Verwandtschaft zwischen beiden mache einen Übergang unmöglich. Es ist wahr, die vierfüßigen Tiere schreien nur; aber die Vögel singen zum Teil; hier sehen wir also schon zwei ganz verschiedene Sprachen (ohne die vielen Dialekte der besonderen Tiergeschlechter zu rechnen), welche die Natur durch die verschiedene Einrichtung der Organe mit ähnlichen Empfindungen verknüpft hat. Wäre es denn so unwahrscheinlich, daß sie auch dem edelsten Tier eine ihm ausschließend eigene Sprache der Empfindung verliehen hätte? Jeder Mensch fängt freilich den Gebrauch seiner Stimme mit Schreien an, wenn wir nicht etwa jene Kinder der Chorasmier ausnehmen wollen, die nach der Erzählung eines morgenländischen Geschichtsschreibers[2] schon in der Wiege die musikalischen Anlagen des Volkes verraten, indem sie fast melodisch weinen. Allein, man würde sich sehr irren, wenn man von den ersten Übungen eines noch schwachen Organs einen ungünstigen Schluß auf das, wozu die Natur es im Zustande seiner völligen Entwicklung und Stärke bestimmt hat, herleiten wollte. Die Jungen der Nachtigall könnte man nach ihrem unbedeutenden Zwitschern mit Sperlingen verwechseln. Die Kinder lernen erst durch Nachahmung der Erwachsenen sprechen. Beweist dies, daß die dazu erforderliche Bewegung ihren Organen nicht von Natur eigen ist? Zeigt nicht vielmehr ihr früher Trieb dazu das Gegenteil? Ihre Fortschritte hierin sind im Vergleich mit denen, welche sie in jeder anderen Verrichtung machen, nicht vorzüglich langsam; ja, viele Kinder lernen die Zunge weit eher fertig bewegen als die Füße. Vielleicht findet auch bei Tieren eine Nachahmung der Alten durch die Jungen, bei manchen sogar eine Art von Unterricht statt. Einige Vögel scheinen ja ihre Kleinen fliegen zu lehren: warum nicht auch singen? Von der Nachtigall wirst du es dem Dichter und Musiker, die diesen Gedanken so bezaubernd ausgeführt haben[3], gewiß willig glauben, ohne auf die Bestätigung des Naturforschers zu warten. Zwar ist schöner Gesang dem Menschen nicht so angeboren wie diesem beneideten zarten Geschöpfe, das gleichsam ganz Kehle, ganz Wohllaut ist; aber die Stimme auf irgendeine Art singend zu biegen, ist auch den menschlichen Organen sehr natürlich, wie man es oft an Kindern beobachten kann. Die erste Sprache mag ein wüstes Gemisch von Geschrei und Gesang gewesen sein: und warum wäre es unmöglich, daß dieses nach und nach gemäßigt und herabgestimmt, durch viele Mittelstufen sich endlich in eine artikulierte Rede umgebildet hätte? Viele Sprachen der Wilden wurden von Reisenden noch sehr unartikuliert gefunden, so daß sie mit aller Mühe die gehörten Laute nicht nachsprechen, geschweige dann in unserer Schrift aufzeichnen konnten.

Wie nun? Wofür sollen wir uns im Gedränge zwischen diesen zwei entgegengesetzten Systemen entscheiden? Da wir nicht beide zugleich gelten lassen und doch weder das eine, noch das andere unbedingt verwerfen können, so müssen wir sie friedlich zu vereinigen suchen. Beide scheinen mir Teil an der Wahrheit zu haben, und nur darin unrichtig zu sein, daß sie ihr Grundgesetz des Ursprunges der Sprache als das einzige, mit Ausschließung des andern, behaupten. Die, welche alles auf die Ähnlichkeit der Zeichen mit den benannten Gegenständen, erst mit den hörbaren, dann durch entferntere Beziehungen zwischen den verschiedenen Sinnen auch mit anderen, zurückführen, schränken den der menschlichen Organisation eigenen Ausdruck der Empfindung willkürlich zu enge ein: denn Erfahrungen an Menschen in einem widernatürlichen Zustande, zum Beispiel an solchen, die unter Tieren verwilderten oder an Taubgeborenen, taugen zum Beweise ihrer Voraussetzung nicht. Die ausdrucksvolle Beweglichkeit der menschlichen Glieder, vorzüglich des Antlitzes, widerspricht ihr vielmehr. Gleicht der Mensch hierin einem vielbesaiteten, von Leidenschaften mannigfaltig gerührten Instrumente, indessen der tierischen Eingeschränktheit eine oder wenige Saiten genügen: warum nicht auch in den Tönen der Empfindung? Will man hingegen die Sprache ganz von diesen ableiten, so bleibt es unerklärlich, wie sie so unendlich hat erweitert und vervollkommt werden können. In der Empfänglichkeit des Menschen allein, wäre sie auch noch so vieles zarter und umfassender als in den übrigen Tieren, liegt kein unterscheidendes Kennzeichen seiner Natur. Er würde also, wie wir es an jenen sehen, mit den Vorzügen seiner Organismen durch alle Geschlechter hin beständig auf eben dem Punkte beharren, wäre ihm nicht eine selbsttätige Richtung derselben verliehen. Bei dem Eindruck der Gegenstände durch die Sinne auf die inneren Organe, und bei der Gegenwirkung dieser auf die äußeren verhält er sich bloß leidend: der Gebrauch einer ganz hierauf beruhenden Sprache würde folglich gar nicht von seinem Willen abhängen. Unser Liebling Hemsterhuis hat bei dem System, das er verteidigt[4], dieser Einwendung dadurch vorzubeugen gesucht, daß er bei der Sprache, als Werkzeug der Mitteilung betrachtet, die innere Sprache der Seele, das Vermögen, Vorstellungen durch Zeichen festzuhalten und zu erneuern, schon voraussetzt, und nur die Beschaffenheit der Mitteilungszeichen durch den notwendigen Zusammenhang zwischen den Bewegungen der inneren und äußeren Organe bestimmen läßt. Allein warum sollte die Selbsttätigkeit gerade hier stillstehen, da doch ihre Macht sich so viel weiter erstreckt? Wir wissen nur zu gut, daß ihr Einfluß den Ausdruck der Empfindungen eher verfälscht und stört als befördert. Aber Zeichen mit den Vorstellungen von Gegenständen außer uns, vorzüglich nach dem Gesetz der Ähnlichkeit, verknüpfen und sie dadurch auch in anderen erwecken, ist ihr eigentliches Geschäft: und wie sollte sie es bei der ersten Bildung der menschlichen Rede nicht ausgeübt haben?

Mehrere Philosophen sind zwar einen Mittelweg gegangen und haben zwei Quellen der Sprache anerkannt. Allein sie räumen dabei der Empfindung meistens zu wenig ein; bleiben bei den Interjektionen als dem einzigen, was ihr angehöre, stehen; und bemerken ganz richtig, daß diese nur im Zeitalter der rohen Sinnlichkeit, der ungezähmten Leidenschaft, eine bedeutende Rolle unter den Wörtern spielen konnten, sich aber mit dem Fortgange der Verfeinerung immer mehr verlieren müssen. Es ist wahr, jene mächtigen Eindrücke, welche auf einen Augenblick alle Vorstellungen verdunkeln, äußern sich nur in abgebrochenen Ausrufungen. Aber daß die Empfindung, insofern sie als Wahrnehmung des eigenen Zustandes jede Vorstellung von etwas außer uns notwendig begleitet, sowohl an dem Ursprunge als an der weiteren Ausbildung der Sprache, mit dem Bestreben, die Dinge nachahmend zu bezeichnen, einen gleich wesentlichen und allgemeinen Anteil habe, scheint mir durch alles bisherige ausgemacht. Freilich läßt sich ihr Werk nicht an einzelnen Worten darlegen; auch in der ganzen Masse einer Sprache ist sie nicht sichtbar vorhanden und gleichsam mit Händen zu greifen, ebensowenig, wie man den lebhaften Vortrag einer Rede in Schriftzüge würde auffassen können. Es ist eine geistige Gegenwart, wie die der Luft in so vielen von ihr durchdrungenen Körpern unsichtbar und belebend. Indessen will ich dir doch nachher, wann ich von dem sinnlich Schönen in den Sprachen reden werde, wenigstens flüchtig anzudeuten versuchen, wie dieses hauptsächlich von dem Reichtum und dem Charakter der Empfänglichkeit eines Volkes abhängt.

Nun zum Ursprunge der Poesie, worauf ich mit allen meinen Betrachtungen hinzielte. Historisch wissen wir davon ebensowenig als von der Entstehung der Sprache. Denn, obgleich die fabelnden Sagen einzelner Völker darüber vielleicht auf manchen wirklichen Umstand in ihrer frühesten Geschichte anspielen, so sind sie doch immer an ihre besondere Szene gebunden; und das wunderbare Altertum, wohin sie alles zurückschieben, ist jung neben dem Menschengeschlechte. Die erwachsene Muse mochte sich von ihrer Kindheit einiges dunkel erinnern: wie hätte sie es von dem ersten Augenblicke ihres Daseins gekonnt? Wir müssen uns also mit den allgemeinen Aufschlüssen begnügen, die uns die Lehre vom Ursprunge der Sprache geben kann. Aus der Beschaffenheit des Bodens, woraus der erste Keim der Poesie aufsproßte, läßt sich ungefähr vermuten, wie er gediehen sein mag. War die älteste Sprache wirklich das Werk jener beiden vereinigt wirkenden Anlagen der menschlichen Natur, denen wir sie zugeschrieben haben, so war sie auch zuverlässig ganz Bild und Gleichnis, ganz Akzent der Leidenschaften. Die sinnlichen Gegenstände lebten und bewegten sich in ihr, und das Herz bewegte sich mit allen. Dies ist es, was man so oft gesagt hat und was doch nur in einem gewissen Sinne wahr ist: Poesie und Musik sei vom Anfange an dagewesen und gleichalt mit der Sprache. Welch eine Poesie und welch eine Musik kann man sich hierbei denken? Beiden fehlte noch etwas, woran doch ihre ganze Entwicklung zu schönen Künsten hing, nämlich ein Gesetz der äußeren Form; und wie dieses gefunden worden, ist dadurch noch im geringsten nicht erklärt. Zwar brauchte nur einmal die Freiheit von äußeren Bedürfnissen und ungewöhnlich starke Regung der inneren Lebensfülle in einer Stunde zusammenzutreffen, so mischte sich die noch ungeübte rauhe Kehle des Menschen unter die übrigen Waldgesänge und stimmte den ersten Hymnus an. Allein wie kam eine gleichförmige Bewegung, ein Zeitmaß in seinen Gesang, oder (denn beides war ja ursprünglich eins) ein Rhythmus, sei er auch noch so unförmlich gewesen, in seine Worte? Mußten sie nicht vielmehr, den augenblicklich wechselnden Antrieben gemäß, regellos hinströmen? Und wie verfiel der freie Sohn der Natur darauf, dem Ungestüm seiner Phantasie und seiner Gefühle selbst irgendeinen Zügel anzulegen? – Das nächstemal will ich dies Rätsel zu lösen suchen.

Ein Kaiser von Sina, Namens Tscho-yong, welcher vor vielen Jahrtausenden lebte, hörte eines Tages auf einem Spaziergange (die Regierungsgeschäfte mochten ihm wohl einige Muße übrig lassen) ein Konzert der Vögel. Es gefiel ihm ungemein, er beschloß auch eins dergleichen anzustellen und erfand durch diese Veranlassung eine wunderwürdige und unwiderstehliche Musik, welche die Leidenschaften besänftigte, die unregelmäßigen Wallungen im menschlichen Körper hemmte und dadurch sogar das Leben verlängerte. Seitdem sind nun die Sineser, dank dem klugen und geschmackvollen Tscho-yong, im Besitz einer so vortrefflichen Kunst; und da es unhöflich sein würde, die Erfindungen eines Kaisers unvollkommen zu finden, so kann man sich leicht denken, daß sie nur weniges werden hinzugesetzt oder verändert haben. Vermutlich werden sie auch, wenn es dem Himmel gefällt, in alle Ewigkeit auf eben den Fuß zu musizieren fortfahren.

Verachte mir dies alberne Märchen nicht zu sehr, liebe Amalie. Vielleicht ist es recht passend für den Charakter der sinesischen Musik, deren Langweiligkeit leicht an die Langeweile eines Monarchen erinnern mag. Freilich wird darin nicht erwähnt, ob seine Majestät den Takt aus eigenem Belieben ersonnen; oder ob die Vögel in Sina zur Zeit Tscho-yongs, welcher der sechzehnte Fürst der neunten Periode war, taktmäßig gesungen haben; oder ob diese kaiserliche Musik ganz ohne Takt bestehen konnte. Allein ich habe in mehreren angeblich philosophischen Schriften, die von der Verwandtschaft der Poesie und Musik und von ihrem gemeinschaftlichen Ursprunge handeln, keinen besseren Aufschluß über die Erfindung des Zeitmaßes gefunden. Man nimmt darin den natürlichen Hang des Menschen, seine Gefühle durch Töne und Bewegungen des Körpers auszudrükken, für die einzige und hinreichende Grundlage des Gesanges und Tanzes an. Insofern man hierunter nichts weiter als starke leidenschaftliche Biegungen der Stimme und wilde Gebärden und Sprünge versteht (und nur zu solchen beseelt die bloße Empfindung), gehört die Vorstellung von einem Zeitmaße gar nicht dazu. Trägt man aber diese gleich mit in die Worte hinein, wie es ihr gewöhnlicher Gebrauch erfordert, so verwechselt man unwillkürlich die Bedeutungen und überspringt die eigentliche Schwierigkeit der Frage, indem man das als schon vorhanden voraussetzt, wovon die Entstehung erst erklärt werden soll.

Allerdings läßt sich eine Musik von Instrumenten ohne Takt gar nicht denken; auch die von Instrumenten begleitete Stimme ist durchaus an die Beobachtung desselben gebunden; aber wenn sie sich ganz allein hören läßt, so darf sie in diesem Stücke ihre natürliche Freiheit wieder geltend machen und darin auch neben dem künstlichen Reichtum musikalischer Zusammensetzung gefallen wollen. Du siehst, ich rede vom Rezitativ, das besonders in der italienischen Oper eine so schöne Stelle einnimmt und dem man doch den Namen eines Gesanges nicht versagen kann. Die Kennzeichen, woran das Ohr die singende Stimme von der redenden unterscheidet (auf welchem verschiedenen Spiel der Organe die Eigentümlichkeit beider auch beruhen möge), sind ein gewisses Schweben, das den Tönen Dauer verleiht; ihre Bestimmbarkeit in Ansehung der Höhe und Tiefe; und der Übergang von einem zum anderen nach bestimmbaren Zwischenräumen oder Stufen. Im Gesange der Nachtigall, bei welchem dies alles eintrifft und der so sehr Gesang ist, daß man versuchen konnte, ihn musikalisch aufzuzeichnen, bemerkt man nichts, was einem Zeitmaße gliche.

Dürfte man in der Geschichte der Entwicklung der menschlichen Fähigkeiten die Erfindung eines Instruments vor den ersten Übungen der Stimme im Gesange vorangehen lassen, so wäre dadurch die Schwierigkeit der Auflösung um vieles verringert, aber keineswegs ganz gehoben. Da musikalische Instrumente erst durch eine künstliche Nachahmung einigermaßen den Ausdruck der Empfindung erreichen können, welcher den Stimmen lebender Geschöpfe ursprünglich eigen ist, so kann ihre erste Anwendung keine andere sein als bloß das Ohr zu ergötzen. Dies vermögen sie durch einzelne Töne in keinem erheblichen Grade, und durch eine Folge derselben, nach unserem Urteile wenigstens, nicht anders, als wenn darin ein Gesetz des Zeitmaßes obwaltet. Es ist daher nicht fremd, daß der Mensch, wenn er sich einmal das Ergötzen zum Geschäft machte, mancherlei Versuche anstellte und gleichsam so lange herumtastete, bis er das Rechte traf. Indessen sind ungeübte, aber nach allem begierige Sinne äußerst leicht zu befriedigen. Das armselige Geklimper oder Geklingel bezaubert das Ohr eines Kindes oder eines Wilden, und ihr Entzücken über das schon Gefundene entfernt sie von dem Streben nach einer höheren, noch unbekannten Vollkommenheit. Vaillant[5] be-

schreibt sehr artig ein Konzert seiner Hottentotten: er hatte ihnen
Maultrommeln und andere dergleichen Instrumente ausgeteilt; nun
spielten sie ohne allen Takt auf das betäubendste durcheinander und
fanden dennoch ein unbeschreibliches Vergnügen daran. Doch wir
brauchen so weit nicht zu suchen: wie lärmen unsere Knaben nach
einem Jahrmarkte mit ihren neuen Trommeln, Pfeifen oder Geigen
durch die Gassen! Und scheinen sie bei dieser musikalischen Ergötzlichkeit wohl im geringsten das Bedürfnis des Taktes zu fühlen?

Der Schriftsteller, bei dem ich das obige Märchen angeführt sah,
nimmt es so, als ob demselben zufolge in Sina die Instrumentalmusik
früher erfunden wäre als der Gesang. Mir scheint es nicht ausdrücklich der Vorstellung zu widersprechen, der Kaiser habe sein menschliches Vögelkonzert bloß durch Singstimmen zustande gebracht.
Allein, gesetzt auch, das Gegenteil würde deutlich gemeldet, so muß
das Ansehen einer Sage immer durch die innere Wahrscheinlichkeit
der Begebenheiten unterstützt werden und kann gegen sie nichts gelten. Die Vermutung, daß die Menschen, als Spiel und Gesang schon
durch viele Fortschritte zu einer üblichen Unterhaltung geworden und
ihr Ohr für musikalischen Genuß mehr gebildet war, eine beschä-
mende Vergleichung zwischen dem lieblichen Klange einiger Vogel-
stimmen und der Rauhigkeit ihrer eigenen angestellt und sich bemüht haben, jene nachzuahmen: diese Vermutung möchte ich nicht
verwerfen. Dagegen wissen wir historisch, daß die meisten Völker nie
eine eigentliche, das heißt ohne Gesang für sich bestehende Instrumentalmusik gekannt haben und daß diese, wo sie etwa eingeführt
ward, zu den späten, schwächenden Verfeinerungen der Kunst gehörte. Das Werkzeug des Gesanges bringt der Mensch mit auf die
Welt, es begleitet ihn in jedem Augenblicke seines Lebens, und die
Antriebe des Gefühls setzen es früh auf mannigfaltige Weise in Bewegung: die ersten unförmlichen Lieder mußten daher ohne Absicht,
fast ohne Bewußtsein entstehen. Aber der Gebrauch eines äußeren
Werkzeugs, wäre es auch nur ein gespaltenes Bambusrohr zur Begleitung des Gesanges, erfordert Überlegung, Benutzung der Natur, die
nichts ohne Zubereitung dazu Taugliches darbietet, ja sogar einige
Beobachtungen über die Gesetze des Schalls. So bewunderungswürdig
schienen auch der Vorwelt solche Erfindungen, daß nach der griechischen Sage nur der sinnreichste aller Götter den Einfall haben konnte,
einige Schafsdärme über eine Schildkrötenschale zu spannen.

Aber wie, so hast du mir vielleicht schon vorhin eingewandt, schreibt nicht die Beschaffenheit der Empfindung selbst den Bewegungen einen gewissen Takt vor? Hüpft nicht die Freude mit raschem, schleicht nicht die Traurigkeit mit gedehntem Tritt? Und verhält es sich nicht ebenso mit schnellen und langsamen Tonfolgen? Um diesen Zweifel aufzuklären, denke dir eine Reihe von gleich lange dauernden, oder in gleichen Zeiträumen aufeinanderfolgenden Schällen; zum Beispiel den Schlag des Pulses, das Ticken einer Uhr, das Läuten einer Glocke. Du siehst, alles dies kann uns durchaus keine andere Vorstellung als die von Schnelle und Langsamkeit geben und hat nicht die entfernteste Beziehung auf den Charakter verschiedener Empfindungen. Sobald hingegen Rhythmus entsteht, das heißt sobald Abwechslung in die Dauer der einzelnen Eindrücke gebracht und Längen mit Kürzen gemischt werden, so kann eine solche Tonfolge auch ohne Hilfe der Modulation schon einigen Einfluß auf unser Gemüt haben, es erwecken oder beruhigen. Bemerke ferner, daß wir aus dem langsameren oder schnelleren Zeitmaße der Schritte eines Menschen an sich nichts weiter erfahren als den Grad seiner Eile, nach einem gewissen Ziele zu gelangen; seine Gemütslage verrät sich erst durch andere hinzukommende Bewegungen, die zwar mit dem Gange übereinstimmen, aber doch nicht bloß durch die Art der Folge, sondern jede für sich betrachtet, bedeutend sind. Überhaupt muß eine Leidenschaft schon bis zur Stimmung, zum fortwährenden Zustande der Seele gemildert sein, wenn ein gewisses Ebenmaß in ihrem Ausdrucke stattfinden soll. Denn was uns am stärksten erschüttert, hat am wenigsten Bestand, und deswegen äußern sich in der Natur die lebhaftesten Gefühle in stürmischen, völlig unregelmäßigen Folgen von Bewegungen und Tönen. Führt dies nicht auf die Folgerung, daß also in beiden nicht das Abgemessene, das gleichförmig Wiederkehrende, sondern das Abwechselnde, die Übergänge von einem zum andern der Empfindung entsprechen und sie wieder erregen?

Und doch, wirst du sagen, ist es so fühlbar, daß der jeder Melodie angemessene Takt die Seele derselben ist. Das ist er allerdings: allein erinnere dich, wir sind hier schon im Gebiete der Kunst, die nicht bei unmittelbarer Nachahmung der Natur stehenbleibt, sondern durch eine Art von Erdichtung sich ihr wieder nähert. Ein zusammengesetztes Gefühl, welches die Seele aber doch auf einmal fassen kann, entfaltet der Musiker nach der feinsten Eigentümlichkeit desselben in einer melodischen Folge von Tönen und legt durch das bestimmte Verhältnis ihres Fortschrittes dem fliehenden Augenblick gleichsam

Fesseln an; oder man kann auch sagen, er bildet aus Empfindungen ein geordnetes Ganzes, was sie eigentlich in der Wirklichkeit niemals sind. Das Silbenmaß kann in der Poesie etwas Ähnliches leisten: aber welche geübte, besonnene Empfänglichkeit gehört dazu, solch eine Wirkung nur wahrzunehmen, geschweige denn, sie selbst hervorbringen zu wollen! Wir müssen uns wohl hüten, den schönen Gebrauch einer Erfindung mit dem, was sie zuerst veranlaßte, zu verwechseln.

Ein Schriftsteller, der glücklicher darin war, Geheimnisse in die Gegenstände seiner Nachforschungen hineinzulegen als die darin liegenden zu lösen, oder der dies wenigstens gern auf eine geheimnisvolle Art tat, dem es eine allzu reizbare Organisation schwer machen mußte, das wirklich Wahrgenommene vom Eingebildeten zu scheiden, findet den Ursprung des Zeitmaßes im Tanze und Gesange darin, daß den körperlichen Bewegungen und den ausgesprochenen oder gesungenen Worten, wozu bloß Leidenschaft den Menschen drängt, ein äußerer Zweck mangelt. Der gewöhnliche Gang, sagt er, hat zur Absicht, irgendwohin zu führen; die gewöhnliche Rede, uns anderen verständlich zu machen. Da beim Tanze und Gesange solch ein äußeres Bedürfnis ganz wegfällt und folglich diese Handlungen um ihrer selbst willen vorgenommen werden, etwas an sich ganz Zweckloses aber uns kein Vergnügen gewähren kann, so strebt die Seele unwillkürlich danach, sich einen Grund angeben zu können, warum sie jedesmal die Bewegungen und Töne so oder so aufeinander folgen lasse. Dies erlangt sie nun durch ein inneres Gesetz, ein Maß ihrer Folge. Indessen strebte sie vielleicht lange vergeblich, bis etwa zufälligerweise diese Abwechslung langsamerer und schnellerer Bewegungen mehrere Male aufeinander folgte. Dies immer in gleicher Ordnung Wiederkehrende fesselte die Aufmerksamkeit, prägte sich dem Gedächtnisse ein, ward bewundert, nachgeahmt und allmählich zum künstlichen, regelmäßigen Tanze, oder in Ansehung der Poesie zum künstlichen, regelmäßigen Versbau gebildet.

Ich habe dir diese Erklärung umständlich angeführt, weil sie in einem sonst schätzbaren Buche, nämlich der *Deutschen Prosodie* von Moritz [6], steht; denn freilich ist sie zu luftig, als daß sie uns lange aufhalten dürfte. Die Redensart „zufälligerweise" gebraucht der Verfasser mehrmals, und das ist schon ein übles Zeichen. Erlaubt man es sich einmal bei einer, wenn ich so sagen darf, dem ganzen Menschengeschlechte gemeinschaftlichen Erfindung, den Zufall zu Hilfe zu rufen, so kann man sich die Mühe dieser und aller ähnlichen Untersuchungen ersparen und jenem blinden Gotte die Entwicklung der menschlichen Fähigkeiten überhaupt anvertrauen. Wäre der Satz wahr, daß nichts Zweckloses uns Vergnügen gewähren könne, so müßte man entweder behaupten, kein bloß sinnlicher Genuß reichte über die Befriedigung des Bedürfnisses hinaus oder man müßte dem Worte „Zweck" eine höchst seltsame Ausdehnung geben. In dem gebräuchlichen Sinne sind Zwecke bloß Sache des Verstandes; folglich handelt nur der gebildete Mensch nach ihnen, und auch dieser nicht, sobald Leidenschaften seinen Verstand ganz übermeistern. Dies ist in der kindischen Seele des unerzogenen Natursohns unaufhörlich der Fall: er ist daher der Gewalt jedes dunklen Antriebes hingegeben. Eine lebhafte Regung nötigt ihn, ohne allen weiteren Zweck, sie in Gebärden und Tönen auszudrücken; aber wird wohl jemand noch nach einem Zwecke fragen, wo ein dringendes Bedürfnis befriedigt wird? Nähme man indessen auch an, die Erfindung des Taktes gehöre erst in die Zeiten, wo durch Gesang und Tanz nicht mehr eigene und gegenwärtige Leidenschaft ausgedrückt, sondern fremde oder vormalige zur Ergötzung nachgeahmt wurde, so ist ja doch Genuß des Daseins der Mittelpunkt aller Zwecke, und was unmittelbar dazu dient, steht in ihrer Rangordnung obenan. Wenn also die wahrste Nachahmung, die gewiß als solche kein Zeitmaß beobachtete, wie aus der Natur die Leidenschaften erhellt, schon an sich ergötzen mußte, so war ja nichts Zweckloses darin.

Ferner begreife ich nicht, wie Moritz den Zweck der Rede darauf einschränken kann, daß man sich verständlich machen will. Soll sie nicht noch in Zeiten der Verfeinerung, sollte sie nicht um so viel mehr, je näher die Sprache ihrem Ursprunge war, Teilnahme an den Empfindungen des Redenden erregen? Und sollten dies nicht gleichfalls die ältesten Lieder, wofern man nicht etwa annimmt, ihre Urheber haben sie nur sich selbst vorgesungen? Endlich ist das Fortschreiten von einem Orte zum anderen, worauf hier die Vergleichung des Tanzes mit dem Gange sich gründet, ein durchaus unwesentlicher Umstand. Es gibt sehr beliebte Tänze, bei denen man seine Stelle gar nicht verläßt; ja auf den freundschaftlichen Inseln im Südmeer sah man dergleichen, wobei nicht einmal die Füße wechselweise gehoben wurden. Der Tanz hat freilich kein bestimmtes Ziel der Bewegungen wie der Gang, aber die ausdrucksvollen Gebärden, aus denen er mit Hinzufügung eines Taktes entstanden ist, haben es ebensowenig.

Es fehlt so viel, daß die Rede, sobald sie sich in die Form eines

Gesanges fügt, dem Dienste eines äußeren Zweckes entzogen würde, daß Poesie vielmehr in den frühesten Zeiten nicht nur als Angelegenheit betrieben wurde, sondern auch an allen Angelegenheiten des Lebens den wichtigsten Anteil hatte; und daß sich bei einigen, zum Beispiel beim Gottesdienste, die uralte Sitte sogar bis auf uns fortgepflanzt hat. In Liedern wurden von jeher die Götter angefleht und gepriesen; in Liedern die Toten betrauert; Lieder bereiteten die Krieger zum Kampfe vor. Bei Völkern, die schon längst in vielen Hinsichten gesittet heißen konnten, wurden die Gesetze noch als Lieder abgefaßt und gesungen. Die Araber haben im Tempel zu Mekka zwei Liedern einen unsterblichen Platz angewiesen, wodurch die Abgesandten zweier Stämme im Namen derselben ein Bündnis feierlich besiegelten. Der eine von ihnen, Hareth Ben Helsa, ließ, auf seinen Bogen gelehnt, die Eingebungen des Augenblicks im höchsten Feuer der Begeisterung hinströmen. Sowohl auf den Inseln des Südmeers als in anderen Gegenden wurden die europäischen Weltumsegler von den Eingeborenen mit abgemessenem Gesange bewillkommt. Durch stolze Lieder bietet der amerikanische Wilde mitten in der Todesqual seinen Feinden Trotz. Es ist daher auch nichts Unglaubliches in der Sage, daß die nordischen Helden oft mit Liedern, in denen sie ihre eigenen Taten verherrlichten, vom Leben Abschied nahmen. Du kennst vielleicht den Gesang, womit Regner Lodbrog, der dänische König, lächelnd im Kerker starb. Ein anderer Held, Hallmund genannt, dichtete, tödlich verwundet, ein Lied von ähnlichem Inhalt und hieß seine Tochter es aufbewahren. Solche Gedichte waren kein Gedicht: die Poesie, welche diese Männer im Leben und Tode begleitete, war ihr heiliger Ernst, ihre lebendige Wahrheit.

Wüßte man nicht historisch das Gegenteil, so könnte man leicht auf den Gedanken geraten, das Zeitmaß gehöre unter die späteren Erfindungen; der Gesang habe, so lange nur wirkliche Leidenschaft ihn eingab, in dithyrambischer Freiheit geschwärmt, und erst als er zum ergötzenden Spiele geworden, habe man den Mangel jenes ursprünglichen Nachdrucks durch einen kunstmäßigen Reiz zu ersetzen gesucht. Aber die Beobachter wilder Völker rühmen einstimmig die bewundernswürdige Genauigkeit im Takt, womit sie ihre Gesänge und Tänze aufführten. Selbst die kannibalischen Schlachtlieder der Neuseeländer, wobei die furchtbarste Wut ihre Augen verdreht und alle ihre Gesichtszüge verzerrt, werden vollkommen taktmäßig gesungen.

Wenn man also nicht annehmen kann, der ordnende Geist sei es, der sich durch Regelmäßigkeit in den Ausbrüchen der ungestümen Leidenschaften herrschend beweise; wenn ferner die, besonders in kindischen Seelen, so unsteten und rasch wechselnden Gefühle nichts Abgemessenes an sich haben; so müssen wir uns nach einem anderen Grunde dieser Erscheinung umsehen, und diejenige Art, sie zu erklären, wobei man der besonnenen Absicht am wenigsten einräumt, wird die Vorstellung von dem Zeitraume, welcher den übrigen zum einer Vergleichung beruht, ein Geschäft der denkenden Kraft in uns zu sein. Körperliche Gegenstände, die man nach ihrer Ausdehnung gegeneinander messen will, hat man oft zugleich vor Augen; aber in einer Zeitfolge ist kein Teil mit dem anderen zugleich vorhanden; die Vorstellungen von dem Zeitraume, welcher den übrigen zum Maßstabe dienen soll, muß folglich im Gedächtnisse festgehalten werden. Überdies ist die Wahrnehmung von der Dauer der Zeit sehr abhängig von der Beschaffenheit und Menge der sie ausfüllenden Eindrücke. Man sollte also denken, es müsse für die Seele höchst schwierig sein, den Vergleich nur einigermaßen genau anzustellen, und dennoch fühlen wir die Leichtigkeit, womit wir Bewegungen nach einem Zeitmaße vornehmen. Dies führt natürlich auf den Schluß, daß wir dieselbe nicht sowohl der Seele als dem Körper verdanken, daß sie mit einem Worte bloß mechanisch ist. Unser Körper ist ein belebtes Uhrwerk; ohne unser Zutun gehen in ihm unaufhörlich mancherlei Bewegungen, zum Beispiele das Herzklopfen, das Atemholen, und zwar in gleichen Zeiträumen vor, so daß jede Abweichung von diesem regelmäßigen Gange irgendeine Unordnung in der Maschine anzuzeigen pflegt. Auch bei anderen Bewegungen, die von unserem Willen abhängen, geraten wir leicht, vorzüglich wenn wir sie anhaltend wiederholen, von selbst und ohne es zu wissen, in ein gewisses Zeitmaß. Nehmen wir mehrerlei solche Handlungen zugleich vor, zum Beispiel Gehen und Sprechen, so richtet sich die Geschwindigkeit der einen gewöhnlich nach der anderen, wenn wir nicht etwa vorsätzlich die Übereinstimmung zwischen ihnen aufheben wollen. Ebenso setzen sich mehrere Menschen bei gemeinschaftlichen Arbeiten ohne Absicht oder Verabredung in eine gleichmäßige Bewegung. Freilich kommt alsdann der Umstand hinzu, daß man einander sonst mit den Werkzeugen, zum Beispiel beim Rudern, Dreschen, Mähen hinderlich sein würde; aber auch wer ganz allein angreifende Arbeiten der Art verrichtet, wird, sobald er darin geübt ist, ohne besondere Aufmerksamkeit einen Takt beobachten. Gleichmäßig wiederholte Bewegungen erschöpfen am wenigsten: das Wohltätige davon für den Körper muß sich leicht fühlen.

Daß die Seele sich mehr leidend als durch Vergleichen und Urteilen tätig beweise, indem eine Folge von Zeiten sich, wenn ich so sagen darf, von selbst an der Organisation abmißt, wird dadurch noch wahrscheinlicher, daß auch mehrere Arten von Tieren an Beobachtung des Taktes in ihren Bewegungen, einige Vögel sogar in ihrem Gesange gewöhnt werden können. Auch das scheint diese Vermutung zu bestätigen, daß wir nur innerhalb eines gewissen Kreises Zeitmaße genau und sicher wahrnehmen und daß wir dabei eben auf solche Grade der Geschwindigkeit oder Langsamkeit eingeschränkt sind, die mit dem fühlbaren Zeitmaß der Bewegungen im Körper in einem nahen Verhältnisse stehen. Bei einer sehr schnellen Folge ist dies weniger zu verwundern. Die Eindrücke vermischen sich untereinander, so daß eine große Menge derselben in die Vorstellung von einem einzigen zusammengedrängt wird, wie wir zum Beispiel nach der verschiedenen Anzahl der Bebungen einer Saite in einer gegebenen Zeit nur einen einzigen höheren oder tieferen Ton vernehmen. Wir brauchen nur an die Schnelligkeit zu denken, womit sich Schall und Licht durch unermeßliche Räume fortpflanzen, um überzeugt zu sein, daß dasjenige, was uns wie ein einziger unteilbarer Augenblick vorkommt, eine sehr zusammengesetzte Masse von Zeiten ist. Aber wie käme es, daß bei einer sehr langsamen Folge, wo wir doch um so mehr Muße haben, die einzelnen Zeiträume zu unterscheiden, die Wahrnehmung von ihrer Gleichheit oder Ungleichheit sich ebenfalls verliert, wenn sie nicht auf Verhältnissen zu unserer Organisation beruhte? Man lasse eine Glocke alle Minuten einmal schlagen: niemand wird auch mit dem geübtesten Ohre entscheiden können, ob die Zwischenräume sich immer gleich sind, er müßte sie denn etwa durch ein körperliches Hilfsmittel einteilen und die Anzahl der Teile in jedem miteinander vergleichen.

„Die Vorstellung vom Zeitmaße", sagt Hemsterhuis, „ist vielleicht die erste von allen unseren Vorstellungen und geht sogar der Geburt voran; denn es scheint, daß wir sie einzig den aufeinander folgenden Wallungen des Blutes in der Nachbarschaft des Ohres verdanken."

Es ließe sich hierbei fragen, ob die Fähigkeit, Zeiten zu messen, unter unseren Organen dem Ohre ausschließend gehöre; ob die Wallungen des Blutes in seiner Nähe, auch bei der größten äußeren Stille, wirklich hörbar sein können; wie früh Vorstellungen ohne Bewußtsein in uns wirksam zu werden anfangen und dergleichen mehr. Du siehst, eine gründliche Erörterung jenes Satzes würde uns in Labyrinthe der Physiologie und Psychologie führen. Es ist mir indessen lieb, mich wenigstens insoweit mit Hemsterhuis auf einem Wege zu finden, daß er die Anlage zum Takte auch für körperlich hält und annimmt, nur die Regelmäßigkeit gewisser Bewegungen in unserer Organisation mache sie zum tauglichen Werkzeuge der Zeitmessung.

Zwar ist auf diese Art noch nicht erklärt, wie die Menschen darauf fallen konnten, die fremdartige Vorstellung vom Takt auf den Ausdruck durch Gebärden und Töne anzuwenden; doch ist die Auflösung, die ich jetzt deiner Prüfung übergeben will, dadurch vorbereitet.

Je mehr der Mensch noch ganz in den Sinnen lebt, desto mächtiger sind seine Leidenschaften. Zwar eröffnet ihnen die Entwicklung des Verstandes und die Vervollkommnung der geselligen Künste eine Welt von vorher unbekannten Gegenständen; aber eben dadurch, daß der Kreis ihrer Wirksamkeit sich erweitert, muß ihr blindes Ungestüm gemäßigt werden. Hierzu kommt die tausendfache Abhängigkeit von Verhältnissen, die dem verfeinerten Menschen bei ihrer Befriedigung im Wege stehen. Ein Zögling des Anstandes, hat er schon früh gelernt, ihre Ausbrüche zu ersticken und Gleichgewicht in seinem Betragen zu erhalten. Der rohen Einfalt hingegen scheint alles anständig, was die Natur fordert. Noch unbekannt mit den Anreizungen erkünstelter Verderbnis läßt sie sich nur von natürlichen Trieben, aber von diesen auch unumschränkt beherrschen. Wie eine Krankheit in einem gesunden Körper um so heftiger wütet, je größeren Überfluß an Lebenskräften sie vorfindet, so ist es auch mit den Leidenschaften: die gewaltsamsten Zustände, worein sie den künstlich erzogenen Menschen versetzen, scheinen neben ihrer ausschweifenden Unbändigkeit in der Seele des freien und kräftigen Wilden nur ein besonnener Rausch zu sein. Sei es nun Freude oder Betrübnis, was sich seiner bemächtigt, so würden die aufgeregten Lebensgeister ihre Gewalt nach innen zuwenden und seine ganze Zusammensetzung zerrütten, wenn er ihnen nicht durch den heftigsten Ausdruck in Worten, Ausrufungen und Gebärden Luft machte. Er folgt der Anforderung eines so dringenden Bedürfnisses; durch jede äußere Verkündigung der Leidenschaft fühlt er sich eines Teils ihrer Bürde entledigt und hält daher instinktmäßig Stunden, ja tagelang mit Jauchzen oder Wehklagen an, bis sich der Aufruhr in seinem Inneren allmählich gelegt hat. Bei schmerzlichen Gemütsbewegungen werden sogar körperliche Verletzungen für nichts geachtet, wenn sich die Seele dadurch nur die Linderung verschaffen kann, sie auszulassen. Hierin liegt unstreitig der Grund jener so vielen Völkern gemeinschaftlichen Sitte, beim Trauern über die Toten sich Wangen und Brust mit den Nägeln oder anderen scharfen Werkzeugen zu zerfetzen, wenn auch nachher ein bloß äußerlicher Gebrauch oder eine Pflicht daraus wurde.

Freude ist zwar der wohltätigste Affekt für den Körper; allein ihr sinnloser Taumel kann doch bis zu einer erschöpfenden Verschwendung der unaufhaltsam überströmenden Lebensfülle gehen. Selbst Jubeln und Springen, so ausgelassen und anhaltend, wie es der wilde Natursohn treibt, wird zu einer Art von Arbeit. Dennoch, wie ermüdet auch der Körper sich fühlen möge, reißt ihn die Seele mit sich fort und gönnt ihm keine Ruhe. So leitete den Menschen dann der Instinkt oder, wenn man lieber will, eine dunkle Wahrnehmung auf das Mittel, sich dem berauschendsten Genuß ohne abmattende Anstrengung lange und ununterbrochen hingeben zu können. Unvermerkt gewöhnten sich die Füße nach einem Zeitmaße zu hüpfen, wie es ihnen etwa der rasche Umlauf des Blutes, die Schläge des hüpfenden Herzens angaben; nach einem natürlichen Gesetze der Organisation mußten sich die übrigen Gebärden, auch die Bewegungen der Stimme in ihrem Gange danach richten; und durch diese ungesuchte Übereinstimmung kam der Takt in den wilden Jubelgesang, der anfangs vielleicht nur aus wenigen oft wiederholten Ausrufungen bestand.

Hatte man erst einmal das Wohltätige dieses Zügels gefühlt, woran die Natur selbst die ungestüme Seele lenkte, ohne daß sie sich eines Zwanges bewußt geworden wäre, so ist es nicht wunderbar, daß auch andere Leidenschaften sich willig ihn anlegen ließen. Wenngleich die Betrübnis nicht zu so raschen Bewegungen hinreißt wie die Freude, so führt sie dagegen auch gar keinen Ersatz für ihre zerrüttenden Wirkungen mit sich. Tagelang Jammern ist noch weit angreifender für den Körper als tagelang Jauchzen; und doch konnte das ganz von seinem Verluste überwältigte Gemüt diese einzige Linderung nicht entbehren; es weidete sich, wie Homer es ausdrückt, an der verzehrenden Wehklage. Indem diese, vom Zeitmaße gefesselt, in Melodie übergeht, ist sie schon nicht ganz trostlos mehr: der erquickende mildernde Einfluß wird von den Sinnen der Seele mitgeteilt.

Wenn jemand unter uns den Tod eines Angehörigen mit Gesang

betrauerte, so würden wir entweder glauben, es sei ihm kein Ernst damit, oder er sei wenigstens schon getröstet und erneuere seinen Schmerz nur in der Erinnerung. Dieselbe Handlung unter einem noch ungebildeten, sinnlichen Volke ebenso zu beurteilen, würde sehr gewagt und wahrscheinlich irrig sein. Den trojanischen Frauen war es gewiß ernst mit dem Wehklagen um Hektors Leiche, denn sie sahen verzweifelnd ihren eigenen Untergang vor sich. Dennoch waren Sänger bestellt, um ihnen dabei mit der Stimme vorzugehen. Gehörte dies auch in den Zeiten, welche Homer schildert, schon zu den feierlichen Gebräuchen der Trauer, so deutet es doch auf einen natürlichen Ursprung hin. Als Cook auf seiner dritten Reise Neuseeland verließ, so befiel zwei daselbst einheimische Knaben, die er mitgenommen hatte, eine tödliche Schwermut. Sie weinten und klagten unaufhörlich viele Tage lang, und drückten besonders ihren Schmerz durch ein Lied aus, worin sie, so viel man verstand, ihr nun für immer verlorenes Vaterland priesen. An eine hergebrachte Sitte läßt sich hierbei nicht denken, und da dies Lied sich auf eine ganz ungewöhnliche Lage bezog, so muß man vermuten, daß die jungen Wilden es nicht aus dem Gedächtnisse gesungen, sondern daß sie es mitten in ihrer tiefsten Bekümmernis gedichtet haben. Es würde nicht schwer sein, ähnliche Beispiele zu häufen.

Was ich von der Freude und der Betrübnis gesagt, wirst du, wenn meine Vermutung dir anders Genüge leistet, leicht auf die übrigen Leidenschaften anwenden. Die Seele, von der Natur allein erzogen und keine Fesseln gewohnt, forderte Freiheit in ihrer äußeren Verkündigung; der Körper bedurfte, um nicht der anhaltenden Heftigkeit derselben zu unterliegen, ein Maß, worauf seine innere Einrichtung ihn fühlbar leitete. Ein geordneter Rhythmus der Bewegungen und Töne vereinigte beides, und darin lag ursprünglich seine wohltätige Zaubermacht. So wäre es denn erklärt, was uns sonst so äußerst fremd dünkt, wie etwas, das uns, die wir so vieles bedürfen, entbehrlicher Überfluß oder höchstens ein angenehmer geselliger Luxus scheint, Tanz und Gesang, für den beschränkten, einfältigen Wilden unter die ersten Notwendigkeiten des Lebens gehören kann.

Vierter Brief

Mit der Erfindung des Zeitmaßes treten wir sogleich in ein ganz anderes Gebiet hinüber. Was man vor derselben mit den Namen Gesang und Tanz geehrt hat, ist nichts dem Menschen ausschließend Eigentümliches; wenn er sich darin vor anderen lebenden Geschöpfen auszeichnet, so ist es nicht der Art, sondern höchstens dem Grade nach; und der Unterschied hat seinen Grund bloß in der Verschiedenheit seiner Organisation von anderen tierischen. Die Fähigkeit, sich selbst zu bewegen, hebt auf der Grenze an, wo das Pflanzenreich sich in das Tierreich verliert. Alle Bewegungen des Lebendigen sind aber von zweifacher Art: entweder verursacht sie eine Begierde oder das Gegenteil derselben (wir haben kein schickliches Wort dafür, wo bloß von tierischer Natur die Rede ist: in die Ausdrücke „Abneigung, Verabscheuung" ist schon zu viel Menschliches hineingetragen) oder Schmerz und Vergnügen drückt sich in ihnen aus. Sie lassen sich nicht weniger leicht unterscheiden, wenn sie auch, wie häufig geschieht, in demselben Augenblicke zusammentreffen. Jene haben eine bestimmte Richtung zu einem Gegenstande hin oder davon hinweg: etwas Äußeres hat also auch nach Erregung der Begierde oder ihres Gegenteils Einfluß darauf. Man kann sie mit den Bewegungen lebloser Körper vergleichen, welche durch Kräfte des Anziehens und Zurückstoßens bewirkt werden. Diese hingegen erfolgen, wenn einmal ein gewisser Zustand des Schmerzes oder des Vergnügens da ist, ganz nach inneren Gesetzen des körperlichen Baues. Sie haben kein äußeres Ziel, aber einen gemeinschaftlichen Mittelpunkt, wovon sie ausgehen, nämlich das nach außen hin wirkende Leben. Durch jene wird Befriedigung der Bedürfnisse und Vermeidung dessen betrieben, was Zerstörung droht oder zu drohen scheint; das Tier verrichtet dadurch die zur Erhaltung seines Daseins notwendigen Geschäfte. In diesen offenbaren sich seine Zustände, ohne daß es dabei auf Veränderung derselben abgesehen wäre. Sind sie schmerzlich, so haben die dadurch hervorgebrachten Äußerungen immer das Ansehen von etwas unwillkürlich Erpreßtem, wie sie es denn auch wirklich sind, weil kein Tier sich darein ergibt zu leiden, außer wenn es innerer Zerrüttung oder äußerer Gewalt durchaus nicht entfliehen kann. Die Bewegungen, welche aus Gefühlen des Wohlseins und einem Überfluße an Lebenskraft entspringen, sind zwar ebensosehr ein bloßes Spiel der Organe und hängen von körperlichen Reizen ab, die unwiderstehlich auf die Muskeln wirken; aber sie schmeicheln uns mit einem täuschenden Schein von Freiheit, und es gibt nichts in der tierischen Welt, was dem menschlichen Genuß des Daseins so ähnlich wäre. Der Hund begrüßt seinen Herrn, den er nach einiger Abwesenheit wiedersieht, durch tausend lebhafte Sprünge; das

Füllen jagt sich mutwillig wiehernd auf der Weide herum; selbst das träge Rind, wenn es nach langem Aufenthalte in den Winterställen zum erstenmal wieder Frühlingsluft wittert, wird zu ungeschickt ausgelassenen Bewegungen, zu einem freudigen Brüllen erweckt. Was liegt wohl im Freudensprunge, im Jubelschrei des Wilden, so lange in beiden noch die ursprüngliche Regellosigkeit mit ihrem ganzen Ungestüm herrscht, das ein höheres Leben verriet als das, welches er mit jenen Geschöpfen teilt? Ja es gibt Tiere, deren Organisation sich noch viel weiter von der unsrigen entfernt, denen aber die Natur, weil sie nicht, wie wir, am Erdboden haften sollten, sondern für ein leichteres Element bestimmt waren, eine uns versagte behende und unermüdete Beweglichkeit verliehen hat, welche weit seltner ihren leicht befriedigten Bedürfnissen zu dienen, als ihnen an sich selbst ein feineres Ergötzen zu gewähren scheint. Von den Mücken, wenn sie in der Abendsonne spielen, sagen wir, sie tanzen; und das freie Umhergaukeln des Schmetterlings ist oft beneidet und zum Sinnbilde eines erhöhten Daseins erwählt worden.

Ebenso verhält es sich mit dem Gebrauch der Stimme. Die meisten tierischen Laute gehören wohl zu den Bewegungen der zweiten Art, welche einen Zustand verkündigen, nicht zu jenen, wodurch etwas erreicht oder vermieden werden soll. Zwar scheinen sich manche Tiere allerlei dadurch zu verstehen zu geben, einander herbeizurufen, ja ganze Unterredungen zu halten. Indessen könnte man, ohne sich gerade, wie jener morgenländische Weise, dafür auszugeben, man wisse die Sprache der Vögel zu deuten, doch wohl unternehmen, dergleichen Laute und die Antworten darauf, mit Ausschließung alles Absichtlichen, bloß aus dem Antriebe eines gefühlten Bedürfnisses und aus ähnlichen, durch die gehörte Stimme eines verwandten Tiers angeregten Reizen zu erklären. Wie dem auch sei, betrachtet man die Bewegungen der Stimme nicht als Mittel, Gegenstände zu bezeichnen, sondern nur als Ausdruck innerer Zustände, worauf sie doch beim Gesange zurückgeführt werden soll, so fehlt so viel, daß der Mensch sich hierin eines angeborenen Vorzugs rühmen könnte, daß er vielmehr nur durch eine Ausbildung, die er allein sich selbst zu geben vermag, und durch die fortgesetzte Übung vieler Geschlechter, sich die Biegsamkeit, den Umfang der Singstimmen, und das feine Gehör für das Harmonische in den Übergängen erwirbt, welche manchen Gattungen der Vögel ohne Unterricht eigen sind. Doch an künstlicher Schönheit des Gesanges mag der Mensch sie noch so weit übertreffen; die zarte Regsamkeit der

Organisation, wodurch bei ihnen allen Gefühlen der Lust und des Verlangens Stimme gegeben wird, so daß ihr innigstes Leben in der Kehle zu wohnen scheint, muß er an diesen kleinen Musen der tierischen Schöpfung bewundernd lieben, und kann dieselbe höchstens nur mit ihnen teilen.

An den Bewegungen der Glieder und der Stimme, wodurch der Mensch wirkliche Gefühle ausdrückt (von Nachahmung kann hier noch nicht die Rede sein), ist also das Zeitmaß das erste unterscheidende Kennzeichen seiner Natur. Daraus, daß auch manche Tiere an Beobachtung desselben gewöhnt werden können, folgt, wie wir gesehen haben, daß die Fähigkeit, Bewegungen in gemessenen Zeiten vorzunehmen, auch im Menschen bloß der Organisation angehört. Aber kein Tier beschränkt auf diese Weise von selbst, ohne menschliche Anleitung, die Freiheit seiner gleichgültigen, geschweige denn seiner leidenschaftlichen Verrichtungen. Daraus folgt unwiderleglich, daß es durch kein Bedürfnis dazu getrieben wird. Da folglich das Bedürfnis, welches den Menschen allgemein auf Erfindung des Zeitmaßes geleitet hat, unter mit ähnlichen Sinnen versehenen Geschöpfen von ihm allein gefühlt wird, so kann es nicht bloß körperlich sein, sondern muß aus der ihm eigentümlichen geistigen Beschaffenheit herrühren. Wenn dich so trockene Erörterungen nicht ermüden, meine Freundin, so laß uns auf dem zurückgelegten Wege einige Schritte umkehren, um dies deutlicher zu entwickeln.

Ich schilderte dir in meinem vorigen Briefe die überwältigende Heftigkeit der Leidenschaft in rohen Gemütern und den starken Trieb, sie in die wildesten Äußerungen zu ergießen, der selbst dem Gefühle gänzlicher Erschöpfung nicht nachgibt. So schwer es uns fällt, in solchen Ausschweifungen die Würde der Vernunft zu erkennen, so ist es doch unleugbar, daß der Mensch nur durch das, was ihn über die Tiere erhebt, derselben fähig wird. Tierische Leidenschaften werden bloß durch körperliche Antriebe erregt; sie werden daher auch durch gleiche Antriebe von entgegengesetzter Art, sobald die letzten die stärkeren sind, unfehlbar wieder aufgehoben. Nur solche Leidenschaften, die ein wahres Bedürfnis zum Ziele haben, können, wenn die Befriedigung verschoben wird, zu einer für das Tier selbst zerrüttenden Heftigkeit gelangen. Andere, wobei dies nicht der Fall ist, zum Beispiele, wenn ein Tier durch Neckereien zum Zorne gereizt worden, hören bald von selbst auf, befriedigt oder unbefriedigt, wenn der Gegenstand den Sinnen entrückt ist. Der Mensch hingegen ist mit seinem Dasein nicht auf die Eindrücke des Augenblicks eingeschränkt. Er hat das Vermögen, Vorstellungen selbsttätig festzuhalten und zu erwecken. So wie darauf die ganze Entwicklung der menschlichen Erkenntniskräfte beruht, so läßt sich auch ohne dasselbe keine Anlage zur Sittlichkeit denken. Ohne Vergleichung könnte der Verstand nicht urteilen und der Wille nicht wählen. Aber lange ehe der Mensch von seinen Vorstellungen einen sittlichen Gebrauch machen und sich durch ihr Gegengewicht wider alle sinnlichen Reize bei einem Vorsatze behaupten lernt, wirken sie sinnlich, und ihre ganze Macht wirft sich verstärkend auf die Seite der Leidenschaften. Diese beherrschen also, bis die Vernunft sie unter ihre Botmäßigkeit gebracht hat, den menschlichen Körper unumschränkt, da sie bei dem Tiere nur seinen Bedürfnissen oder seiner Sicherheit dienen; weswegen auch jede Zähmung derselben, wie nützlich der Mensch sie für seine Absichten mit den Tieren finden möge, als eine wahre Ausartung anzusehen ist. Wie frühe schon leidenschaftliche Vorstellungen über körperliche Empfindungen im Menschen die Oberhand gewinnen, darüber lassen sich an ganz kleinen Kindern die auffallendsten Beobachtungen machen. Wie oft lassen sie ihren Verdruß über ein weggenommenes Spielzeug, wodurch doch kein eigentliches Bedürfnis, sondern nur der Trieb nach Beschäftigung befriedigt wird, so laut und anhaltend ausbrechen, daß ihnen die Anstrengung sehr schmerzlich werden muß, und lassen dennoch nicht davon ab! Die Unart des Kindes und die Ausgelassenheit des Wilden fließen aus einer Quelle her; den ganzen Unterschied machen unentwickelte und entwickelte Organe, Mangel und Überfluß an Kräften.

Da der Mensch nun, vermöge der Zusammensetzung seines Wesens, einem verderblichen Übermaße in den Leidenschaften ausgesetzt ist, und bei dem ersten Erwachen seiner Freiheit unvermeidlich darein verfällt, so ist ihm eben dadurch aufgegeben, sie zu mäßigen, und Ordnung in seinem Inneren zu erschaffen. Aber die gewaltigen Stürme des Gemüts, wodurch diese Forderung um so notwendiger und dringender wird, verhindern den unerzogenen Sohn der Natur, sie anzuerkennen, ja sie nur zu vernehmen. Ungezügelte Freiheit ist sein höchstes Gut; in ihr genießt er das volle Gefühl seiner Kraft: wie sollte er nicht alles von sich weisen, was sich anmaßt, sie im geringsten einzuschränken? Der Mensch hätte also immerfort durch alle Zeiten im Stande der Wildheit verharren können, er hätte durchaus darin verharren müssen, wäre nicht die Natur selbst durch manche wohltätige Kraft, die sie in ihm und um ihn her verbarg, Vermittlerin zwischen seinen Sinnen und seiner Vernunft geworden. Er nimmt die Hand nicht wahr, welche ihn leitet, und erst wann er von einer höheren Stufe der Bildung zurücksieht, erstaunt er, in seinen frühen Träumen Vorbilder seiner teuersten Wahrheiten, in dem, was oft sein Spiel war, Vorübungen der ernsten Pflicht zu erkennen. Gesang und Tanz, die liebsten Beschäftigungen des Menschengeschlechts in seiner Kindheit, bieten ein Beispiel hiervon dar. Der Ausdruck der Leidenschaften wurde weit früher als sie selbst gebändigt. Das letzte hätte einen Vorsatz erfordert, welchen zu fassen das sinnliche Geschöpf noch ganz unfähig war; jenes geschah ohne ein absichtliches Wollen durch das Bedürfnis. Die anfangs unwillkürliche und instinktmäßige Beobachtung des Zeitmaßes in ausdrückenden Bewegungen und Tönen stellte das Gleichgewicht zwischen Seele und Körper wieder her, welches durch die Übermacht wilder Gemütsbewegungen und des gleich starken Triebes, sie auszulassen, aufgehoben worden war. Hatte der Mensch diese wohltätige Wirkung erst einmal erfahren, so kehrte er natürlicher Weise bei jedem neuen Anlasse zu dem zurück, was sie ihm verschafft hatte, und machte es sich zur Gewohnheit. Die geordnete Freiheit, die er in seinem Innern noch nicht kannte, mußte ihm doch in den äußeren Verkündigungen desselben gefallen: er ahnte darin entfernt seine höhere Bestimmung. Indem er sich seiner Leidenschaft ungebunden hingab, schmeichelte ihm ein gemessener Rhythmus mit einer Art von Herrschaft über sie. Zwar stellt sich der Mensch in seinem ganzen äußeren Tun so dar, wie es der Beschaffenheit und Lage seines Inneren gemäß ist; allein diese innige Gemeinschaft zwischen Gefühl und Ausdruck ist nicht bloß einseitige Abhängigkeit. Der Ausdruck, wie sich jeder dies leicht durch eigene Erfahrung bestätigen kann, wirkt nach Innen zurück, und verändert das Gefühl selbst, wenn ihm eine fremde Ursache einen verschiedenen Grad der Stärke oder eine verschiedene Richtung gegeben hat. Auf solche Weise mußten die Leidenschaften, indem ihre kräftigen Ausbrüche durch Einführung eines ordnenden Maßes in Gesang und Tanz umgeschaffen wurden, ebenfalls gemildert werden.

Daß der Rhythmus gleich von den frühesten Zeiten nach seiner Entstehung diese Wirkung gehabt, darüber gibt es, wie sich von selbst versteht, keine historischen Nachrichten, und kann dergleichen nicht geben. Welches Altertum viele Sagen der Völker auch von sich rühmen mögen, so sind sie doch gewiß alle viel späteren Ursprungs, und nur der Geist des Wunderbaren, welcher in ihnen herrscht, entrückt sie in jene dämmernde Ferne. Poesie wurde nachher das einzige Mittel, wodurch jedes Geschlecht dem folgenden die Haupteindrücke seines Lebens als den köstlichsten Nachlaß übergab. In ihrer ersten Gestalt, wo sie noch nichts weiter war, als unmittelbarer Ausbruch einer bestimmten, gegenwärtigen Leidenschaft, lebte sie selbst nicht länger als das, was ihr Odem gegeben hatte. Allein gesetzt auch, Überlieferung wäre schon möglich gewesen: wie hätte der Mensch, noch kaum zur Besinnung erwacht, der Rückkehr in sich selbst fähig sein sollen, welche erfordert wurde, um sich von einer solchen allmählichen, nie von anderen Gefühlen abgesonderten Wirkung auf sein Inneres Rechenschaft zu geben? Wie viel gehörte nicht dazu, bis er überhaupt nur so weit kam, zu sich selbst zu sagen, er habe eine Seele! Wir sehen es ja aus manchem Denkmal alter oder wenig gebildeter Sprachen, daß Völker, unter denen schon viele andere Betrachtungen angestellt worden waren, immer noch große Mühe hatten, von der wollenden und denkenden Kraft, welche dem Menschen innewohnt, sich eine nur nicht gar verworrene Vorstellung, wie von einem körperlichen Werkzeuge zu machen. Indessen haben wir doch in einigen Mythen, welche die ersten Fortschritte des Menschengeschlechts bildlich erklären sollten, das gültigste Zeugnis, das man in einer Sache dieser Art verlangen kann. Die Anfänge des gesitteten Lebens werden mit der Erfindung der Musik zusammengestellt; die als Götter oder Heroen verehrten Stifter beider, Osiris und Isis bei den Ägyptern, bei den Griechen vorzüglich Orpheus, sollen sich der Macht des Gesanges bedient haben, um die rohen Gemüter zu zähmen. Freilich läßt sich hiervon auch eine andere, nicht zu verwerfende Deutung geben, daß man nämlich ein so großes Wunder nicht sowohl dem Rhythmus der Lieder als den Empfindungen, die aus ihnen atmeten, den Lehren, die sie vortrugen, zuschreibt. Aber alsdann verjüngt man diese Sagen gewissermaßen und betrachtet jene Namen, mit welchen ein religiöser Glaube nachher so viel Allgemeines verflocht, als wirkliche Personen, deren Wohltaten ihr Andenken auf die Nachwelt gebracht haben. Denn damit sich einzelne Menschen unter ihren Mitbrüdern durch menschlicheres Gefühl und höhere Erkenntnis auszeichnen können, muß schon das ganze Geschlecht nicht mehr auf der untersten Stufe stehen. Der Gesang muß schon ein Gegenstand des Wohlgefallens geworden sein, wenn durch seine Hilfe sanften Empfindungen, weisen Sprüchen Eingang verschafft werden soll. Die ältesten aller Erfindungen dankt das Menschengeschlecht niemanden insbesondere. Sie gehören seiner eigenen Natur, und demnächst dem Himmel und der Erde an, insofern diese durch günstige Einflüsse ihrer Entwicklung zu Hilfe kamen. Der älteste Orpheus war wohl nirgends persönlich gegenwärtig. Er wohnte überall verborgen im tierischen Menschen, und als er zum erstenmal göttlich hervortrat und das wüste Toben der Leidenschaft durch melodischen Rhythmus fesselte und zähmte, konnte kein Ohr und kein Herz seiner Zaubergewalt widerstehen.

Der Trieb, andere gleichsam in sein eigenes Dasein aufzunehmen, und wiederum in ihnen vervielfacht zu leben, der zwar nicht selbst die Fähigkeit zur Sprache ist, aber sie doch hervorgerufen hat, macht die eigentlich menschliche Grundlage der Geselligkeit aus, wieviel andere Umstände und Bedürfnisse auch dazu einladen oder nötigen mögen. Schon in den frühesten Zeiten des geselligen Standes (und wann lebte der Mensch wohl völlig einsam?) mußte daher häufig der Fall kommen, daß dieselben Gefühle mehrere Gemüter zu gleicher Zeit bewegten, entweder weil einer sie den übrigen durch sichtbaren und hörbaren Ausdruck mitgeteilt hatte oder weil das, was sie hervorbrachte, alle gemeinschaftlich betraf. Das Beisammensein einer Anzahl von Menschen in leidenschaftlichem Zustande, von denen jeder sich ganz seiner Willkür überläßt, muß auch dann, wenn sie alle nach derselben Richtung hinstreben, unausbleiblich tumultuarisch werden. Man hat es ja häufig unter gesitteten Völkern erlebt, daß in solchen Fällen die Wahrheit Rasende machte, und der Patriotismus Greueltaten verübte. Es entsteht ein Chaos von Kräften, worin selbst das Gleichartige sich zu kennen aufhört und mit blinder Feindseligkeit gegeneinander treibt. Will eine Versammlung ihrer würdig handeln, das heißt nicht als roh zusammengehäufte Masse, sondern als ein Ganzes, von einem Willen beseelt, so muß jeder Einzelne sich bis auf einen gewissen Grad seiner Freiheit entäußern, um dagegen von allen Übrigen vertreten zu werden. Der allgemeine Wille bedarf einer Stimme, die ihn rein und vernehmlich verkündige; wenn die Eintracht einer versammelten Menge nicht mit sinnlicher Gegenwart in ihrer Mitte erscheint, so ist sie so gut als nicht vorhanden. Gäbe es nun ein Mittel, wodurch viele Menschen sich im Ausdrucke derselben Empfindungen vereinigen könnten, ohne sich gegenseitig zu stören noch zu übertäuben, und wodurch bei einem noch so vielfachen, gewaltigen Widerhalle des lauten Lebensodems doch alles Mißhellige vermieden würde, so müßte dabei die gemeinschaftliche Regung, durch die erklärte Teilnahme aller bestätigt, sich zwar um so tiefer in die Gemüter pflanzen; aber es könnte nicht fehlen, der milde

Sieg des geselligen Triebes über den selbstischen würde ihre äußere Stürme um vieles besänftigen. Die Leidenschaften der einzelnen Glieder der Gesellschaft glichen alsdann nicht mehr wildlaufenden Wassern, die beim geringsten Aufschwellen eine Überschwemmung verursachen müssen, sondern wären wie Bäche in einem Strom versammelt, und flössen in ihm zwar unaufhaltsam, doch um so ruhiger fort, je tiefer und breiter sein Bett geworden wäre. Ein solches Mittel ist aber Gesang und Tanz, sobald beide durch das Zeitmaß geordnet sind, denn das wird wesentlich erfordert, wenn man nicht bacchantisch durcheinander toben soll. Dieses könnte man als die zweite Art ansehen, wie der Rhythmus, bloß als Gesetz der Bewegung betrachtet, den wilden Menschen ein wohltätiger, göttlicher Orpheus ward. Er war es, der ausdrückende Gebärden und Töne, in denen sonst nur uneingeschränkte, hartnäckige Willkür geherrscht, an ein friedliches Nebeneinandersein gewöhnte, sie zum Bande der Geselligkeit und zugleich zu ihrem schönsten Sinnbilde umschuf. Kein Wunder also, wenn Gesang und Tanz unter weniggebildeten Völkern von jeher die Seele aller Zusammenkünfte war und noch ist. Ein gemischter Haufe wird dadurch in Chöre abgesondert und gereiht.

Daß diese menschlich natürlichen Künste Sache der Gesellschaft wurden, konnte und mußte zum Teil auf ihre weitere Bildung den entschiedensten Einfluß haben. Zuverlässig beschränkte es zuvörderst ihre ursprüngliche Freiheit und fügte zu dem, worin man ohne Absicht, fast ohne Bewußtsein, übereinstimmte, äußerliche Gesetze der Übereinkunft und des Herkommens hinzu. Um Verwirrung zu vermeiden, war eine gewisse Anordnung, besonders beim Tanze, unentbehrlich; und da diese nicht im Wesen des alle beseelenden Gefühls lag, so gewann der Verstand dabei Raum, besonnener zu verfahren, zu wählen und das an sich Gleichgültige allmählich mit dem Gefallenden zu vertauschen. Das Verlangen nach diesem ist so tief und wesentlich im Menschen gegründet, daß er es fast ebenso früh zu offenbaren anfängt, als er Erzeugnisse der Natur für irgendeinen Zweck benutzt. Es genügt ihm nicht, daß sein Werkzeug diesen erreiche: er will sich gern durch etwas Höheres als Schöpfer darin erkennen. Der Bogen des Wilden muß nicht bloß in die Ferne treffen; das Holz oder Horn, woraus er verfertigt ist, muß auch zierlich geschnitzt und geglättet sein. Bald wird die Außenseite seines eigenen Körpers ihm ein Gegenstand dieses künstlerischen Triebes: Putz war überall, ausgenommen in ganz rauhen Himmelsstrichen, das frühere Bedürfnis, und bedeckende Kleidung nur ein späterer Fortschritt zur Üppigkeit. Mag uns der Putz der Wilden (so schelten wir einander nationenweise, sagt ein wackerer Forscher, ohne daß einmal jemand so keck oder so billig wäre, zu sagen, was ein Mensch und was ein Wilder sei) noch so abenteuerlich, widersinnig, ja abscheulich vorkommen; das eigentümliche Gepräge unserer Natur, welches ihm seine Bestimmung gibt, kann zwar darin entstellt, aber nie ganz ausgelöscht werden. Im Wohlgefallen an vermeintlich schönem Zierrat und in dem Vermögen der Einbildungskraft, ihn zu erfinden, liegen die edelsten Künste, die sich je unter geistreichen Völkern bis zur Reife entfaltet haben, wie in ihrem Keime beschlossen. Man glaube auch nicht etwa, daß eine beträchtliche Höhe der Ausbildung dazu gehöre, ehe diese Anlagen wirksam werden können, weil wir im gesitteten Europa unter den geringeren Ständen oft jede Spur davon vermissen. Wenn durch eine drückende Lage das freie Spiel der Kräfte, und mit ihm zugleich der wohltätige Einfluß der Natur gehemmt wird, ohne daß die Vorteile der Verfeinerung zum Ersatz dafür dienen, so wird der Mensch dadurch in einen Stand der Barbarei zurückgeworfen, dem ungebundene, kräftige Wildheit gewiß weit vorzuziehen ist.

Doch ich kehre von dieser kleinen Abschweifung zurück. Das erste Aufdämmern des vorher schlafenden Triebes nach Schönheit eröffnet wieder eine ganz neue, weite Aussicht künftiger Entwicklungen der drei rhythmischen Künste. Die Seele fing an, sich im Ausdrucke ihrer Gefühle, wenigstens solcher, die nicht geradezu schmerzlich sind, zu gefallen und wiederholte ihn daher gern, auch wenn das Bedürfnis, welches sie anfangs dazu gedrungen hatte, schon gestillt war. Nun erst wurde also Tanz und Gesang als Ergötzung getrieben. Es mußte endlich dahin kommen, daß man sich durch Hilfe der Phantasie freiwillig aus einem ruhigen Zustande in lebhafte Regungen versetzte. So entstand eigentliche Dichtung; so kam Nachahmung zum Vorschein; denn alles Vorhergehende war reine, unvermischte Wahrheit gewesen.

Du wirst bemerkt haben, liebe Freundin, daß ich im Gange aller obigen Betrachtungen zwei Sätze ohne Beweis angenommen und stillschweigend zum Grunde gelegt habe, weil sie mir von selbst einzuleuchten schienen. Erstlich: Poesie sei ursprünglich von der Art gewesen, die man in der Kunstsprache lyrisch nennt. Zweitens: man habe sie immer unvorbereitet nach der Eingebung des Augenblicks gesungen, mit einem Ausdrucke, der uns Deutschen wie die Sache selbst fremd ist, „improvisiert". Was jenes betrifft, so erinnere ich hier nur mit wenigen Worten, daß dem empfindenden Wesen sein eigener Zustand das Nächste ist; daß der Geist die Dinge zuerst nur in ihrer Beziehung auf diesen wahrnimmt und schon zu einer sehr hellen Besonnenheit gediehen sein muß, um seine Betrachtung derselben, wenn ich so sagen darf, ganz aus sich herauszustellen. Durch welche Veranlassungen und auf welchen Wegen die anderen Gattungen, die in der lyrischen eingewickelt lagen, sich in der Folge von ihr gesondert, erzähle ich dir ein anderes Mal. Vorbereitung läßt sich ohne Absicht nicht denken: und wie sollte diese bei den ältesten Gesängen, Kindern der Leidenschaft und des Bedürfnisses stattgefunden haben? Das Natürliche geht immer vor dem Künstlichen her. Zu der Zeit, da noch alle Menschen dichteten, waren die Dichter wohl nicht so ängstlich für die Ewigkeit ihrer Werke besorgt als heutzutage: das Lied, das auf ihren Lippen geboren ward, starb auch in demselben Augenblicke. Es dem Gedächtnisse einzuprägen, konnte ihnen schwerlich einfallen, ebenso wenig, als wir alle Worte, in der Hitze eines leidenschaftlichen Gesprächs ausgeschüttet, aufzubewahren gedenken. Das gemeinschaftliche Singen gab vielleicht auch hierzu den ersten Anlaß. Sollte der Chor wiederholen, was einer vorgesungen hatte, so mußte er sich Worte und Melodie wenigstens für so lange merken; das Gedächtnis wurde mit ins Spiel gezogen, wie gering auch der Dienst sein mochte, den man ihm anfangs zumutete. Doch dies läßt sich auch aus einer anderen Ursache ableiten. Die Sprache war so äußerst arm an Worten und Wendungen, der Kreis der Vorstellungen so enge gezogen, daß man nicht vermeiden konnte, häufig auf eben dasselbe zurückzukommen. Wenige Ausrufungen hießen schon ein Lied: sie genügten dem einfältigen Herzen, erschöpften aber auch den ganzen Reichtum des kindischen Geistes. Oft gesungen, blieben sie natürlich samt ihren Anordnungen im Gedächtnisse hängen und boten sich bei einer ähnlichen Gelegenheit von selbst wieder dar.

Um deine Geduld zu belohnen, liebste Amalie, wenn du diesen Brief, ohne etwas zu überspringen, bis zu Ende gelesen hast, füge ich etwas hinzu, worüber du wenigstens einen Augenblick lächeln magst; ein paar Proben von Poesie, welche ein Weltumsegler aus der Südsee zurückgebracht hat. Folgendes Lied dichteten einige Neuseeländer aus dem Stegreif, als sie den Tod eines ihnen befreundeten Tahitiers erfuhren:

Aeghib, matte, ah wäh, Tupaia!
Gegangen, tot! O weh! Tupaia!

Das zweite ist fröhlicher. Die Tahitierinnen begrüßen damit ihre Göttin O-Hinna, die nach ihrem Glauben in den Flecken des Mondes wohnt:

Te-Uwa no te malama,
Te-Uwa te hinarro.

Das Wölkchen in dem Monde,
Das Wölkchen liebe ich.

Dem Monde ist doch von jeher in allen Landen viel Artiges gesagt worden. Lebe wohl!

Betrachtungen über Metrik

An Friedrich Schlegel

Du schreibst mir über Bürger: „Es scheint mir etwas sehr Untergeordnetes zu sein, schön zu reimen in unserer Sprache, die der höheren Harmonie empfänglich ist". Ich habe immer vergessen dir für das artige Kompliment zu danken, das du mir machst, indem du ein Verdienst, auf das ich nur gar zu gern Ansprüche machte – auf das ich, wie man mir schmeichelt, auch einige habe – so sehr gering findest. Wenn die Schwierigkeit etwas bei der Sache entscheidet, so kann ich dir sagen, daß es sehr schwer ist, im Deutschen in gereimten Silbenmaßen wohlklingend und ausdrucksvoll zu schreiben. Vielleicht dürfte ich mich rühmen und es beweisen, daß ich auch das andere, in griechischen Silbenmaßen, kann, wenn ich will. Es möchte sogar viel leichter sein; versucht habe ich es; denn ich glaubte auch einmal vor uralten Zeiten an Klopstock.

Bürger macht sehr schöne Hexameter – ich beziehe mich auf seine Übersetzung des Homer.

Du bekommst nun aber den gerechten Lohn für deine Impertinenzen: eine Abhandlung über diesen Gegenstand – wenn ich sie zu Ende bringe: ein volles gerütteltes und geschütteltes Maß. Sie soll drei Teile haben: über Euphonie, über Eurhythmie und über den Reim. Dieser ist mit beiden verwandt – es ist also wohl billig, daß man seine Theorie zuletzt vornimmt. Über den Reim möchte ich leicht allerlei zu sagen haben, was du nicht vermutest.

Übrigens ist es mir gar nicht darum zu tun, einen Proselyten zu machen. Ich kann dir gern die Gedichte, welche niemand liest, vom *Messias* an bis zur *Borussias,* überlassen, und mich an die vielen Werke unserer vortrefflichen Dichter halten, die in gereimten oder reimfähigen Silbenmaßen geschrieben sind. Was C. betrifft, so wende nur alles an, um ihren Geschmack zu verderben; sie wird doch das Rechte treffen, und dazu keiner Theorie nötig haben.

Du glaubst es nicht, lieber Fritz, wie mich vor dieser verwünschten Kunstrichterei ekelt, zu der mich die Natur verdammt hat. Mein Motto ist immer:

> Grau, junger Freund, ist alle Theorie,
> Und grün des Lebens goldner Baum.

Da Klopstocks Ansehen in der Metrik, vorzüglich der deutschen, dir so viel gilt, so will ich dir einige Betrachtungen darüber mitteilen und dabei von seinen Fragmenten, die ich eben einmal wieder gelesen, dann und wann Veranlassungen hernehmen. Befürchte aber nicht, daß der Inhalt dieser Blätter ganz polemisch sein wird – die Untersuchung hat genug Reiz für mich, um ihr selbst weiter nachzuspüren; und Kl. zu widerlegen ist in den meisten Fällen so leicht, daß man sich gar nicht lange dabei aufzuhalten braucht.

In alten und neueren Sprachen ist wenig Gutes über die Sache geschrieben, und es ist nicht schwer anzugeben, woher dies rührt. Der Gegenstand scheint geringfügig und ist doch sehr wichtig – lockt also den Forschungsgeist nicht an. Man muß ihn praktisch kennen, also Gedichte geschrieben und dabei nach metrischer Vollkommenheit gestrebt haben. Nun haben aber die guten Dichter meistens einen Ekel vor der Theorie oder auch nicht die gehörigen Talente dazu. Man kann sehr wohlklingende Verse zu machen verstehen und gar nicht imstande sein zu entwickeln, wie man dabei verfährt. Auch läßt man sich dabei durch tausenderlei feine Wahrnehmungen bestimmen, die dem Ausdrucke entschlüpfen, oder wenn man sie auszudrücken versucht, nur Mißverständnisse hervorbringen.

Will man nun vollends nicht bloß über die Metrik seiner eigenen Sprache schreiben, sondern Vergleichungen anstellen und die Sache aus einem höheren Gesichtspunkte betrachten, so gehört noch weit mehr dazu: Kenntnis einer Menge Sprachen, nicht bloß auf dem Papier, sondern nach dem lebendigen Vortrage; Biegsamkeit der Sprachorgane, um in fremden Sprachen die Aussprache täuschend nachahmen zu können; und dabei äußerste Empfindlichkeit, um zu fühlen, was schwer und leicht auszusprechen ist; große Feinheit und gänzliche Unparteilichkeit des Ohres – also keine Muttersprache. Nur ein solcher Richter wäre befugt, zwischen mehreren Nationen über Sachen des Wohlklangs zu entscheiden. Du siehst, wieviel Klopstock hiervon fehlt. Er weiß viel zu wenig Sprachen – hat die neueren, welche er kennt, nicht genau untersucht, und bezieht sich immer nur auf die toten, deren lebendigen Vortrag wir gar nicht kennen, und von denen wir also wie der Blinde von der Farbe reden. Er hat ein wahrhaft deutsches Ohr – das heißt, eines, welches sich entsetzliche Dinge bieten läßt, ohne aufrührerisch zu werden; dabei ist er in hohem Grade parteiisch – wenn er die deutsche Sprache so ganz über Maß und Gebühr lobt, so überzeugt er mich von weiter nichts als von der Wahrheit des Sprichworts: jedem Narren gefällt seine Kappe! Sua cuique regina pulchra est. Die Frage ist ja gar nicht, ob sie ihm wohlklingt, sondern ob sie fein unterscheidenden Sinnen ohne den Einfluß der Gewöhnung und Ohrenhärtung gefallen kann. Da möchte die Entscheidung denn wohl ganz anders ausfallen.

Klopstock bemerkt ganz richtig, daß der Wohlklang einer Sprache wesentlich von ihrer prosodischen und rhythmischen Beschaffenheit unterschieden ist. Allein ich glaube, er legt auf die letzte ein viel zu großes und auf jene ein viel zu geringes Gewicht. Mein Grund ist folgender. Bloß sinnliche Eindrücke sind stärker als die feineren ästhetischen. Daher wird unfehlbar ästhetische Lust durch sinnliches Mißvergnügen zerstört; oder mit anderen Worten: einer unangenehmen Materie läßt sich keine gefallende Form geben. Dagegen bleibt das sinnliche Vergnügen was es ist, wenn es auch mit keiner feineren Lust gepaart wird, oder wenn selbst der ästhetische Sinn widerspricht.

In der Malerei sind die Farben, insofern sie das Auge gern oder nicht gern hat, ohne irgendeine andere Beziehung die Materie; in der Musik der Klang der Stimmen oder Instrumente. Die Verhältnisse der Gleichzeitigkeit und Folge – Harmonie und Melodie – machen die Form aus. Überhaupt beruht die Form immer auf Verhältnissen. Der äußere Sinn empfängt einzelne Eindrücke – nur der Reflexion des inneren Sinnes ist es gegeben, Vergleichungen unter ihnen anzustellen, und mehrere als ein Ganzes zu betrachten. In der Sprache also, sofern sie als etwas Hörbares betrachtet wird, machen die Bestandteile der Silben die Materie aus; ihre prosodischen und rhythmischen Verhältnisse die Form. Kl. preist die deutsche Sprache in dieser letzten Hinsicht vor allen andern – mit wie vielem Rechte untersuche ich vielleicht nachher; in jener sucht er sie wenigstens zu rechtfertigen. Hierbei muß ich zuerst verweilen; denn wäre die deutsche Sprache wirklich, wie viele behaupten wollen, für ein unverwöhntes und unverändertes Ohr in vielen Fällen übelklingend, so hülfe ihr jenes Lob nichts, wie gegründet es auch sein möchte. Der Sinn, der immer zuerst seine Stimme gibt, läßt den Verstand, der durch die der Bedeutung entsprechende Prosodie befriedigt wird, nicht zur Sprache kommen. Dieser läßt dagegen alles hingehen, wenn Reiz und Vergnügen den Sinn vorher gefesselt und bezaubert haben. So sind wir Menschen – sinnliche Geschöpfe!

Kl. nimmt beim Wohlklange einer Sprache nur auf einen Umstand Rücksicht – nämlich die verhältnismäßige Menge der Vokale und Konsonanten. Das heißt die Sache wie ein Tuchkrämer abtun und die Sprachen nach der Elle messen. Er vergleicht in dieser Rücksicht die deutsche Sprache mit der griechischen und bringt heraus, daß jene nur in einen Fehler verfällt, nämlich in die Härte; daß die griechische diesen Fehler auch und den der Weichheit noch überdies hat. Indessen will er doch nicht in Abrede sein, daß in der deutschen Sprache der Konsonanten ein wenig zu viel sind. Könnte man ihr also noch ein paar Ellen Vokale zumessen, wie der vorige König von Preußen mit seinem „sagena, schreibena" wirklich hat tun wollen, so wäre ihr geholfen.

Außer dem Übergewichte der Konsonanten oder Vokale – einem Umstande, der freilich viel wichtiger ist, als Kl., der diese *partie honteuse* unserer Sprache mit kindlicher Ehrerbietung zu bedecken sucht, glauben machen möchte – kommt beim Wohlklange sehr vieles auf die Beschaffenheit der Vokale und Konsonanten an, die in einer Sprache am häufigsten vorkommen; auf die Zusammenstellung der Konsonanten; und auf die Verbindung beider untereinander. Ehe ich untersuche, wie sich's im einzelnen mit allen diesen Dingen in unserer Sprache verhält, noch einige allgemeine Bemerkungen über Euphonie.

Man wird es ziemlich allgemein bestätigt finden, daß alles, was den Sprachorganen mühsam oder schmerzlich auszusprechen ist, auch dem Gehör mißfällt. Daß alles, was sich leicht und angenehm ausspricht, auch dem Ohre gefällt, will ich nicht ebenso zuversichtlich behaupten. Man muß bei jener Regel aber auf den natürlichen Bau der Sprachorgane Rücksicht nehmen – denn sie sind, wie der ganze Mensch, wunderbar biegsam und bildsam; Gewöhnung kann sie ungeschickt zur Hervorbringung sehr leichter und auf der anderen Seite unempfindlich gegen die Schwierigkeiten der härtesten artikulierten Töne machen.

Vielleicht findet eine Sympathie zwischen den verschiedenen Organen statt – indem wir einen anderen reden hören, empfinden unsere eigenen Werkzeuge der Sprache etwas von dem, was der Redende fühlt. Es ließe sich manches anführen, um diese Hypothese wahrscheinlich zu machen; z. B. die Angst, die es uns macht, einen Stammelnden mühselig eine Redensart hervorbringen zu hören. Auch dies: wenn wir unsere Landsleute deutsch reden hören, klingt es uns selten hart oder übel – warum? Es kostet ihnen keine Mühe. Hören wir hingegen Fremde, vorzüglich solche, deren Muttersprache wohlklingender ist, als die unsrige, bei denen noch große Anstrengung und Verdrehungen dazu erfordert werden, so scheint uns ihre Aussprache, obgleich vielleicht gemildert, doch entsetzlich übelklingend. Dabei läßt sich's immer noch erklären, daß das Ohr eines Ausländers doch gepeinigt wird, wenn er uns gleich mit Leichtigkeit deutsch reden hört. Die Arbeit der Organe geschieht nämlich wirklich, wenn wir uns ihrer schon nicht bewußt sind. Der Ausländer nimmt sie daher auch an fertigen Sprechern wahr, wo sie uns der Gewöhnung wegen nicht mehr auffallen kann.

Die Ungewohnheit kann machen, daß uns ein Laut sehr viel zu schaffen macht, der an sich selbst sanft ist und also auch leicht auszusprechen sein sollte; dies ist z. B. der Fall mit dem englischen *th*. Ja, der, welcher seine Organe durch tägliche schwere Arbeit abgehärtet hat, ist oft ganz unfähig, das Sanfteste auszusprechen. Wie manchen Obersachsen gibts, der's im Französischen nie weiter bringt als: *pon schour, ma schollie minchonne!* – Die Hände, welche auf der Harmonika spielen sollen, müssen nicht hacken und graben.

In der ganzen tönenden Natur findet man gelinde Berührungen der Körper und leichte Bewegungen – Flüge, Schwingungen und Bebungen – von angenehmen, alles gewaltsame Werfen, Stoßen, Schlagen, Schütteln usw., von rauhen und unangenehmen Lauten begleitet. Diejenigen Buchstaben also, welche von der Zunge, dem Gaumen, den Zähnen, den Lippen, durch die gelindeste Bewegung oder Berührung hervorgebracht werden, müssen auch die wohlklingendsten sein. Also ist b, d, w, wohlklingender als p, t, f; g wohlklingender als ch; das französische *je* wohlklingender als sch; und von dem doppelten englischen *th* das in *the* wohlklingender als das in *thought*. Doch sind die einfachen Konsonanten, obgleich der eine angenehmer ist als der andere, doch alle noch so leidlich – etwa das ch ausgenommen – auch weiß ich nicht, was ich von dem Kultur- und Hundelaut r urteilen soll. Die Mißlaute entstehen erst aus übel zusammentreffenden Konsonanten, wenn nämlich die Organe unmittelbar, ohne sich durch einen Vokal ausruhen zu können, von einer Bewegung zu einer ganz entgegengesetzten übergehen müssen, und also ein Hin-und-herzerren erfolgt.

Von den unendlich vielen denkbaren Kombinationen der Konsonanten sind nur wenige möglich und noch wenigere wohllautend. Je mehr also in einer Sprache die Konsonanten das Übergewicht haben, desto häufiger müssen auch solche kakophonische Zusammensetzungen vorkommen.

Kl. gibt zu, daß der Überfluß an Konsonanten eine Sprache hart mache; zugleich meint er, allzuviel Vokale machten sie weich, das heißt bei ihm weichlich. Eine sonderbare Behauptung! Würde man nicht ausgelacht werden, wenn man sagte: wenn in den Röhren einer Orgel nicht Luft genug ist, so tönt sie hart oder rauh; pumpen die Bälge aber allzuviel, so wird ihr Ton weichlich. – Nein, guter Freund (ich meine nicht dich, sondern Klopstock), wenn der Bälgentreter seine Pflicht nicht tut, dann tönt die Orgel gar nicht, sondern die Tasten klappern nur. Was sind denn die Vokale? Doch wohl die aus der Kehle mit verengter oder erweiterter Öffnung hervorgehende Luft – also ein Hauch, ein Odem, der allein die Sprache belebt und beseelt. In ihnen besteht eigentlich die Stimme, wie auch ihr lateinischer Name andeutet; die anderen Buchstaben tönen nur mit – ohne Vokale würden sie sich nicht zu artikulierten Lauten erheben, sondern bloß ein dumpfes Geräusch bleiben, wie man sich leicht überzeugen kann, wenn man die dazu erforderlichen Bewegungen mit den Sprachorganen vornimmt, ohne sie mit Luft zu versorgen. Wie sollte also der Überfluß an dem einzigen, was in der Sprache tönt, sie weichlich machen können? Allzutönend, zu sonor – das kann ich begreifen, wenn die Vokale danach sind, und dies ist vielleicht im Spanischen der Fall.

Nimm dazu, daß die Leidenschaften, wenn sie einen Menschen ganz übermeistern, meistens in bloßen Vokalen reden – und zwar nicht nur die sanft hinreißenden, sondern auch die widrigen und zerrüttenden; daß im Gesange, selbst dem männlichsten, die Vokale weit mehr vorhallen, als in der gewöhnlichsten Rede; daß – aber sage mir doch, ist dir denn je das Geschrei eines Esels, oder einer Katze weichlich vorgekommen? Iii-aa – Mi-aa-uu – sind das nicht Vokale?

Vergib mir die Skurrilität – ich will sehen, ob ich dich durch interessante Bemerkungen entschädigen kann. Ich zweifle gar sehr, ob der

Sprache überhaupt, als bloßer Materie für den Gehörsinn, Weichlichkeit zum Vorwurfe gemacht werden kann; ob ihre Laute je zu sanft, zu angenehm, zu schmeichelnd sein können. Die Bestandteile der Silben, sagte ich oben, sind die Materie der Sprache, insofern sie etwas Hörbares ist. Allein in einer anderen Hinsicht sind diese Bestandteile auch Form – nämlich insofern sie etwas bedeuten. Denn hier ist ein Verhältnis zwischen Bedeutung und Laut; der innere Sinn vergnügt sich daran, Analogien zu suchen und zu finden. Wenn nun eine Sprache alles durch schmeichelnde, weiche Töne ausdrückt, so widersprechen sich die Eindrücke auf den Sinn und den Verstand sehr oft, und hieran findet die Reflexion Mißfallen. Was noch mehr ist, so kann die Sprache solche Gegenstände, zu denen dergleichen Töne vorzugsweise passen, nicht mehr auszeichnen – sie wird also unbedeutsam. Unbedeutsamkeit wäre also wohl ein schicklicherer Name für diesen Fehler, als Weichlichkeit – denn es ist eigentlich der Verstand und nicht der Sinn, von dem der Tadel herrührt. Unter den mir bekannten Sprachen weiß ich keine, der ich ihn vorwerfen möchte, als etwa die französische und auch dieser bei weitem nicht unbedingt oder im höchsten Grade.

Dem Fehler des Überflusses an Vokalen ist übrigens leicht abzuhelfen – die Sprachen, die ihn haben, genießen meistens auch der Freiheit, am Anfange oder Ende der Worte welche abzuschneiden – oder sie schmelzen sie ineinander und lassen einige kaum merklich hören.

Die Konsonanten einer Sprache machen mehr das Darstellende derselben aus – die Vokale das Ausdrückende; oder jene beziehen sich mehr auf die Vorstellungen, diese mehr auf die sie begleitenden Empfindungen. Man kann dies, besonders in Ansehung der Vokale, nur selten an einzelnen Worten zeigen, weil wir erstaunlich weit vom ersten Ursprunge der Sprache entfernt sind – und weil wir vieles bezeichnen, was nur durch geringe oder gar keine Analogien mit dem Sinnlichen zusammenhängt und auch nur sehr schwach auf unser Gefühlsvermögen wirkt. Allein für die Sprachen im ganzen genommen bleibt es nichts desto weniger wahr. – Die Vokale sind ein bloßer Odem aus der Brust – Ähnlichkeit haben sie beinah nur mit Tönen; selten mit anderen nicht hörbaren Gegenständen. Sie können also auch nur den Zustand des Inneren verraten – und die Interjektionen aller Sprachen, oder auch der Schrei der Leidenschaften in der Natur, der nicht in der Grammatik steht, besteht beinah ausschließend aus Vokalen. Die Konsonanten dagegen sind ursprünglich mimische Handlungen. Es liegt im Menschen ein starker Instinkt, Vorstellungen zu bezeichnen und anderen deutlich zu machen. Der rohe Sohn der Natur spricht nicht bloß mit dem Munde, sondern mit allen Gliedmaßen – noch jetzt sehen wir, daß jemand, der sich Leuten verständlich zu machen wünscht, die seine Sprache nicht verstehen, mit Händen und Füßen arbeitet, um eine mimische Darstellung zu bewerkstelligen. Nur langsam verlernen wir diese Gliedersprache – die lebhafteren Völker auch bei dem höchsten Grade der Ausbildung nie ganz. Um, wie die englischen Frauen tun, beim Reden alle Muskeln des Gesichts und des Körpers, außer denen die unmittelbar dazu erfordert werden, in einer stoischen Ruhe zu lassen, muß man durch die Zucht der feinen Sitten ein entsetzlich zahmes Menschenkind geworden sein.

Hieraus scheint zu folgen, daß die Natur den Mund zwar vorzüglich, aber gar nicht ausschließend zum Sprechen bestimmt hat. Die Ursache des Vorzugs ist, daß die Bewegungen des Mundes unmittelbar von dem Tone der Empfindung begleitet und mit ihm verbunden werden – da es hingegen, wenn ein Mensch die mimische Bezeichnung mit dem übrigen Körper vornähme, und nur die unartikulierten Töne des Gefühls mit dem Munde hervorbrächte, immer so herauskommen würde, als wenn einer deklamiert, und ein anderer die Gebärden dazu macht.

Man pflegt gegen den mimischen Ursprung der Sprachen gewöhnlich ihre erstaunlichen Abweichungen voneinander in gleichbedeutenden Wörtern anzuführen – ein Einwurf, mit dem man gegen überwiegende psychologische Gründe nichts ausrichtet. Denn erstlich wird die Sprache, je mehr sie sich von ihrem Ursprunge entfernt, desto willkürlicher modifiziert – und wir kennen bei dieser Untersuchung nur die Sprachen gebildeter Völker, nicht die der Wilden, über welche genauere Beobachtungen und Untersuchungen, als man bisher hat, zu wünschen wären. Wir kennen oft nicht die rechten Stammsilben oder haben wenigstens ihre Bedeutung verloren. Endlich ist die Sprache keine vollständige Beschreibung der Gegenstände – sondern sie ergreift nur einen oder den anderen Umstand bei einer Sache. Verschiedene Völker sind daher, nach der eigentümlichen Wendung ihrer Phantasie, auch zur Auffassung ganz verschiedener Ähnlichkeiten und Beziehungen geneigt. Überdies sind die Vorstellungen von denselben Dingen selbst nach dem verschiedenen Maß und der Mischung der Vorstellungskräfte äußerst abweichend.

Vielleicht sind wir gebildete Menschen auch nicht ganz befugte Richter über diese feinen Analogien der Bezeichnung mit dem Bezeichneten; es ist nur allzu gewiß, trotz aller unserer Bildung, rohe Wilde eine gewisse Schärfe der sinnlichen Wahrnehmungskraft vor uns voraus haben.

Die Sprache ist in ihrem Ursprung mimisch und sie soll noch in ihrer höchsten Ausbildung darstellend sein, wenn sie nicht in den Fehler der Unbedeutsamkeit verfallen will. Vergebens hofft man aber mit dem harten und widrigen Eindrucke, den viele Gegenstände auf uns machen, das unangenehme Zusammenstoßen der Buchstaben, das Krachen, Poltern, Zischen usw. in den Worten, welche jene bezeichnen, zu entschuldigen. Zum Ideal einer schönen Sprache gehört poetische, verschönernde Darstellung. Eine solche gibt die Eigenheiten der Dinge so treu als möglich zurück, ohne doch das Widrige, das geradezu die Sinne Beleidigende an denselben in sich aufzunehmen. Ein Wort kann eine sehr treffende Darstellung von etwas Großem, Starkem, Furchtbarem in sich enthalten, ohne im mindesten gegen den Wohlklang anzustoßen. Ich könnte dir hundert italienische Beispiele für eines anführen; ich nehme die ersten, die besten: *rimbombo, scoppio, sforzar, rampogna, fracassar* usw. Vielleicht fände ich im Deutschen auch wohl einige der Art. Es ist also ein ganz falscher Grundsatz (zu dem auch Kl. sich hinzuneigen scheint), daß eine durchaus und überall euphonische Sprache in Darstellung des Großen und Starken mangelhaft, also weichlich und unbedeutsam sein müsse. – Unsere liebe Muttersprache ist in ihren Darstellungen von dieser Seite nur allzutreu. Was ihr aber noch weit weniger verziehen werden kann, sind die tausend und aber tausend unnützen Härten, die gar nichts darstellen oder vollends da stehen, wo die Bedeutung sanfte Laute fordert.

Es ist vielleicht mehr als ein Spiel meiner Phantasie, wenn ich glaube, daß sich der Geist und Charakter verschiedener Nationen selbst in dem Verhältnis der Konsonanten und Vokale in ihren Sprachen und in den Beschaffenheiten beider mannigfaltig abbildet. Ich will hier nur einiges berühren – für eigentliche Beweise ist die Sache zu fein: man kann einen anderen nur auffordern, selbst zu beobachten. Für eine ganz genaue Entwicklung würden mir auch die Ausdrücke fehlen.

Im ganzen genommen haben die Bewohner der südlichen Hälfte der gemäßigten Zone mehr Empfänglichkeit und einen schnelleren Verstand als die der nördlichen. Wir Nordländer (erlaube mir einmal wie ein Franzose von den *peuples du Nord* zu reden) haben eine treue, aber nicht sehr bewegliche Einbildungskraft; unser Verstand faßt gut und genau, aber langsam. Zugleich werden wir weder sehr leicht, noch sehr stark von den Eindrücken gerührt, und haben daher Zeit, bei ihren Gegenständen zu verweilen. Es ist, als ob unsere guten Vorväter geglaubt hätten, die Beschreibung der Dinge durch Laute nie deutlich genug machen zu können. Es war ihnen nicht genug, einen Umstand an einer Sache zu fassen – sie packten ihrer drei oder vier auf einmal. Daher klebt unserer und anderen nordischen (sowohl germanischen als slawischen) Sprachen diese Schwerfälligkeit an, daß es zuweilen ist, als könnten sie gar nicht fertig werden, sich gar nicht herauswinden. Sie strotzen daher von Konsonanten. In unserer Muttersprache haben die einsilbigen Wurzeln wenigstens einen Konsonanten vor und einen hinter dem Vokal (wenige Ausnahmen kommen hier nicht in Betracht), sehr oft aber zwei, drei Konsonanten vor, und, sobald durch Ableitung Nebenumstände bezeichnet werden sollen, ebenso viele hinter ihm. Dagegen bestehen die griechischen Wurzellaute aus einem Konsonanten und einem Vokal. (Diese Stellung gewährt große Vorzüge in Absicht auf Euphonie, wovon nachher.) In ihr und den übrigen Sprachen südlicher Völker, die mir bekannt sind, der römischen, italienischen, spanischen, ich glaube auch in der arabischen und persischen, der Lieblingssprache des Orients, endlich auch in der indischen, wenn ich aus den Namen in der *Sakontala* schließen soll, – findet man ein schönes Gleichgewicht zwischen Konsonanten und Vokalen; und wenn sie ausarten, so ist es eher durch den Überfluß dieser als jener. Daß dies Gleichgewicht etwas Wünschenswertes ist, sieht man, wenn man dem Gange der Ausbildung solcher Sprachen nachspürt, die es ursprünglich nicht hatten. Man bemerkt, daß sie auf alle Weise darnach gestrebt und sich dabei erlaubter und unerlaubter Kunstgriffe bedient haben. Trendelenburg macht es wahrscheinlich, daß die griechische Sprache im höchsten Altertume, vorzüglich am Ende der Worte, viele Konsonanten gehabt, die sie nachher weggeworfen. Sieh nur, wie hart und rauh die römische in den Gesetzen der zwölf Tafeln und an der Ehrensäule des Duilius erscheint! Wie war sie zu den Zeiten Augusts gemildert – obgleich sie in diesem Punkte immer hinter der griechischen zurückblieb. Auch in einigen neueren Sprachen beweist die Orthographie unwiderleglich, daß ehedem weit mehr und zum Teil harte Konsonanten ausgesprochen wurden, z. B. im Englischen. Nur wir Deutschen sind in diesem

Stücke, wie in allen, die Geduldigen und ewigen Lastträger des Herkommens und sprechen vermutlich das meiste noch ungefähr ebenso wie damals, da Kaiser Karl der Fünfte nur mit seinen Pferden deutsch sprechen wollte. Der hochdeutsche Dialekt ist hierin vorzüglich unglücklich – ihm scheint ganz die Gabe des Wegschleifens zu fehlen, die selbst der Niederdeutsche vor ihm voraus hat. Der schwäbische, wie ihn die Minnesänger sprachen, ist vielleicht auch weniger mit Konsonanten überhäuft gewesen.

Die mindere Empfänglichkeit der nordischen Völker verrät sich zuerst in der Kargheit, womit sie ihren Sprachen die Vokale – also Stimme, Gesang, Lebensodem, Seele – zugemessen haben; und dann auch in der Beschaffenheit derselben. Wir Deutschen machen es in jener Rücksicht freilich noch nicht so schlimm wie die Böhmen zum Beispiel, die ganze Worte ohne einen einzigen Vokal haben, und bei denen solche wie „Przmysl" ganz gewöhnlich sind; aber, Klopstock mag sagen was er will, so klappern doch auch bei uns die Tasten oft ganz gewaltig. Dies ist sowohl in unseren einfachen Worten (schwarz, Sprung, Pfropf, stirb, Furcht, Krampf usw.) oft der Fall als auch, und noch weit mehr, in unseren Zusammensetzungen. Diese gleichen häufig den gezwungenen Ehen. Es ist, als ob sich den Worten selbst die Haare sträubten, wenn sie sich zu sehen kriegen, und doch müssen sie ohne Gnade zusammen. Nimm nur solche wie „Kopfschmerzen, Gesichtskreis, Sprachwerkzeuge" – den „Hechtskopf", womit man die Fremden gewöhnlich zu plagen pflegt, will ich dir hier erlassen. – Kl. versteht so wenig vom Wohlklange, daß er diese Gewalttaten für eine Eleganz unserer Sprache hält, und ihrer, außer den eingeführten, noch viele ganz neue und unerhörte begeht, um Spondeen herauszubringen. Sieh nur die Chöre im letzten Gesange des *Messias*.

Die Vokale haben – dies bemerkt Kl. ganz richtig – einen dreifachen Ton: den abgebrochenen (toll), den offenen (so), den gedehnten (Ohr). Der abgebrochene ist am wenigsten musikalisch; denn die Stimme kann bei ihm nicht verweilen, sondern muß zu dem folgenden oder den folgenden Konsonanten so eilig als möglich übergehen. Frage nur einen Komponisten. Der gedehnte Ton macht eine Silbe unfehlbar lang – und diese Länge ist selbst ein wenig schleppend; sie ist es in hohem Grade, wenn nach dem Vokale noch zwei oder mehrere Konsonanten ausgesprochen werden müssen (strömt, rührt, sucht). Bei dem offenen hat die Stimme die freieste Modulation – sie kann ihn, je nachdem die Silbe, worin er steht, lang oder kurz sein soll, in seiner ganzen Fülle hören lassen, oder ihn nur unmerklich andeuten – er behält immer seine musikalische Natur. Eine Sprache, worin er herrscht, ist daher nicht nur für den Komponisten die bequemste, für den Sänger die leichteste und angenehmste, sondern sie muß auch in der gewöhnlichen Rede am meisten Gesang haben. Vielleicht wirken auch psychologische Gründe mit dazu, daß er uns mehr als die beiden anderen Tonarten gefällt. Er beschließt die Silbe – das Gefühlausdrücken kommt also nach dem Bezeichnenden der Vorstellung; wir können uns ihm überlassen, ohne nachher noch auf dieses die Aufmerksamkeit richten zu müssen. Der Ausdruck des Gefühls schallt vor, weil er mit ihm beschlossen wird. – Es scheint, daß die Seele beim Vernehmen der artikulierten Laute mehr tätig aufmerksam ist, beim Anhören der eigentlichen Töne mehr leidend empfängt. (Das nämliche gilt vielleicht von den Eindrücken des Auges, Gestalten und Farben. Jene messen wir aus, diese lassen wir uns so darbieten, wenn wir nicht einen besonderen Zweck bei genauer Unterscheidung haben. Ein Gegenstand, an dem die Gestalt alles, die Farbe nichts ist, beschäftigt uns am meisten; ein zauberisches Farbenspiel, bei dem gar keine bestimmten Gestalten herauskommen, z. B. ein schöner Abendhimmel, gewährt uns das leidendste Vergnügen.) Es ist also wohl besser, die Ruhe auf die Beschäftigung folgen zu lassen, als umgekehrt. Bei den Silben mit abgebrochnem Tone (nennen, Kalk) wird uns gar keine Ruhe gelassen, sondern wir werden gleich weitergeschleppt zum nächsten Konsonanten. Bei den gedehnten Silben (lobt, schlugst) findet zwar Ruhe statt, aber sie ist täuschend. Wir ergeben uns ihr, und nun werden wir auf einmal aufgefordert – o Schrecken, – noch zwei bis drei Konsonanten anzuhören, bevor die Silbe zu Ende ist. In unserer löblichen Muttersprache nämlich; im Italienischen und anderen wohlklingenden Sprachen haben die gedehnten Vokale nur einen Konsonanten hinter sich.

Wenn vor und hinter dem Konsonanten Vokale stehen, so wird auch das Bezeichnende einer Silbe dadurch gleichsam zerrissen. Die am feinsten empfindenden Völker haben es gern ganz an einer Seite, am liebsten voran; und hier ließen sie sich lieber Härten gefallen als zuteilen.

Ich bin es zwar zufrieden, wenn du dies Grübelei und Spielerei nennst – ich gebe es dir ja nur für eine verlorene Hypothese. Das müssen wir indessen nie aus den Augen verlieren, daß in der Sprache vieles auf erstaunlich feine Beziehungen ankommt. Wäre ich ein

Mediziner, so könnte ich dir vielleicht bessere physiologische Gründe aus dem Bau des Ohres anführen, warum die offenen Vokale angenehmer sind als die übrigen. Wenn wir aber auch gar keine Beweise dafür hätten, und auch kein Gehör, so könnten uns schon die Sprachen der am feinsten organisierten Völker davon überführen.

Dies alles habe ich deswegen hergesetzt, um zu beweisen, daß die überhäuften Konsonanten nicht nur an sich selbst Übellaut verursachen, sondern auch die Vokale in einer Sprache verderben. Denn wenn fast alle Silben mit Konsonanten eingefaßt sind, so können auch fast alle nur den abgebrochenen oder gedehnten Ton haben. So ist es auch im Deutschen. Unsere meisten kurzen und tonlosen Silben haben jenen; unter den langen gibts ihrer mehrere, die den offenen Ton haben – allein im ganzen teilen doch jene beiden Tonarten sie unter sich.

Der abgebrochene Ton, wenn er herrscht, raubt einer Sprache die Sonorität; der gedehnte macht sie schleppend. Dies letzte ist bei der holländischen Sprache der Fall, die aber wirklich auch sonorer ist als die unsrige.

Über den Wohl- oder Übellaut der Konsonanten, sowohl an sich selbst als in der Verbindung mit anderen, wäre ein langes Kapitel zu schreiben, das auch deswegen schwierig ist, weil hierin die Urteile der Völker, auch solcher, die eine sehr gültige Stimme haben, oft weit abzuweichen scheinen. Ich werde nur einiges berühren.

L, m, n, scheinen mir unbedingt angenehm im Anfange der Silben (– nämlich unmittelbar vor dem Vokal; μνημοσύνη klingt nicht gut –), und verdoppelt zwischen zwei Silben: Wonne, Flamme, Hülle. Dergleichen Worte sind aber in unserer Sprache selten. – Das l vor dem m oder n in der Mitte eines Wortes ist auch sanft: *alnus*, ἀλμυρός. So kommt sie bei uns äußerst wenig vor. Dagegen haben wir diese flüssigen Buchstaben viel in guten Zusammenstellungen mit anderen, aber nicht so häufig zu Anfang und in der Mitte der Worte als am Ende, wodurch alles wieder verdorben wird.

B, d, w sind angenehmer als p, t, f. Wir haben ungeheuer viel f; denn v und f sind bei uns eins. Ich wünschte unserer Sprache mehr b und d – du mußt bemerken, daß wir oft die harten Buchstaben aussprechen, wo wir die weichen schreiben; z. B. labt, sind. Ich will das nicht in Rechnung bringen, daß die Majorität der Provinzen das b und d gar nicht hervorzubringen imstande ist und sie etwa nur aus den Berichten der Reisenden kennt. Auch w könnten wir wohl mehr vertragen.

G ist offenbar angenehmer als ch. Wir haben jenes ziemlich viel, wenn wir es nur rein bewahrten und nicht bald ins j, bald ins k, bald – was das Abscheulichste ist, ins ch verfielen. Diesen Gurgellaut haben wir viel zu viel – ja wir sind solche Virtuosen darin, daß wir sogar ein doppeltes ch haben, da andere Nationen nur eine Art kennen. Das eine ch wird nach a, o, u und au gesetzt: ach, auch. Das andere, welches uns eigentümlich ist, uns vielleicht angenehmer ist als das andere, aber Ausländern unglaubliche Schwierigkeit macht, steht nach i, e, ä, ö und den Konsonanten: nicht, Furcht. Es herrscht in vielen Wörtern der ersten Notdurft: ich, dich, nicht usw.

Wir machen es in diesem Stück indessen noch längst nicht so arg wie die Holländer. Diese haben zwar meistens da, wo wir ch haben, k; aber dagegen wo bei uns g steht, jenes. Überdies trennt ihre Sprache im sch das s vom ch *(s-choon, s-chriklyk),* welches über alle Beschreibungen widrig ist – so wie sie es aus der Gurgel hervorholen.

J als Konsonant oder Jod ist ein ziemlich gleichgültiger Buchstabe. Nur in einer Verbindung wird er angenehm, nämlich nach dem l in der Mitte der Worte. Vielleicht auch nach dem n *(gentille, regner).* In beiden Verbindungen haben wir ihn nicht. Nach jenem gibt er eine Art von Vibration sowohl der Zunge als des Klanges. Im Anfange der Worte haben es die Spanier: *llorar, llanura,* und das liebe ich vorzüglich.

Ich weiß nicht, ob ich unserer Sprache Glück dazu wünschen soll, daß sie den Nasenbuchstaben, das n nasal, nicht hat. Am Ende und mit Maß gebraucht, wie bei den Engländern *(king, song),* mag er gut sein; aber so häufig wie bei den Franzosen, oft mehrmals in einem Worte *(entendre),* gibt er der Sprache etwas Schnarrendes.

Ebenso bin ich zweifelhaft, ob es uns Vorteil oder Schaden bringt, daß wir die Worte nicht mit dem geschärften s der Italiener, Engländer, Franzosen, Spanier anfangen, sondern mit dem gelinderen oder dem z der Franzosen. Zuweilen kommt es zu häufig vor: „Wollen Sie sie sehn?" Einem jungen Franzosen, den ich deutsch lehrte, fiel es erstaunlich auf. *C'est tout comme le Prince Zizi!* sagte er lachend.

Einen gleichen Überfluß haben wir am sch, an sich keinem unangenehmen Buchstaben: aber wie wir ihn zusammenstellen? Wollte man auch leugnen, was mir unleugbar scheint, daß er in ß, sp, str, spr gesprochen werden muß, so bleibt er uns in schl, schw, schr. Uns klingt er da freilich gut – aber wieviel vermag nicht die Gewöhnung.

Den lieblichsten aller Konsonanten haben wir gar nicht. Ich meine das sanftere sch, entweder rein oder mit einem leisen d voraus (sh, dsh; *joli*, *giallo*). Ja, so sehr sind deutsche Ohren und Zungen gegen Euphonie gepanzert, daß viele diesen Laut von sich gar nicht zu unterscheiden und ihn auch nicht hervorzubringen wissen.

Qu, einen angenehmen zusammengesetzten Laut – denn es ist eigentlich kw – haben wir beinahe nur in Worten ausländischen Ursprungs (außer Quelle, Qual usw. – du siehst welche schöne Worte), ebenso x. Z dagegen reichlich, ursprünglich deutsch, und so hart ausgesprochen als möglich.

Nun zu den Zusammenstellungen. Erst noch die allgemeine Bemerkung, daß die Härte einer Sprache nicht sowohl aus gehäuften Zusammenstellungen der Konsonanten zu Anfange und in der Mitte als am Ende der Worte herrührt. Kl. hat sie ganz übersehen – ich will mich bei den Beweisen dafür so kurz als möglich fassen, da ich oben schon einiges berührt habe.

Die Konsonanten zu Anfange verderben den Vokal nicht. Wenn dieser offen und tönend ist, so vergessen wir das ausgestandene Ungemach und sind ausgesöhnt, ehe die Silbe noch zu Ende ist. Stimme und Ohr ruhen von der Arbeit der Konsonanten im Vokal aus. Daher finden wir auch durchgängig in allen, fast den anerkannt wohllautendsten Sprachen zu Anfange der Worte str, spr, usw.

Mit den Konsonanten in der Mitte ist es noch leichter zu begreifen. Denn diese teilen sich – der vorhergehende Vokal und der folgende nimmt jeder welche zu sich, und so kommen sie alle unter Dach und Fach, wenn ihrer nicht zu viele sind.

In Ansehung der Anfänge ist der Unterschied zwischen der griechischen und deutschen Sprache nicht beträchtlich – vorausgesetzt, daß sie ihre Konsonanten so ausgesprochen haben, wie wir tun – wir wissen vom ζ und ϑ mit ziemlicher Gewißheit das Gegenteil. Ich habe keine Wörterbücher bei der Hand, will also nur hersetzen, was mir eben einfällt.

Gemeinschaftliche Anfänge beider Sprachen:
Sanfte: bl, dr, fl, gl, pl, kl, sp, st;
Stärkere: br, fr, gr, pr, kr, kn, tr;
Starke: str, spr.
Eigentümliche der griechischen Sprache:
Sanfte: sk (Skylla, sf (Sfäre); bd (βδέλλα), und vielleicht noch andere. Sm, Smintheus.
Härtere: tl (Tlepolemos), ks oder x (wir haben es nicht in ur-

sprünglich deutschen Wörtern), kl, pt (beide haben wir zwar nicht zu Anfange, aber welches weit schlimmer ist, zu Ende der Worte), tm, km (diese kommen wenig vor), mn (auch nur wenig), chr.

Kl. führt unter den harten Zusammenstellungen auch φδ oder phth an. Ich höre da keine Härte, auch wenn wir das ϑ wie t aussprechen: Ftia. Spricht man es aber wie das englische *th*, so ist es sogar sanft.

Eigentümliche im Deutschen:

Sanfte: willst du schweigen, schmiegen, schlingen, dafür rechnen? Ich bins zufrieden.

Härtere: schr, z; die Griechen fangen zwar auch mit ζ an – aber das stand nicht für ts, wie unseres, sondern für δσ oder σδ – zw; entsetzlich hart, besonders wenn nachher noch ein z folgt: zwanzig.

Pf; diesen sehr harten Zusammenstoß hatten die Griechen nur selten in der Mitte der Worte: Σαπφώ – also Sapfo nicht Saffo – wie zu Anfange oder Ende. Klopstock will ihn der deutschen Sprache ableugnen – er behauptete, man bilde sich nur ein, daß man ihn ausspreche, und das zwar in allen oder den meisten Provinzen. Er schreibt daher: Ferd, Flicht usw. Er muß wohl seit langer Zeit nicht in die südlicheren Gegenden Deutschlands gekommen sein. Ich erinnere, daß das Ansehen der Niedersachsen in der Sprache gar nichts gelten kann, sobald sie die Majorität der übrigen Provinzen gegen sich haben. Sie sind Niederdeutsche. Ohne die Abstammung in älteren Zeiten zu untersuchen, beziehe ich mich nur auf die bekannten flamändischen Kolonien, die im Mittelalter diese Gegenden besetzt haben. Sie haben das Hochdeutsche wie eine fremde Sprache erlernt, die auch erst ganz vor kurzem über ihren platten Dialekt gesiegt hat. In einigen Stücken sprechen sie es sanfter – in hundert Fällen aber äußerst fehlerhaft. Das offenbar fremdartige Sanfte verschönert eine Sprache nicht, sondern macht sie breiweich. Wie ekelhaft klingt das Slagen, Sweigen, Smollen usw. im Munde der echten Niedersachsen! Wollen wir aber einmal das f statt pf von ihnen annehmen, so ist kein Grund da, warum wir nicht auch sagen sollten: Das mag der Deubel duhn! Du liewer Jott! Es is eine rechte jroße Blage!

Die Ursache, warum das pf so sehr übel klingt, ist, daß es aus zwei verwandten, nämlich Lippenbuchstaben besteht, die in der Verwandtschaft einander entgegengesetzt sind. Beim p stößt man die Lippen von sich, beim f muß man sie einziehen. Wir haben außer dem pf noch pfr und pfl – ungeheuere Härten! aber sie sind da.

Gesetzt nun auch, Kl. hätte Recht, und pf fände nicht statt zu

Anfange und nach einem anderen Konsonanten (damft), so kann er es doch niemals am Ende wegbringen, wenn er nicht Kof, Frof, schöft, sprechen und schreiben will. Sein großer Haß gegen diesen Doppelbuchstaben – denn sonst ist er den Härten eben nicht gram – scheint aus einer geheimen Ursache herzurühren. Die Leute, welche affektiert hochdeutsch sprechen, nennen ihn Klopfschtock – ein Beispiel deutscher Kakophonie, das ihm an seinem eigenen Namen, einem Dichternamen, sehr empfindlich sein mußte. –

Kl. meint, die Konsonanten vor dem Vokale würden schneller ausgesprochen als die nach ihm. Ich habe keine Geduld, das jetzt auszuhorchen – doch mag es vielleicht wahr sein, da bei den Griechen auch die Silben nicht durch voran, sondern am Ende stehende Konsonanten lang wurden. Ist die schnelle Aussprache, wie er anzunehmen scheint, dem Wohlklange günstig, so fiele die Bemerkung sehr zu unserm Nachteile aus, weil wir häufig, die Griechen aber nur selten, viele Konsonanten nach dem Vokal haben. Ich zweifle aber sehr daran, wenn man sie nämlich in der Tat ausspricht, nicht einige gleiten läßt: denn in je kürzerer Zeit die Arbeit der Sprachorgane geschehen muß, desto mühseliger ist sie.

Er bemerkt ferner: „die Schnelligkeit der Aussprache nimmt mit der Zahl der Mitlaute sogar zu." Dies ist wahr, aber keine Tugend, sondern eine Not. Die Artikulation der Mitlaute fordert die Hilfe des Selbstlautes. Zu Anfange der Silbe eilt man daher, über mehrere Konsonanten hin, ihm zu. Wenn am Ende vier bis fünf Konsonanten stehen, so ist man im Gedränge, wie man zu Ende kommen will, ehe der Vokal ganz verhallt. In demselben Verhältnisse also, wie ein nachfolgender Konsonant sich von dem Vokal entfernt, wird er daher auch mühseliger auszusprechen: sich – Gesicht – Gesichts; – nun nimm an, daß noch ein k hinten angesetzt wurde – ein leichter Laut, und in der Verbindung mit s angenehm – Gesichtsk, das erfordert eine ungeheure Anstrengung.

Alle Völker, die ein zartes Gehör hatten, haben es bei den Konsonanten am Ende der Worte bewiesen. Die Griechen haben eine Menge ursprünglich vorhandene weggeschafft. Nachher waren, wo ich nicht irre, nur vier erlaubt: k, n, r, s mit einigen Zusammensetzungen: ls, ps, ks. Die Römer waren weniger ekel, bei ihnen galt auch in den gebildeten Zeiten der Sprache: b, c, d, l, m, n, r, t, nc usw. – Aus der Abstammung des Lateinischen und der mehreren Härte der Nation ist dies sehr begreiflich.

Die Italiener wollen nicht einmal das s am Ende leiden, welches die Spanier viel haben – und wohl auch l, n, r kommt meistens nur dann vor, wenn den Worten ein Vokal abgeschnitten ist. Überall wo ursprünglich ein Konsonant stand, halfen sie sich durch Anhängung eines Vokales. Dadurch wird ihre Sprache in Prosa, wo sie das Hilfsmittel der Elision nicht hat, zu vielsilbig.

Bei den Franzosen wird nach vielen Konsonanten wenigstens ein stummes e gefordert. Die Provenzalsprache, im Mittelalter unter allen die schönste, war kürzer in ihren Wörtern als die italienische; es standen also auch mehrere Konsonanten am Ende – doch gab es, wo ich ich nicht irre, auch bei ihnen verbotene.

Nur wir Deutschen lassen uns alle gefallen – und nicht nur alle einzeln, sondern auch alle Zusammenstellungen, die nur irgend aussprechbar sind. Ich will hier aus dem Kopfe ein Verzeichnis unserer Endungen hersetzen:

Endungen von einem Konsonanten: b, d, oder, welches einerlei ist: p, t, ch, f, g, k, l, m, n, r, s, sch.

Von zweien: lb, rb, ld, nd, rd, chs, cht, nf, lf, rf, lk, nk, rk, ng, rg, rch, mt, nt, rt, scht, pt, ft, lt, pf, lm, ln, rm, rn, bt, ps, st, z (ts), r (ks) usw.

Von dreien: rbt, lbt, rlt, rnt, rft, chts, rz, nz, lz, fz, chz, nst, lst, rst, tst, mst, pst, fst, chst, nscht, rscht, zt, kst, pft, rkt, ngs, nks, rgt, nkt, ngt, rcht usw.

Von vieren: rbst, lbst, rlst, rnst, rzt, nzt, lzt, fzt, chzt, rmst, rfst, rzt, rkst, pfst, ngst, nkst, rgst usw.

Von fünfen: jetzt fällt mir nur: mpfst ein; du stampfst. Es gibt ihrer gewiß mehrere.

Wenn dir einmal wieder jemand vom Wohlklange unserer Sprache etwas weismachen will, so wirf einen Blick auf dies leicht noch zu vermehrende Verzeichnis ihrer Eleganzen. Glaube auch nicht, daß ich die Sache übertreibe. Viele unserer besten und notwendigsten Worte endigen gerade wie es dasteht. Die zweite Person des Singularis kommt in der Poesie häufig vor. Wollte man immer das tonlose e dazwischen setzen, so würde dieser abscheuliche Vokal den Vers leer machen. Allein man kann nicht einmal sagen: du wirfest, du stirbest.

Geh unsere besten Dichter durch und sieh, wie oft sie solche Endungen gebrauchen – oft noch obendrein, wenn das folgende Wort mit einem oder mehreren Konsonanten anfängt. Nur selten haben wir die lieblich fließende Folge, daß, wenn ein Wort mit einem Konsonanten endigt, das nächste mit einem Vokal anhebt, oder umgekehrt. Hierdurch entsteht eine Kontinuität, welche macht, daß das Ganze eines Verses besser wirkt, indem man seine Teile weniger deutlich unterscheidet. Hieraus ist es auch erklärbar, daß dieses Abstoßen zweier Worte, die jedes mit einem Konsonanten endigen und anheben, die Griechen vermögen konnte, die Endsilbe des ersten alsdann immer für lang zu rechnen – ein Gesetz ihrer Prosodie, das Klopstock grundlos tadelt. –

Mit vielen Vokalen stehts, wo möglich, noch schlechter in unserer Sprache wie mit den Konsonanten. Ich muß erst auf einige allgemeine Bemerkungen zurückkommen und neue hinzufügen.

Die Vokale sind das Gefühlsausdrückende in einer Sprache. Wenn man den unartikulierten Laut der heftigen Leidenschaften beobachtet, so wird man finden, daß jeder darunter verschieden gebraucht wird und einer besonderen Gattung von Gefühlen am analogsten ist. Man hat wohl Tonleitern der Vokale gegeben und bei der wirklichen musikalischen Tonleiter ihre Verschiedenheit benutzt: ut re mi fa sol la; – wenn du mit Tändeleien der Phantasie Nachsicht haben kannst, so will ich dir eine Vokalfarbenleiter nebst dem Charakter eines jeden hersetzen. Nimm es nicht übel, daß kein vollständiger Regenbogen herauskommt:

> A   O   I   Ü   U
> rot, purpurn, himmelblau, violett, dunkelblau.

Man könnte auch dem A die weiße, dem U die schwarze Farbe geben. Damit trifft das ganz gut überein, daß das E zwischen diesen beiden Vokalen in der Mitte steht, wie Grau zwischen den Farben. Denn das E gehört durchaus nicht unter die Farben des Regenbogens – es ist grau. Ich habe nachher noch mehr Böses von ihm zu sagen.

Ä könnte man gelb nennen und Ö spielt ins bräunliche.

A rot oder lichthell. Ausdruck: Jugend, Freude, Glanz, z. B. Strahlen, Gewand, Klang, Adler.

O purpurn; es hat viel Adel und Würde – oft wiederholt fällt es ins Prächtige, z. B. Sonne, thronen, los ojos – das lateinische formosus.

I himmelblau; ist der Vokal der Innigkeit und Liebe, z. B. schlingen, Gespielen, Kind.

Ü violett. Bescheidener Genuß, sanfte Klage, z. B. Fülle, kühl, fühlen.

U dunkelblau, Trauer, melancholische Ruhe, z. B. dumpf, Kluft, rufen. Bei öfterer Wiederholung wird seine Farbe sehr dunkel, z. B. in Uhu – *ululare*. Dagegen ist es in dem italienischen *usignuolo* vom schönsten Lazurblau. Und wie purpurn nachher das herrliche Wort endigt[1]! Wir malen die „Nachtigall" mit zu hellen Farben – die unleidlich sein würden, wenn nicht noch das I in der Mitte stünde. Das englische *nightingale* ist weniger schreiend. Das griechische Wort *aëdón* drückt durchaus nichts weiter aus als Lieblichkeit. Ich wünschte eines, worin der Vokal der Innigkeit herrschend wäre – vielleicht ist das römische *luscinia*, vorzüglich wenn du der Wahrscheinlichkeit gemäß annimmst, daß es *lu-skinia* gesprochen wurde, das beste von allen.

Dem E kann ich weiter keinen Ausdruck zugestehen, als daß es offen oder gedehnt und mit dem Tone etwa Ernst und Nachdenken bezeichnet; z. B. ehren, Seele. Geschlossen aber, und hauptsächlich ohne den Ton, wie der Infinitiv aller unserer Verba: sagen usw. sagt es gar nichts, sondern ist das treffendste Bild der Gleichgültigkeit. –

„Den Grundsatz: alles, was den Sprachwerkzeugen schwer und mühsam, ist dem Gehör unangenehm, kann ich nicht ganz gelten lassen. Im Griechischen kommen oft sehr viele Längen und sehr viele Kürzen nacheinander vor. Gewiß ist das rohen Organen schwer, ja unmöglich, und ich würde mich nicht wundern, wenn ein solches Organ schon deshalb die Musik der griechischen Sprache für Übellaut erklärte. Aber, würde ich fragen: ist es leichter zu singen oder zu reden? Zu reden oder zu lallen? Oder zu schweigen?"

Mein Satz bezieht sich nur auf die Bildung artikulierter Laute. Der Unterschied zwischen Singen und Reden beruht nicht auf einem verschiedenen Gebrauch der Organe, womit wir die Konsonanten hervorbringen, sondern auf der größeren oder geringeren Stärke und Ausdauer des hervorgestoßenen Odems und auf der verengten oder erweiterten Öffnung des Schlundes. Da nur von Euphonie, nicht von Eurhythmie die Rede war, so konnten auch die Schwierigkeiten der Silbenzeit oder Tonsetzung nicht in Betracht kommen. Übrigens bleibt es immer problematisch, wie die Folgen von langen und kurzen Silben geklungen haben mögen: in den uns bekannten Sprachen gibt es dergleichen nicht, und es ist keine Hoffnung da, jemals Griechisch zu hören. Nur rohen Organen wäre es unmöglich? Sollten wohl die geübtesten Redner oder Sänger unserer Zeiten unter den gebildetsten Völkern jemals lernen, ein Dutzend gleich kurzer Silben hintereinander auszusprechen? Ich für meinen Teil mache mich lieber anheischig, noch einmal als Meister in der Gastrilalie meine Künste hören zu lassen. Schon dieser einzige Umstand sollte uns von der Unmöglichkeit überzeugen, uns die Aussprache des Griechischen, auch nur auf die entfernteste Weise, vorzustellen. –

Übrigens gebe ich jenen Grundsatz für nichts Besseres als eine Hypothese, deren Güte danach geprüft werden muß, ob sie die Sache aus natürlichen Gründen erklärt und in allen Fällen zutrifft. Jenes glaube ich getan zu haben. Was das Letzte betrifft, so habe ich eine Menge Fälle angeführt, wo das in der Aussprache Mühselige auch unangenehm klingt. Um mich aus meiner Hypothese herauszutreiben, mußt du die Fälle der entgegengesetzten Art aufstellen. Indessen werde ich sie nur dann gern aufgeben, wenn du mir eine fester begründete dafür wiedergeben willst. –

„Und ist nicht überall das Weichliche mehr vom Schönen entfernt wie das Harte?" Erlaube mir, erst einen Mangel an Genauigkeit im Ausdrucke zu rügen. Weichlichkeit ist keine sinnliche Beschaffenheit der Dinge, sondern eine sittliche Eigenschaft des Menschen. Ein sybaritisches Bett ist weich; wer, gemächlich darauf ruhend, selbst den Druck eines Rosenblattes übel empfindet, ist weichlich. Es ist Weichlichkeit, jedes Ungemach über die Gebühr zu scheuen, oder dem, was den Sinnen durch sanfte Eindrücke oder gänzliche Abspannung schmeichelt, einen zu hohen Wert beizulegen. Abhärtung ist davon das Gegenteil.

Man kann moralische Begriffe nicht gegen ästhetische abwägen, weil es an einem Vergleichspunkt zwischen ihnen fehlt. Die Ästhetik hat auch mit jenen nur insofern zu tun, als sie, durch Kausalverbindung oder sonst, Beziehung auf ästhetische Eigenschaften haben. Weichlichkeit in der Lebensart ist gewiß der Schönheit des Körpers, wenigstens des männlichen, nachteilig. Ebenso läßt sich auch denken, daß die Weichlichkeit eines Volks in seiner Sprache sich verriete (man redet ja von der Männlichkeit unserer Sprache). Allein ich weiß kein Beispiel davon. Wenn ich letzthin das Französische wegen seiner zu großen Weichheit tadelte, so tat ich vielleicht dieser gefälligen Sprache unrecht. Ich könnte dir aus ihr eine Menge Ausdrücke für das Große und Starke anführen, die kräftiger sind als die unsrigen. – Oder wirst du etwa mit Kl. das Griechische und Italienische weichlich schelten?

Wenn du in deiner Frage den ästhetischen Begriff an die Stelle des sittlichen setzest, so antworte ich ohne Bedenken: O nein! gerade das Gegenteil. Das Harte ist nicht nur entfernt vom Schönen – es widerspricht ihm durchaus. Dagegen läßt sich sein Eindruck auf unsere Sinne mit dem, welchen das Große und Erhabene auf die Seele macht, ohne Schwierigkeit vereinbaren. Die Wirkungen des Weichen auf unsere Sinne sind mit denen des Schönen homogen. – Es muß ihnen geschmeichelt werden, um das liebliche Ideenspiel in uns zu erregen, wodurch der Geist sich das Schöne aneignet oder es vielmehr in sich selbst erschafft. Das Weiche schmeichelt ihnen auch, läßt aber den Geist schlummern. Es tut allerdings dem Schönen Eintrag, wenn bedeutende Verhältnisse in Weichheit erschlaffen, wenn es, wo wir Form verlangen, nur Materie dargeboten wird. Aber als Einfassung des Schönen, an den umgebenden Gegenständen, besonders solchen, die ihrer Natur nach wenig empfänglich für Form sind, ist es gewiß dem höchsten Genuß nicht hinderlich. Wer wird ein reizendes Weib nicht lieber auf einem sybaritischen Lager umarmen wollen als zwischen den eisernen Bettwänden des Prokrustes? Was Wunder also, wenn sich die Muse sträubt, der ein Barde auf der Lagerstätte des uralten Riesen aus Norden, Thuisko, den Gürtel lösen will?

„Deine Behauptung, daß sinnlicher Reiz das erste Erfordernis einer Sprache sei, daß ohne diesen Schönheit und Rhythmus nicht wirken können, hast du nicht erwiesen."

Es ist mir nie eingefallen, dies zu behaupten oder zu beweisen. Ich habe nur gesagt, daß es eine vergebliche Mühe ist, einem unangenehmen Stoff schöne Form geben zu wollen. Er braucht den Sinnen kein positives Vergnügen zu gewähren; es ist schon hinreichend, wenn er ihnen an sich selbst, ohne die Verhältnisse, auf welchen Schönheit beruht, nur gleichgültig ist. In jeder Sprache gibt es wohl einige unangenehme Töne – es kommt auf die Häufigkeit derselben und auf die Menge der angenehmen Töne an, die das wieder aufwiegen oder überwiegen.

So wie ich den Satz aufgestellt habe, liegt der Beweis in der Natur der sinnlichen und ästhetischen Empfindungen und in dem Verhältnisse unserer inneren und äußeren Organisation zu beiden. Der Instinkt, der uns das, was die Sinne widrig trifft, fliehen heißt, ist stärker als der freie Trieb des Geistes, ästhetischen Ergötzungen nachzugehen. So ist es auch in der Ordnung; denn dieser dient nur zur Entwicklung unserer geistigen Kräfte, jener ist notwendig zu unserer Erhaltung. Der Schmerz, der höchste Grad des sinnlichen Mißvergnügens, ist ein Bote der Zerstörung. – Der Sinn entscheidet eher als der Geist: wenn jener eine Sache für unangenehm erklärt hat, so gilt keine

Appellation an diesen, der sich niemals anmaßen kann, über seine Gerichtsbarkeit hinauszugehen. – Ein gebildeter Geist kann sich um der feineren Lust willen wohl entschließen, seinen Sinnen Gewalt anzutun – aber, wohl gemerkt, nicht an demselben Gegenstande. Er wird vielleicht um einer Musik willen üble Luft, Hunger und Durst nicht achten – aber die Ohren dürfen ihm nicht davon gellen, wenn er sie schön finden soll. Oder glaubst du, daß sich durch Schweine- oder Katzengeschrei ein gutes Konzert hervorbringen ließe, wenn man nur ihre Stimmen nach der Höhe und Tiefe ordnete, und die Kunst erfände, sie taktmäßig in Bewegung zu setzen? –

Übrigens ist die Härte einer Sprache ein Fehler, der nicht bloß die Materie, sondern in vielen Fällen auch die Form betrifft und also keine Schönheit zuläßt. Jedes harte und unangenehme Wort für eine sanfte, liebliche Sache ist eben wegen dieses Mißverhältnisses zwischen der Bezeichnung und dem Bezeichneten häßlich. Wir haben in unserer Sprache tausend solche Wörter. Es ist also eine seltsame Forderung, die du an mich machst, zu beweisen, daß sie bei ihrer Härte der Schönheit nicht fähig sei. Wenn du jene eingestehst, so liegt es dir vielmehr ob, zu zeigen, wie sie dennoch in schöner Gestalt auftreten kann. –

Zum Studium der griechischen Poesie gehört gewiß auch das ihrer Metrik. Ich kenne sie nur etwa aus einigen ihrer Dichter, nicht aus den Theoristen, über die ich dir daher auch nichts sagen kann. Allein ich glaube, sie müssen mit äußerster Vorsicht gebraucht werden – ich will dir deswegen hauptsächlich zwei Warnungen geben.

Vor allen Dingen muß man sich hüten, keine Ideen aus seiner Muttersprache zu ihnen hinzubringen, welches doch gar leicht geschieht. Man verfällt so leicht in den Irrtum, ihre Bezeichnung von Tönen, die uns unbekannt sind, auf diejenigen Laute zu deuten, wofür wir nun zufällig eben diese Zeichen gebrauchen; und dies erzeugt unzählige Mißverständnisse. Wenn Dionysius[2] das S als übelklingend verwirft, welchen Laut mag er gemeint haben? Unser Anfangs-S, das z der Franzosen oder das geschärfte S der übrigen Nationen oder etwas unserem sich Ähnliches? Beim griechischen R möchte uns ebenfalls manches verborgen sein, wie sich auch aus den Aspirationen schließen läßt. In Ansehung der Vokale schweben wir ganz im Dunkeln; aber auch die Aussprache mehrerer Konsonanten, des ϑ, φ, ζ, ist uns unbekannt oder ungewiß. Von der Art, die Worte im ganzen auszusprechen, haben wir nun vollends keinen Begriff. Die vielen langen und kurzen Silben hintereinander habe ich schon vorhin erwähnt. – Die Akzente lassen einige ganz aus der Acht. Andere geben den Silben, die sie haben, die Länge. Beides ist unstreitig ganz falsch. Mehrere haben gesagt, die Akzente bestimmten die Modulation, die Höhe und Tiefe der Stimme, so wie die Quantität den Takt, die Zeit des Verweilens bei einer Silbe abmißt. Ich möchte aber wohl jemanden hören, der nach dieser Regel das Griechische zu lesen und beiden ihr Recht zu geben wüßte. „Die Akzente", sagt ein vortrefflicher Schriftsteller, „diese musikalischen Noten, die von einer attischen Zunge, und für ein attisches Ohr die geheime Seele der Harmonie sein mußten, sind für uns stumme und bedeutungsleere Zeichen, überflüssig in Prosa und lästig in Versen." –

Da wir nun bei Schriftstellern, die sich unaufhörlich auf diese uns unbekannten und durchaus keine hinlängliche Beschreibung zulassenden Dinge beziehen, nur die Wahl haben, ob wir sie gar nicht verstehen oder nach angeerbten oder willkürlich gebildeten Vorstellungen von der griechischen Aussprache mißverstehen wollen, so steht es sehr mißlich um irgendeine Anwendung ihrer Lehren auf die Vervollkommnung unserer Verskunst. Es wird sicherer sein, uns über das, was gut oder übel klingt, mit unseren eigenen Ohren, als mit denen des Hephästion oder Dionysius zu beratschlagen, besonders da unsere Verse für deutsche und nicht für griechische Ohren bestimmt sind.

Ferner: die Theoristen kamen erst viele Zeitalter nach den großen Dichtern. Wie Sprache Jahrtausende früher als Grammatik, so waren auch weit, weit früher Verse, und sehr schöne Verse, da als regelmäßige Prosodie und Metrik. Die Grammatiker hatten die alten Dichter vor sich und zogen nun aus diesen Regeln ab; weil sie diese nicht immer beobachtet fanden, Regeln der Ausnahmen; weil sie auch von den Ausnahmen Abweichungen bemerkten, Regeln der Ausnahmen von den Ausnahmen, und so weiter bis ins Unendliche. Die alexandrinischen Dichter waren meistens selbst Grammatiker und brachten dergleichen schulfüchsische witzige Unterscheidungen ausübend in ihren Poetereien. Die alten Sänger, die zum Teil gedichtet hatten, ehe die Schreibekunst überhaupt im Gebrauch oder als sie wenigstens noch sehr unvollkommen war und also die Worte unmöglich so in ihre Bestandteile zerlegt und haarscharf anatomisiert werden konnten, hatten es vermutlich bloß nach dem Gehör getrieben, „wie Essen und Trinken frei". Hätten sie sich das Leben so sauer gemacht, so wäre vermutlich niemals eine *Iliade* geworden. – Es ist offenbar, daß im Homer eine Menge Verstöße gegen die Grammatik der griechischen Sprache in ihrer reichsten Ausbildung und gegen die nach dem Verfall der Dichtkunst erfundene Prosodie zu finden sind. Mir sind beide sehr willkommen als ein Beweis, daß die Aristarche[3], aus deren Händen wir ihn haben, noch einigermaßen säuberlich mit ihm verfahren und nicht gar zu großmütig mit ihren Korrekturen gewesen sind. Kl. tadelt ihn in seinen Fragmenten weitläufig darüber. Ist es nicht lächerlich, wenn ein nordischer Barbar nach dreitausend Jahren den ehrwürdigen Alt- und Stammvater der Poesie belehren will, er habe gar nicht recht gehört und nichts weniger als seinen Vers verstanden; so und so hätte er hören sollen – dann wäre noch Hoffnung dagewesen, sich der Vollkommenheit der Hexameter, die er, Klopstock, macht, von ferne zu nähern. Das ist nun dein kritisches Genie!

Auf die Wahrscheinlichkeit oder Gewißheit, daß sich bei den Griechen wie bei allen anderen Nationen im Laufe der Zeiten Aussprache und Orthographie allmählich verändert haben, will ich jetzt nicht einmal Rücksicht nehmen. Wer steht uns dafür, daß nicht schon beim ersten Aufschreiben der *Ilias* die Bestandteile der Worte, auf denen ihre Quantität beruhte, hier und da Veränderungen erlitten hatten? (Eben wie bei unseren Minnesängern, wenn wir sie nach der heutigen Aussprache lesen, häufig der Reim, der doch ursprünglich gewiß richtig war, verlorengeht.) Merke wohl, daß wir alle älteren Dichter aus alexandrinischen Rezensionen haben. Ist es so unglaublich, daß diese Grammatiker vieles nach ihrer Sprachtheorie ummodelten, und wenn dann dabei der Vers litt, in ihrer Prosodie noch neue Ausnahmen von den Ausnahmen von den Regeln eintrugen? – Dies war dann freilich eine Ehrenrettung, die für den Homer so gut paßte wie für den Herkules eine Rechtfertigung seiner Taten aus der christlichen Moral. –

Was das Zusammentreffen der Vokale betrifft, so scheinst du mir nicht die gehörigen Unterscheidungen zu machen; ich habe aber selbst zu einer genaueren Erörterung jetzt keine Lust. Es ist ganz etwas anderes, ob die Vokale in demselben Worte oder zu Ende des einen und Anfang des anderen Wortes beisammenstehen, und ob im letzteren Fall die Sprache das Hilfsmittel der Elision und des Ineinanderschmelzens hat oder nicht. Ferner, was für Vokale aufeinander folgen. Einige gleiten ohne Schwierigkeit und machen durchaus kein Absetzen und von neuem Anheben notwendig, z. B. die Angewöhnung, zu ihm, *ouir, jouaillier* usw.

Wenn ein Vokal am Ende elidiert und der vor ihm stehende Konsonant gleichsam an das folgende Wort gehängt wird (lieb' ihn, Gestad' erging), so vermehrt er den Wohlklang und Fluß der Rede. Die französische Sprache hat dies sehr viel und verdankt diesem Verbinden der Worte nicht wenig von ihrer bezaubernden Sanftheit. Wenn wir es nur mehr hätten!

In dem Maße, daß eine Sprache Überfluß an Vokalen zu Anfang und Ende der Worte hat, sind auch mehr Elisionen bei ihr erlaubt; z. B. im Griechischen und Italienischen. Bei uns ist durchaus keine andere gestattet als die des tonlosen e am Ende – und auch nicht einmal dies in allen Fällen; nicht an Adjektiven, deren darauffolgendes Substantiv mit einem Vokal anfängt, z. B. blaue Augen. Das können wir auch in Versen nicht anders sagen, und es macht bei unserer Art, das e am Ende auszusprechen, einen üblen Absatz oder Hiatus.

Mit deinem Schluß, unsere Sprache müsse, weil sie von Konsonanten starrt, vor dem Zusammentreffen der Vokale sicher sein, steht es also nicht ganz richtig. Dieser Fehler, wenn es anders einer ist, ist ihr vielmehr, sowohl in unvermeidlichen Wortfolgen, als in demselben Worte, gar nicht fremd. Zwar hat sie wohl äußerst selten oder nie drei Vokale nacheinander wie in deinen griechischen Beispielen, aber häufig zwei oder einen Vokal und einen Diphthong; dann und wann auch wohl zwei Diphthonge. Du mußt hierbei bemerken, daß wir oft Aspirationen schreiben, wo wir sie nicht aussprechen: z. B. sehend, blühend. Solcher Worte gibts sehr viel: ferner: Schmähung – reuig – beurlauben – Auen – Beschauung – Heuernte – Seen – herbeieilen (zwei Diphth.) – die Ehe (drei Vok.) usw. – Unvermeidliche Wortfolgen: der Artikel mit weiblichen Substantiven, die mit einem Vokal anheben oder mit dergleichen im Pluralis, z. B. eine Augenweide, die Alten; einige Präpositionen mit dergleichen Worten, z. B. bei ihnen, zu uns usw. –

Wie du das Verbot der Rhetoriker und die genielose Kleinigkeitskrämerei des Isokrates[4] in Ansehung der zusammentreffenden Vokale gegen mich anführen kannst, begreife ich in der Tat nicht. Ich hatte gegen Kl. behauptet, zu viele Vokale könnten eine Sprache nicht weich, wohl aber allzu sonor machen. Wenn die griechischen Rhetoren dieses Übermaß nur dem erhabenen Vortrage erlaubt haben, so hat es ihnen doch unmöglich weich, sondern voll und stark geschienen. – Behaupten sie im allgemeinen, daß aufeinanderfolgende Vokale den

Fluß der Rede hemmen – so mag das vielleicht im Griechischen so gewesen sein; einer so leicht fließenden Sprache, daß der geringste Anstoß merklich werden konnte. Dies heißt, denke ich, diese Herren mit einer Höflichkeit behandeln – denn daß es in neueren Sprachen oft nicht so ist, davon überzeugen uns unsere Ohren. Gibt es wohl sanftere, flüssigere Worte als *Louisiane, poésies?* Und solcher gibt es besonders im Französischen, Italienischen und Spanischen viele hunderte. Vielleicht hast du aber die Behauptung zu allgemein genommen. Es kommt wohl sehr viel auf die Beschaffenheit der Vokale an – ἠϊόνες und βοόωσαν scheinen wirklich nicht ohne Hiatus ausgesprochen werden zu können. (Bemerke aber, daß wir in den letzten das o nicht vom ω verschieden auszusprechen verstehen.) Es ließen sich vielleicht über die guten und nicht guten Folgen der Vokale Regeln geben – da wäre Isokrates nun recht der Mann, dem nachzugrübeln. Nur dies: i scheint mir vor allen anderen Vokalen gut zu stehen: διά, δίοδος, *diu* usw. Die Wiederholung desselben Vokales klingt vielleicht immer übel: da aß er, geh, eh' er kommt, die ihn, so ohnmächtig, zu uns. Sage mir doch das Urteil deines Ohres hierüber. Von der üblen Wirkung unseres tonlosen e am Ende habe ich schon gesprochen; dies erstreckt sich auch auf die Anfangssilbe be und ge vor einem Vokal: beengen, beeifern, beurlauben usw., geirrt, zugeeignet usw. Lange Folgen von Vokalen sind dem ionischen Dialekt sehr natürlich, wegen des häufigen Auflösens der Diphthonge in zwei Vokale. Sieh nur den Herodot – findest du, daß dieses Auseinanderziehen der Worte ihm ein erhabenes Ansehen gibt, oder daß es vielmehr seinem Geschwätz noch mehr naiven Reiz verleiht? Auch der gute Homer muß nicht belesen in den Rhetorikern gewesen sein, denn er hat die ἠϊόνες und βοόωσαν fast in jede Zeile aufgenommen und nicht etwa bloß, wo von erhabenen Dingen die Rede ist, sondern auch, wo ein Ferkel gebraten wird oder jemand sich die Füße waschen läßt.

Μῆνιν ἄειδε, θεά, Πηληϊάδεω Ἀχιλῆος.[5]

Über die Regeln des deutschen Jamben

Fragmentarische Winke

Des Jamben – oder wie du ihn sonst nennen willst; damit ich nur gleich deinem Einwurfe antworte, daß ja aus Jamben, Trochäen und Pyrrhichien[6] durcheinander keine Jamben werden können. Was kommt darauf an, wie eine Versart heißt, wenn sie nur gut ist? Wie du auch meinen Satz verdrehst! Durcheinander! Als ob diese drei Füße ungefähr gleich häufig vorkommen sollten. Der Jambe soll bei weitem und noch weit mehr als im Griechischen der Hauptfuß sein; reine Jamben sind an sich betrachtet die schönsten – nur des Ausdrucks oder der Abwechslung wegen, oder um dem Dichter die Schwierigkeit zu erleichtern, soll die Einmischung der Nebenfüße erlaubt sein.

Ich muß dir nur gestehen, lieber Fritz, ich bin in Gefahr, mich zu ereifern, wenn du aus der griechischen Theorie gegen Eigenheiten unserer Verskunst räsonnierst, die du gar nicht praktisch kennst – nicht einmal aus einem genauen Studium unserer Deklamation. Die Theorie hilft nichts ohne ein geübtes Ohr, an dem sie geprüft werden muß; aber ein geübtes Ohr hilft wohl ohne jene – die schönsten Verse sind nicht nach ihr gemacht.

Du wirst glauben, ich fühle mich im Namen aller deutschen Versifikatoren und in meinem eigenen beleidigt. Also will ich mich überwinden und so ruhig als möglich, ohne allen Flammeneifer, dir meine Gründe weiter entwickeln. –

Jede Sprache hat ihre Metrik, die aus ihrer eigenen Art und Struktur abgeleitet und entwickelt werden muß. Nur einheimische Gesetze gelten. Ja die Abweichungen hierin sind so groß, daß in verschiedenen Sprachen die metrischen Namen nicht mehr dieselben Begriffe bezeichnen und man sich also unaufhörlich mißversteht. – Im Deutschen vollkommen die griechischen Silbentänze nachmachen wollen, tut eine lächerliche Wirkung; man kann einen starken, aber schwerfälligen Zugochsen unmöglich den Galopp eines englischen Renners lehren.

Überhaupt würde es bei uns ein allzugroßer Zwang sein, sich an so komplizierte und doch so genau bestimmte und abgewogene Wechsel von Kürzen und Längen zu binden. Die Griechen warfen die Worte beinah in jede beliebige Ordnung; unsere Wortfolge ist grammatisch bestimmt und auch in der Poesie sind nur geringe Freiheiten verstattet. Die griechische Sprache war äußerst biegsam – und ihre Worte litten besonders in ihren vielsilbigen Endungen die mannigfaltigsten Modifikationen, die, ohne dem Sinn zu schaden, durch die veränderte Quantität dem Silbenmaße zu Hilfe kamen. Die unsrige ist halsstarrig – sie kann an ihren Worten nicht modeln, hinzusetzen oder wegnehmen lassen; denn es ist alles daran notwendig und nur zur Leibesnahrung und Notdurft vorhanden. Die griechische Sprache rankt sich wie eine zarte Rebe ohne Mühe an jedem so oder so gebildeten Stabe des Silbenmaßes hin. Die Deutsche ist ein Eichbaum, der, wenn der Nordwind (unser Genius) drein bläst, wohl brechen kann, aber niemals sich biegen.

Endlich, was die Schwierigkeit für uns unendlich vermehrt, ist die begriffsmäßige Bestimmung unserer Quantität. (Ob sie wirklich ein Vorzug ist, untersuche ich ein anderes Mal). Die griechische ist mechanisch bestimmt; von zwei Worten, die gleich viel bedeuten, kann das eine aus lauter kurzen, das andere aus lauter langen Silben bestehen. Bei uns müssen, um einen Molossus[7] hervorzubringen, drei Wurzelsilben, deren jede einen Hauptbegriff bezeichnet, zusammentreten; um einen Tribrachys[8], drei Ableitungssilben und Nebenbegriffe. Hieraus ist klar, daß das Verhältnis, Gleich- oder Übergewicht der kurzen oder langen Silben, und ihre Stellung gegeneinander bei uns einen weit entscheidenderen Einfluß auf den Ton des Ausdrucks, ja selbst auf die ganze Gedankenbildung hat. – Daß einige von Klopstocks Chören im *Messias* und von seinen Oden so ganz über allen Ausdruck mißraten sind, kommt gewiß nur von diesem, unserer Sprache unerträglichen Zwange. Am fremdesten, steifsten, unverständlichsten wirst du unter seinen Gedichten immer die finden, wo er ein starkes Übergewicht, entweder von langen oder kurzen Silben, hat erkünsteln wollen. Unsere Sprache wägt sie meistens gleich – sie leidet keine starken Abweichungen von einer oder der anderen Seite – daher sind auch Jamben und Trochäen ihre natürlichsten und gleichsam freiwilligen Silbenmaße.

Ein anderer charakteristischer Unterschied ist es, daß der Gang der griechischen Sprache (so viel wir vermuten können) unendlich rascher und flüchtiger muß gewesen sein; ihre Kürzen kürzer, ihre Längen weniger lang. Die Bestandteile ihrer Silben, die Gesetze ihrer Quantität lassen uns daran nicht zweifeln. In jenen ist ihr die französische Sprache ähnlich – und wie fliegt sie der deutschen voraus! Die sechs Silben von *irritabilité* sind schneller gesagt, als die drei von Reizbarkeit; ein französischer Molossus (wenn man dieser Sprache bei der großen Unbestimmtheit ihrer Prosodie so etwas zuschreiben kann) schneller als ein deutscher Anapäst. Im lebhaften vertraulichen Gespräch wird in dieser Sprache das meiste, außer den Silben, die den Ton haben, kurz; wenn sie mit Nachdruck und Emphase reden, haben sie oft ganze Folgen von langen Silben. Dies würde dir deutlicher sein, wenn du das französische Theater kenntest; z. B.

> Me pardonnerez vous de vous avoir fait naître

Oder:

> Oh, les honnêtes gens sont sans doute aux galères,
> Car ceux qui n'y sont pas! —

In dieser so angegebenen Quantität wäre sonst freilich viel Willkürliches; aber in dem Zusammenhange bestimmt die Deklamation sie umwandelbar. Dies sollte nur zum Beispiele dienen, wie sich etwa die Folgen von Längen im Griechischen ausnehmen mochten. Sie wirkten nicht so stark und hielten auch im Aussprechen nicht so lange auf. Bei uns trifft der Ton, die Wichtigkeit der Bedeutung, und oft auch das Mechanische der Vokaldehnung, die Diphthonge und der doppelten und dreifachen Position auf denselben Silben zusammen. Daher sind vier vollkommene Längen beinahe für alles, was ein Dichter ausdrücken wollen kann, schon zu stark; z. B. Der Sturm tobt wild her.

Hieraus folgt nun, daß das Verhältnis der Längen und Kürzen bei uns nicht so sein kann und darf wie bei den Griechen. Sie brauchen mehr Längen, um die äußerste Flüchtigkeit ihrer Kürzen in Zaum zu halten; wir mehr Kürzen, um die Schwerfälligkeit unserer Längen zu beleben. Ein Hexameter, wie der unsrige, in welchem der Trochäe statt des Spondeen (also auch eine Silbenzeit weniger) erlaubt ist, würde im Griechischen unstreitig fade und matt sein; der wahre griechische Hexameter aus Daktylen und Spondeen bestehend, würde im Deutschen (könnte man die Sprache auch hineinzwängen) sich mühselig fortschleppen, oder man müßte die Zahl der Daktylen noch weit größer, die der Spondeen weit geringer machen als selbst beim Homer.

Darum also dürfen wir in unseren Jamben die Spondeen nicht so häufig gebrauchen als die Griechen; darum ist auch der Pyrrhichius dann und wann uns erlaubt: darum also ist es mißlicher, den Anapäst zu gebrauchen, weil die eingeschobene Kürze selten, wie bei den Griechen, ein Sechzehnteilchen, sondern meistens ein Achtel- oder Vierteltakt ausmacht.

Unsere Sprache neigt sich fast durchgängig zu jambischen oder, welches einerlei ist, zu trochäischen Versarten. Ich könnte dies mit der ausführlichsten Genauigkeit dartun, allein ich will nur auf zwei Punkte aufmerksam machen.

1. Die Quantität der einzelnen Worte. Die einsilbigen sind ebenso häufig lang als kurz. Jenes die Substantiva und Adverbia; dieses immer die Artikel, die wir unaufhörlich gebrauchen, meistens auch die Präpositionen, Konjunktionen, zum Teil die Pronomina. Die zweisilbigen, unter allen die größte Anzahl, sind meistens $\cup-$ oder $-\cup$, seltener $--$, und nie $\cup\cup$. Die dreisilbigen Worte folgen ihrer Häufigkeit oder Seltenheit nach so aufeinander: $\cup-\cup$, $-\cup\cup$ (deren viele dem Amphimaker [9] ähneln), $-\cup-$, dann $\cup--$ oder $--\cup$, selten $--$, vielleicht nie (in demselben Worte) $\cup\cup-$. Weiter will ich dies nicht verfolgen; denn die Anzahl der vier- oder mehrsilbigen Worte ist verhältnismäßig nur gering; auch unter ihnen gibt es viele $\cup-\cup-$ und $-\cup-\cup$; und die $\cup\cup--$ und $--\cup\cup$ sind für unseren Jamben (oder wie er heißen mag) nicht ganz unbrauchbar.

2. Die ganze Art unserer prosodischen Bestimmung. Die wenigsten Längen und Kürzen sind bei uns absolut; die meisten relativ, nach ihrer Stellung. Sie werden gegen die vorhergehende und nachfolgende Silbe abgewogen und gelten für kurz, wenn sie nur leichter sind als diese, für lang, wenn schwerer. Daher kommt es, daß unsere meisten Molossen $(---)$ sich zum $-\cup-$, unsere $\cup\cup\cup$ zum $\cup-\cup$ neigen. Das erste ist immer der Fall, wenn auf einen trochaïsierenden Spondeen eine absolut lange Silbe folgt; z. B. die Schwermut siegt. Das zweite leidet auch nur wenige Ausnahmen; etwa: beseeligende Ruh. Huldigung ist $-\cup\cup$ wenn eine vollkommene Länge folgt; aber Huldigungen ist notwendig $-\cup-\cup$.

Also wird gewöhnlich durch diese Folge der Silben: $-\cup\cup\cup-$, oder $\cup---\cup$ der jambische Gang des Verses gar nicht gestört; und man darf ohne Schwierigkeit den jambisierenden Spondeen $(\cup-\,|\,--\,|$ $\cup-)$ und den jambisierenden Pyrrhichius $(\cup-\,|\,\cup\cup\,|\,\cup-)$ darin aufnehmen.

Der trochaïsierende Spondee ist viel häufiger bei uns als der eigentliche oder gleich abgewogene: alle Zusammensetzungen von zwei Wurzelsilben bilden jenen. Bei unserer begriffmäßigen Quantität kann dies nicht anders sein – denn der allgemeinere Geschlechtsbegriff wird gewöhnlich ans Ende, der spezifische Unterschied, ein Umstand, oder eine individuelle Bestimmung vorangesetzt; z. B. krank, seekrank, Fall, Rheinfall. Der Geschlechtsbegriff ist leerer, enthält weniger von der Sache – die *differentia specifica* hat mehr Bestandheit, nähert sich dem wirklichen Dinge schon mehr; und dies wird dann auch in der Prosodie bezeichnet. Kommt nun am Ende noch eine

Biegungssilbe hinzu, die einen grammatischen Nebenbegriff ausdrückte und also kurz ist, so bleibt zwar der Spondee trochaïsierend, aber die letzte Hauptsilbe bleibt doch entschiedener lang als vorher; z. B. Mut, Schwermut, schwermütig. Dieser Fuß −−◡ ist daher in einem Worte nicht angenehm – die erste und letzte Silbe arbeiten sich in Ansehung der mittelsten gleichsam entgegen; jene verkürzt, diese verlängt sie. Sie ist also in einer unbequemen Lage, wie ein Mensch, der an einem Arm ein schwereres Gewicht trägt als am anderen. Hieraus ließe sich wieder manches über die Vorzüge des Jamben in unserer Sprache folgern.

Die gleich gewogenen Spondeen entstehen bei uns meistens nur aus Zusammenstellungen zweier einsilbigen Hauptworte; z. B. der Strom braust. Die Längen müssen so lang als möglich sein, wegen der gegenseitigen Wirkung der Silben aufeinander. Jede Länge mißt sich gleichsam an der, die bei ihr steht; und wenn sie der anderen nur die geringste Schwäche anmerkt, wird sie gewiß ihren Vorrang geltend machen. Die Längen müssen einander also durchaus nichts anhaben können. Darum ist dieser Spondeus ein so sehr starker Fuß: zwischen seinen Bestandteilen ist immer eine Art von Kampf.

Kl. wünscht unserer Sprache mehr Reichtum daran. Er hat der Sponda (er mußte den Spondeus erst weiblich machen, damit man ihn nicht etwa einer Leidenschaft nach griechischen Sitten beschuldigen möchte) seine Liebe auf das zärtlichste erklärt, aber zugleich über die wenige Erwiderung geklagt. Diese Ode, deren du dich gewiß erinnerst, zeigt poetische Kunst und zugleich Pedanterie auf ihrem höchsten Gipfel: sie würde vortrefflich in einem poetischen Raritätenkabinett prangen. Der Enthusiasmus sinkt, wenn man näher erwägt, für wen der liebende Dichter schmachtet. Die deutsche Sponda ist nicht die griechische: jene ist eine nervige, knochige, herkulische Schöne, gewaffnet mit Keule und Löwenhaut, aber nicht, wie Omphale[10], über runden Schultern und zartgeschweiften Hüften: nur ein nordischer Barde kann ihre Umarmungen begehren. Die Wahrheit ist, daß unsere meisten Spondeen durch breite Dehnungen und Diphthongen und gehäufte Konsonanten bis zur gänzlichen Unbrauchbarkeit übellautend sind. Der Dichter mag also eher die Muse bitten, ihm derer, die wir haben, ohne Nachteil entraten zu helfen, als ihm noch mehrere zu bescheren.

Aber wie, wenn sich Kl. nun gar in der Person seiner Geliebten geirrt, und wie ein Professor sein Ehegesuch an die falsche gebracht hätte? Die Sponda, eine Folge von zwei Längen, ist reichlich in unserer Sprache vorhanden – nur bildet sie leider, von kurzen Silben eingefaßt, den Antispastus[11], der unter allen Füßen am wenigsten musikalisch, und ein wahrer Dämon der Disharmonie ist: z. B. die See tobte, hinaufsteigen, verantworten, Gesichtspunkte und viele Hunderte. Den psychologischen Grund seiner üblen Wirkung hat Moritz recht gut entwickelt, und auch der griechische Name zeigt ihn an: er zieht Ohr und Seele nach verschiedenen Seiten hin. Aus dem Hexameter, Jamben und überhaupt den meisten alten Silbenmaßen ist er deswegen auch verbannt.

Die Sponda steckt also, wie die Alten eine Grazie in der Statue eines rauhen Satyrs zu verbergen pflegten, in dem garstigen Gegenzerrer wie eingeschachtelt. Wie wäre sie da herauszuholen? Mit einem Wort, ausgenommen zu Anfang oder Ende eines Verses, ist mit zwei Längen nichts anzufangen; drei müssen beisammenstehen, um den Antispast zu vermeiden. Der Dichter begehrt also eigentlich die Molossa, nicht die Sponda. Indessen muß jene, sonst rauh und barbarisch, wie der molossische König Echion, doch nicht hierüber eifersüchtig geworden sein, sie gewährt Klopstocken, besonders in der letzten Hälfte des *Messias* und seinen späteren Oden, nur allzu oft.

Kl. macht es dem Jamben zum Vorwurf, daß man dergleichen wie „Angst wehklagt" nicht ohne Silbenzwang hineinbringen könne. Gott bewahre uns! Wer wird denn überhaupt solche Monstruositäten in ein Gedicht bringen wollen? Wenn der Jambe uns davor beschirmt, so verdient er gar schönen Dank.

Wie der Spondeus mit einfassenden Kürzen den Antispast, so bildet der Pyrrhichius mit den umgebenden Längen den schönen Choriambus (– ∪ ∪ –). Dieses schönen Fußes berauben wir uns freilich, wenn wir aus unserem Jamben den Anapäst ausschließen: allein ich bin auch weit entfernt, den anapästischen Jamben in unserer Sprache zu verwerfen. Vielleicht, wie wir nachher sehen werden, gibts auch eine Auskunft, den Choriambus ohne Aufnahme des Anapästes doch wieder zu bekommen.

Über den Gebrauch der Nebenfüße in unserem Jambus mußt du folgende Regeln nur als einen flüchtigen hingeworfenen Versuch ansehen.

Den jambisierenden Spondeus und jambisierenden Pyrrhichius kann man fast ohne Skrupel gebrauchen – freilich macht jener den Vers nachdrücklicher, dieser leichter, besonders wenn sie zweimal in demselben fünffüßigen Jamben gebraucht werden. Man muß das nach dem Inhalte abmessen; z. B.

> An allem, was hienieden Schönes lebet

oder:

> Du hast mir, wie mit himmlischem Gefieder –
> Vernahm mein Sinn so reinen Einklang nie. –

Der eigentliche Pyrrhichius darf nur selten gebraucht werden: er würde den Vers entkräften. Hier und da einmal bei sanften und lieblichen Gegenständen tut er eine gute Wirkung; z. B. Es ist die ewige Magie. Am Ende des Verses macht ihn der Reim unmöglich; aber auch in reimlosen Versen gefällt er mir da nicht: er scheint mir die Spitze der Zeile gleichsam abzustumpfen. Ebenfalls vor einem männlichen Abschnitt, besonders wenn die darauf folgende Silbe nicht ganz entschieden kurz ist; z. B. dieser Vers ist falsch:

> Dem Glücklichen | kann es an nichts gebrechen –

Er wäre richtiger so:

> Es kann an nichts | dem Glücklichen gebrechen –

Erlaubter als jenes ist vielleicht:

> Sie wandelte, mit einer Göttin Gange –

Zu Anfange des Verses (∪∪∪–) verbietet er sich von selbst – von drei Kürzen vor einer Länge wird gewiß immer die zweideutigste lang.

Trochaïsierende Spondeen in zweisilbigen Worten können nie so gebraucht werden, daß die längere Länge anstatt der kurzen Silbe des Jambus stünde.

Im dreisilbigen dürfen sie zuweilen so gebraucht werden, doch mit großer Vorsicht[12], am besten zu Anfang des Verses oder nach einem männlichen Abschnitt: gebraucht man sie anderswo, so muß man vorzüglich dafür sorgen, eine entschiedene Länge vorausgehen zu lassen. Man muß hierbei hauptsächlich den Wohlklang zu Rate ziehen; „wehmütig" darf eher stehen, als „aufbrausend". In der letzten Region eines weiblichen Verses darf er durchaus nicht stehen. Haller hat gesagt: sie sind wie wir hinlässig.

Es wäre vielleicht kein übler Gedanke, diese Art Spondeen, wo man sie erlaubt, durch einen Pyrrhichius gleich wieder aufwiegen zu lassen, und dem Verse also wieder zu nehmen, was man ihm zuviel gab; z. B. Unglücklicher wie du; freiwilliges Geschenk.

Der Spondeus, der aus einem einsilbigen Wurzelwort und einem darauf folgenden trochäischen Worte entsteht und zu allen drei Gattungen von Spondeen gehören kann, darf schon kühner angebracht werden; besonders wenn seine erste Silbe kein starkes mechanisches Gewicht hat. Geh weiter, könnte man wohl auch am Ende eines Verses sagen; bleibt immer, wäre da schon bedenklicher.

Der Spondeus aus zwei einsilbigen Wurzelwörtern hat in der Mitte des Verses eine beinah zu große Kraft, weil da drei absolut lange Silben zusammentreten; z. B. die See tobt wild. Zu Anfange des Verses hingegen verleiht er Würde und Nachdruck: Nichts kam ihr gleich auf diesem Erdenrunde. Eben das gilt von der eben beschriebenen Art Spondeen, wenn sie durch das Gewicht der Bedeutung oder mechanischen Beschaffenheit der ersten Silbe trochaisierend werden:

Horch! hohe Dinge lehr' ich dich.

Auch nach einem männlichen Abschnitte nach einer entschieden langen Silbe stehen beide Arten gut. Man bemerkt da, eben wegen der Pause des Abschnitts, die drei vollen Längen weniger – z. B.

Führt euch ein Augenblick? | Kann Liebe so betören? –
Des grausenvollen Turms; | drob schaut ich starr –

Der Gebrauch des Trochäen ist am engsten beschränkt, sowohl in seiner Beschaffenheit als seiner Stellung.

Bei unserer relativ bestimmten Quantität ist die Vergleichung mehrerer Silben eines Wortes untereinander unmittelbarer, notwendiger und sicherer als verschiedener Worte. Daher findet auch bei zusammenstehenden einsilbigen Worten am meisten Unbestimmtheit der Quantität statt. Da nun der Trochäe gerade das Gegenteil des Jamben ist, so würde der Kontrast zu schneidend sein, wenn man Trochäen in einem Worte erlaubte. Es dürfen nur solche gebraucht werden, die aus zwei Worten bestehen und bei einer anderen Bedeutung und Wendung der Deklamation auch Jamben oder wenigstens Spondeen vorstellen können; z. B. durchaus nicht: deine Gestalt; aber wohl: hast du gesehn? Denn es kann auch heißen: hast du gesehn.

Ferner: hinter dem Jambus bildet der Trochäus den greulichen Antispast, vor ihm den schönen Choriambus. Er darf also nie nach einem Jambus stehen – daher sind seine einzigen guten Stellen zu Anfang des Verses und nach einer männlichen Pause. Er scheint mir vorzüglich im Anfange dem Verse einen schönen Aufschwung zu geben.

Kennst du mich nicht? sprach sie mit einem Munde –

(Zweimal in einem Verse ist doch beinah zu viel.)

Käm' uns Homer zurück ins Leben –
Würd' er die Schuld dem Gürtel geben –
Weißt du, was er davon gesungen –

Man muß besonders darauf achten, daß der nächste Jambe eine recht bestimmt lange Silbe habe; sonst verliert der Vers seinen jambischen Gang. Fehlerhaft ist z. B.

Wenn ein kastilian'scher Grande Briefe –

Auch ist es wohlklingender, wenn mit eben diesem Jamben ein Wort endigt, als wenn eine weibliche Endung folgt; z. B.

Frei wie ein Gott, und alles dank ich dir –

schöner als:

Siehst du die Wogen der Rebellion –

Beim Gebrauch aller dieser Nebenfüße ist übrigens die größte Mäßigung zu empfehlen. Einer in einem fünffüßigen Jamben, aufs Höchste zwei, und nicht leicht zweimal derselbe; z. B.

es Könige | in Spanien gegeben –

ist mit seinen eigentlichen Pyrrhichien unerträglich matt.

Nun ist noch die Lehre von den Abschnitten oder Pausen, der Zusammenknüpfung der Zeilen durch die poetischen Perioden, dem Gebrauche der hyperkatalektischen [13] Verse oder weiblichen Versendungen übrig.

Was vom jambischen Verse gesagt ist, läßt sich leicht mit den gehörigen Modifikationen auf den trochäischen anwenden.

Eines der besten Muster ist Goethe in der „Zuneigung", *Iphigenia, Tasso, Claudine, Erwine*. Weit weniger ausgearbeitet ist *Don Carlos*; besonders fehlt es Schillers Jamben oft an Fülle. Lessings *Nathan*, so viel ich mich erinnern kann, ist für das vertrauliche Gespräch gut. Klopstocks Trauerspiele erinnere ich mich nicht. –

Ich habe nie behauptet, daß unser Jambus an sich besser sei als der griechische, nur gestanden, daß er mir für unsere Sprache passender scheint. Du erklärst mir die Theorie des Trimeters, als ob ich an ihr gezweifelt hätte, da mein Zweifel doch nur war, ob die Unterscheidung der Regionen nicht für unser Ohr zu fein sei? Ich will nicht einmal dies verneinen, denn meinem Ohre sind noch niemals griechische Trimeter in deutscher Sprache vorgekommen. Schicke mir nur welche, ich will dir treulich wiedererzählen, was mein Ohr dazu sagt. Ich befürchte indessen, die vollkommene Beobachtung jener Gesetze wird nur eine vergebliche Mühseligkeit sein. –

Der anapästische Jambus, wie er sich z. B. im neuen *Amadis* und einigen Stellen des *Oberon* findet, hat bisher bei uns eine zu ungebundene Freiheit genossen. Man sollte ihm den Pyrrhichius und Trochäus als Nebenfüße ganz verbieten, ihm nur den Spondeus erlauben, und die Anzahl und Stellen der zu brauchenden Anapäste genauer bestimmen.

Du mußt dich die Mühe nicht verdrießen lassen, lange Stücke, gereimte und reimlose, in unseren Dichtern nach den angegebenen Rücksichten durchzuskandieren und zu deklamieren. Es ist wohl eine verzeihliche Eitelkeit, wenn ich dir dazu auch meine Gedichte empfehle. – Obgleich ich mir diese Gesetze nie so deutlich entwickelte, wirst du sie darin doch so ziemlich beobachtet finden. –

Eine so lange polyrhythmische Strophe, wie in den griechischen Chören, besonders wenn dann noch die Epode dazwischen kommt, kann das deutsche Ohr nicht fassen. Wählen wir bei der Übersetzung kurze und einfache Strophen, so wird der Gang zu abgemessen; lange und verwickelte, so laden wir uns eine vergebliche Mühseligkeit auf. W. Humboldt hat dies bei einer Ode Pindars getan, die ich habe; überdies ist sein Silbenmaß nicht sehr glücklich aus lauter Anapästen, Jamben, Trochäen, Daktylen zusammengesetzt. –––– Hätte ich meine Abhandlung über die Metrik fortgesetzt, so würde ich dir nun schon die Vorzüge des fünffüßigen Jamben entwickelt haben. Dies wird schwerlich fürs erste geschehen; nimm also mit folgenden Winken vorlieb.

1. Die eigentliche Feinheit des Trimeters ist uns verborgen. Denn sage selbst: ist unser Ohr wohl imstande, einen Grund anzugeben, warum in der 1., 3. und 5. Stelle ein Spondee oder Anapäst stehen darf, in der 2., 4. und 6. Stelle nicht? –

2. Der im Griechischen sehr häufige Gebrauch der Spondeen ist bei uns teils wegen der Seltenheit der Spondeen und Molosse unmöglich; teils würde er wegen der Beschaffenheit unserer Spondeen (wovon in meiner Metrik gehandelt werden wird) den Vers zu sehr belasten.

3. Der Vers ist für unsere Sprache beinah zu lang; denn du mußt bemerken, daß unsere Kürzen weniger kurz und unsere Längen länger sind als die griechischen.

4. Der Gebrauch des Anapästs scheint mir im Deutschen der tragischen Würde zuwider; freilich brauchen ihn die Griechen (wenigstens Äschylus, den ich vor mir habe) auch nur selten; ich finde oft eine ganze Seite hinunter nur einen oder ein paar. In einer Übersetzung aus dem Griechischen müßte man ihn vielleicht der Beiwörter wegen, die vor ihren Hauptwörtern oft unvermeidlich Anapästen bilden, aufnehmen, aber mit weiser Sparsamkeit.

5. Der fünffüßige Jambe, wie ihn Lessing, Goethe, Schiller, Klopstock selbst in gereimten oder reimlosen Gedichten gebraucht haben, steht dem Trimeter an Mannigfaltigkeit nicht nach, auch wenn du in jenem den Anapäst, in diesem nicht gebrauchst. Denn:

a) Unser Jambe endigt bald männlich, bald weiblich; der griechische immer männlich; b) jener hat männliche oder weibliche Abschnitte nach der 4., 5., 6., allenfalls auch nach der 7. Silbe – dieser muß den Abschnitt immer weiblich haben, und zwar immer in der Mitte des dritten oder vierten Fußes: denn am Ende des dritten Fußes macht er den Vers einförmig, nach dem zweiten oder vierten kakorhythmisch. Versuch es nur bei deinem eigenen Gehör. c) Der fünffüßige Jambe kann ganz ohne Abschnitt bestehen; der sechsfüßige ohne Abschnitt erschöpft den Odem allzusehr. d) Der Trimeter hat zum Hauptfuß den Jambus, zu Nebenfüßen den Spondeus und Anapäst; unser Jambe hat zu Nebenfüßen den Spondeen, den Trochäen und den Pyrrhichius. Man könnte also eher glauben, er wäre allzu mannigfaltig, wenn dies nicht wieder durch die vielen Einschränkungen und Bestimmungen gemäßigt würde, unter denen der Gebrauch dieser Füße verstattet ist. Die feinen Regeln dieser Versart hat noch kein Prosodiker entwickelt, sie liegen aber ziemlich bestimmt in der Praxis unserer guten Dichter, so bestimmt wenigstens, als zu Homers Zeiten die Regeln des Hexameters sein mochten. Hiervon in meiner Metrik. Gegen die Leute, welche glaubten, in unseren Jamben müsse der Jambus der einzige Fuß sein, hatte Klopstock freilich gewonnenes Spiel: denn dies ist weder schön noch möglich. Wo bleibt nun die Monotonie? Aber sage mir im Ernst, ist dir denn jemals Goethes *Iphigenia*, etwa von Carolinen vorgelesen, monotonisch vorgekommen? Nun so helf dir Gott und Sankt Klopstock!

Der Wettstreit der Sprachen

Ein Gespräch über Klopstocks grammatische Gespräche (1798)

Vorerinnerung

Was in den Reden des Deutschen mit Häkchen bezeichnet ist, sind Klopstocks Sätze aus der obengenannten oder früheren Schriften, immer dem Inhalte, zuweilen auch dem Ausdrucke nach. Der dialogischen Form wegen mußte in den Reden des Griechen einiges als Behauptung vorgetragen werden, was nur Vermutung ist.

Poesie. Soll ich meinen Augen trauen? Du lebst also wirklich?

Grammatik. Ja, es ist mir selbst wunderlich dabei zumute. Vor Klopstocks grammatischen Gesprächen war es mir niemals begegnet.

Poesie. Ganz recht! Klopstocks grammatische Gespräche. Derentwegen bin ich eben herbeschieden. Aber sage mir, was habe ich mit ihnen zu schaffen? Ich trete ja nicht darin auf.

Grammatik. Wie konntest du? Weißt du nicht, daß Leben und Tod einander immer das Gegengewicht halten, und daß, wo die Grammatik lebt, die Poesie tot sein muß?

Poesie. Wir werden uns also auch jetzt freundschaftlich darum vertragen und beide mit einem halben Leben zufrieden sein müssen.

Grammatik. Nach geendigtem Geschäft will ich dirs ganz abtreten: denn dir kommt das Leben zu, für mich ist es immer nur ein gezwungener Zustand.

Poesie. Zu dem du dich aber, Klopstocken zu Gefallen, bequemt hast.

Grammatik. Er belohnt es mir durch die reichhaltigen Winke, die feinen Bemerkungen, die Aufforderungen zu tieferer Forschung, die in seinem Buch verborgen liegen.

Poesie. Verborgen allerdings! Habe ich doch auf meinen Wanderungen bis jetzt nie davon gehört. Warum wissen denn die Deutschen kaum, daß sie so etwas besitzen?

Grammatik. Viel tut wohl die Einkleidung; dann der Grad von Einsicht, der bei dem Leser vorausgesetzt wird; die Hauptsache ist aber, daß es von etwas Deutschem handelt.

Poesie. Und so wird diese Sache aus der Fremde und sogar aus dem Altertum her in Anregung gebracht?

Grammatik. Die alten und neuen Sprachen sind höchlich entrüstet: sie behaupten, Klopstock habe die Vorzüge der seinigen weit überschätzt und herabwürdigend von ihnen gesprochen.

Poesie. Und da sollen wir den Streit schlichten. Wie schlau sie doch sind! Sie befürchteten, wir möchten beide, aus alter Freundschaft, Klopstocks Sachwalterinnen werden; um uns zur Unparteilichkeit zu nötigen, haben sie uns das Richteramt anvertraut.

Grammatik. Wie ist mir? Du bist ja gar nicht, wie ich dich mir aus der Ferne vorgestellt habe. Du redest so schlicht.

Poesie. Ich muß wohl, um mich von der poetischen Prosa zu unterscheiden. Doch still! Das sind vermutlich die Parteien.

Grammatik. Weswegen kommt ihr? Wer seid ihr?

Deutscher. Die anderen um Klopstock anzuklagen, ich um ihn zu verteidigen. Wir sind Repräsentanten unserer Sprachen.

Grammatik. Warum kommen diese nicht selbst?

Deutscher. Sie glaubten, es würde euch so besser gefallen. Du, Grammatik, hast es lieber mit den Begriffen selbst als mit ihrer Scheinbelebung zu tun; und du, Poesie, hältst nicht viel auf luftige Begriffspersonen.

Poesie. Ich merke, ihr macht die Sitte der Zeit mit; denn das repräsentative System ist in den schönen Künsten wie in der Politik herrschend geworden. Ist kein Repräsentant der Menschheit unter euch?

Deutscher. Wir wollen dir nicht ins Amt fallen. Du sollst ja Repräsentanten der Menschheit und nichts anderes als solche vorstellen.

Poesie. Da würde ich am Ende selbst nur repräsentiert.

Grammatik. Kommt sogleich zur Sache und bringt die einzelnen Punkte der Klage und Verteidigung nach einer gewissen Ordnung vor.

Deutschheit (draußen). Wehrt mirs nicht. Ich wage mein Leben für den echten deutschen Barden. Meine Losung ist: Er und über ihn!

Franzose. Wie grob! Ich hielt nur die Tür zu, um erst zu fragen, wer sie wäre, und sie schleuderte mich eine Ecke weit in den Saal hinein.

Grieche. Wer ist diese blonde Gigantin?

Deutschheit. Ich achte mich höher als euch alle. Nur du bist meines

Grußes wert, Göttin des Gesangs! Bist groß und gut, ein biederes deutsches Weib.

Poesie. O weh! sie zerdrückt mir die Hand.

Grammatik. Was willst du hier, Deutschheit? Ich kenne dich, du hast mir auch schon Unheil genug angerichtet.

Deutschheit. Er ist mein Vater. Wer mir von dem ausländischen Volke etwas wider ihn und unsere alte Kernsprache sagt, dem soll diese starke Faust —

Grammatik. Hier wird nicht mit Gewalt gestritten, sondern mit Gründen.

Deutscher. Ich erkenne sie nicht an, ich habe nichts mit ihr gemein, sie würde meinen guten Handel verderben.

Poesie. Schafft sie hinaus! Die Ungeschlachte gehört nicht in diesen gebildeten Kreis.

Deutschheit. Bei Hermanns Schatten! —

Franzose. O der erscheint längst nicht mehr!

Grieche. Die Barbarin! Fort mit ihr!

Poesie. So hätten wir denn wieder Ruhe. Aber sage mir, Deutscher, welche Bewandtnis hat es mit der Abstammung, deren sie sich rühmt?

Deutscher. Es ist wohl nur eine von ihren Prahlereien, denn du weißt ja: Von selbst weiß niemand, wer ihn gezeugt. Bedenke, daß eine Stunde der überflüssigen Kraft noch ganz anderen Geschöpfen das Dasein gegeben hat. Auch wäre es unbillig, Klopstocken die Schuld ihres Betragens beizumessen. Sie hatte zwar schon als Kind etwas von gezierter Männlichkeit und prunkhaftem Biedersinn an sich, aber erst durch die Erziehung der Jünger ist sie so leer und hochtrabend, und endlich, wie es den meisten Menschen geht, wenn sie nun recht ins bürgerliche Leben eintreten, platt geworden.

Poesie. Von den Nachäffern laß uns nicht reden; aber selbst der Urheber hat einen schlimmen Mißgriff getan. Die meisten Nationen haben das Vorurteil, sich höher als alle anderen zu halten: wenn nun einmal eine es nicht hat, warum soll man es ihr mit Gewalt anschwatzen? Übrigens, wie stolz auch dies vorsätzliche und unaufhörliche Erinnern an den Wert alles Deutschen klingt, so ist es doch etwas sehr Demütiges; denn es setzt voraus, das, woran man erinnert, sei so beschaffen, daß es gar leicht könnte vergessen werden.

Deutscher. Wenn man nun aber seine Vorzüge wirklich vergißt?

Poesie. Es hat damit bei Nationen ebensowenig auf sich als bei einzelnen Menschen. Man soll ja nicht im Bewußtsein ihres Besitzes untätig werden. Wenn man nur die Vorzüge nicht vergißt, nach welchen man zu streben hat.

Deutscher. So wird man uns doch freien Ausdruck unserer Eigentümlichkeit erlauben.

Poesie. Der wird verfehlt, sobald man ihn sich vornimmt. Überdies müßt ihr über euren Charakter erst mit euch selbst einig werden. Was ihr für Deutschheit ausgebt, ist meistens, bei Licht besehen, nur eine Nordischheit. Ich kann am besten wissen, ob ihr nationale Eigentümlichkeit habt.

Deutscher. Freilich keine einseitig beschränkte.

Grammatik. Zur Sache. Die Sprache des Griechen hat den Vorrang der Würde und des Altertums; und Klopstock macht sich, eben weil er sie am meisten ehrt, fast immer mit ihr zu tun, um die seinige mit ihr zu messen. Was er von ihr sagt, gilt zum Teil für die römische mit. Auf die neueren wirft er nur einige schnöde Seitenblicke. Der Grieche sei also Wortführer der Klage: die anderen mögen sie bei den Punkten, die auf sie Bezug haben, unterstützen; und wenn ihnen besondere Beleidigungen widerfahren sind, nachher reden.

Deutscher. Sollen unsere Sprachen sich anfeinden, Grieche? Sie sind Schwestern.

Grieche. Mir war nichts davon bewußt, ich habe es durch Klopstock erfahren.

Deutscher. „Schon Plato hat ja πῦρ und andere solche zugleich griechische und altdeutsche Worte aus dem Skythischen, dem ersten Quell des Deutschen, abgeleitet."

Grieche. Leitet der Philosoph nicht etwa auch das Wort Ironie aus dem Skythischen her? Die Stelle ist im Kratylus, wo Sokrates die etymologische Weisheit eines gewissen Euthyphron durch die wunderlichsten und drolligsten Ableitungen, immer unter dem Schein des Ernstes, zum Besten gibt. Bei allen unerhörten Gewalttätigkeiten, die er sich mit den Wörtern erlaubt, behält er sich immer noch das Recht vor, wo er sich gar nicht weiter zu helfen weiß, vorzugeben, ein Wort sei barbarischen Urspungs und er könne es also nicht erklären. Dies tut er bei πῦρ. Gesetzt aber, er spräche im Ernste, so bewiese seine Aussage gerade das Gegenteil von Verwandtschaft. Denn es wären ja nach ihm nur einige skythische Wörter fremd in das Griechische gekommen und zwar hauptsächlich „durch die unter den Barbaren wohnenden Hellenen".

Deutscher. Ihr verdankt eure erste Bildung dem Orpheus, „einem getischen[1] Druiden".

Griechе. Weil er ein Thrazier heißt? Wanderte nicht auch der Thrazier Thamyris im Peloponnesus umher? Durch jene Benennung wird Orpheus zu einer historischen Person gemacht, da er doch bloß eine mythische ist. Die Sage von ihm verdient um so weniger Glauben, da sie nicht so alt zu sein scheint als Priester sie ausgeben. Homer kennt sie nicht.

Deutscher. „Die Deutschen bildeten vor alters viele ihrer Zeitwörter durch Verdoppelung des anfangenden Mitlautes und hatten einen Dual wie wir. Sprachen, die sogar solche Sonderbarkeiten gemein haben, wie der Dual ist, haben überhaupt viel Gleiches."

Grammatik. Die Verdoppelung ist allerdings eine seltenere Eigenheit, die der Römer aber auch mit dem Griechen gemein hat. Der Dual findet sich in den verschiedensten Sprachen; im Hebräischen und im Finnischen. Er ist dem Ursprunge der Gesellschaften und der Kindheit des menschlichen Geistes sehr natürlich: je weniger zahlreich jene sind, desto häufiger tritt der Fall ein, daß nur zwei zusammen handeln; und der unmündige Verstand erhebt sich durch den Begriff des Paares wie durch eine Stufe zu dem allgemeineren der Vielheit. Die Griechen gaben vielleicht das einzige Beispiel einer Sprache, die den Dual auch in der höchsten Ausbildung nicht ablegt; und wer weiß, was geschehen wäre, hätten die Dichter nicht getan.

Deutscher. Die Stammväter der Deutschen und Griechen waren in ihren ursprünglichen Sitzen Nachbarn.

Griechе. Reicht eure Geschichte bis da hinauf? Homer und Herodot sagen nichts davon. Doch nimm an, die Pelasger wären von Norden her in mein Vaterland eingewandert: das Volk der Hellenen ist erst weit später durch Abtrennung von jenen entstanden und hat zugleich mit dieser durch unbekannte Ursachen bewirkten Umwandlung eine andere Sprache bekommen. Herodot wagt es nicht, mit Sicherheit zu bestimmen, welche Sprache die Pelasger geredet; er vermutet aber eine barbarische, das heißt, nicht eine durch die Mundart, sondern wesentlich und durchaus von der hellenischen verschiedene. War also die pelasgische Sprache mit der deutschen verwandt, was folgt daraus für die hellenische?

Deutscher. Durch alles dies wird die Tatsache nicht umgestoßen, daß viele deutsche Benennungen mit den griechischen auffallend übereinstimmen.

Grieche. Wenn ihr die ausnehmt, wo eine gewisse Beziehung des Zeichens auf den Gegenstand stattfindet und die, welche durch Vermittlung der Römer entweder bei der Niederlassung christlicher Priester oder schon früher erhalten, so wird keine beträchtliche Zahl übrigbleiben. Wie viele Namen erhieltet ihr zugleich mit den Dingen! Oder haben die Germanier in ihren uralten Wäldern den „Wein" schon mit „Rosen" gekränzt?

Deutscher. Nein, aber bis zehn gezählt haben sie doch wohl?

Grieche. Sie nahmen vielleicht mit der Erlernung der Ziffern auch die dazugehörigen Benennungen großenteils an und ließen ihre alten dahinten. Ich sage nur, was ein entschiedener Zweifler einwenden könnte.

Franzose. Es ist lustig anzuhören, wenn einer dem anderen seine Verwandtschaft im zwanzigsten Grade vorrechnet, die dieser nicht anerkennen will.

Engländer. Man möchte ihm antworten: ich will glauben, daß ihr mein Vetter seid; aber ich weiß gewiß, daß ich eurer nicht bin.

Grieche. Wir streiten zu lange über die Herkunft. Welcher Verständige gibt bei Menschen und Sprachen etwas darauf, wenn sie sich nicht durch Verdienst bewährt? Hatte eure Sprache gleiche Abstammung mit der unsrigen, desto schlimmer für euch, daß ihr nichts Gefälligeres aus ihr gemacht. Doch da sie in ihrer Kindheit einen milderen Himmel gewohnt war, so hat sie sich vermutlich in den feuchten Wildnissen Germaniens erkältet und seitdem eine heisere Stimme behalten.

Römer. Die Verwandtschaft der lateinischen Sprache mit der griechischen war, denke ich, von ganz anderer Art. Und dennoch wäre sie bei den

> Versen, wie vormals wohl sie die Faun' und die Seher gesungen,

geblieben, hätte die Siegerin nicht die Erziehung ihrer Überwundenen empfangen.

Italiener. Da das Lateinische aus den ältesten Mundarten des Griechischen, das Italienische aber aus der Vermischung von jenem mit dem Gotischen und Langobardischen entstanden ist, welches deutsche Sprachen waren, so haben sich ja in uns die beiden Zweige der Familie wieder vereinigt.

Franzose. Auch in uns die Franken mit den lateinisch gewordenen Galliern. Wir hätten also sämtlich das Vergnügen, unter lauter Vettern und Basen zu sein, den Spanier mit eingeschlossen, wiewohl er sich mit dem Heidentum etwas gemein gemacht hat.

Deutscher. „Unsere Sprachen, Grieche, haben auch im Klange viel Ähnliches."

Grieche. Hier erwarte ich dich: ich wollte vorhin schon vom Wohlklange anfangen.

Italiener. Ja, das scheint mir auch die Hauptsache.

Deutscher. Klopstock gibt eine Menge Beispiele von ähnlichen Wörtern, ja ganzen Halbversen.

Grieche. Selbst die Richtigkeit der Vergleichung zugestanden, behielten wir doch den Vorzug. Denn in den kurzen Silben, wo wir tönende Vokale haben, steht bei euch das unbedeutende E. Allein er legt die deutsche Aussprache des Griechischen zum Grunde. So spottet er über Bettinelli[2], dem man griechische und deutsche Verse vorsagte, da er beide Sprachen nicht kannte, und der lauter Deutsches gehört zu haben glaubte. Der arme Bettinelli! Er hatte ja wirklich lauter deutsche Verse gehört.

Deutscher. Wich denn eure Aussprache so sehr von unserer heutigen ab?

Grieche. Mehr als eure Schriftzeichen ausdrücken und eure Organe nachbilden können. Ich rede nicht vom ungefähren Nachsprechen, sondern von den Feinheiten, woran Theophrast[3] nach Jahren des Studiums von einer attischen Gemüsehändlerin als Fremdling erkannt ward.

Deutscher. Du legst viel Gewicht auf unmerkliche Schattierungen.

Grieche. Dieser lebendige Hauch ist gerade das Eigentümlichste im Vortrage der Sprachen und wie in häßlichen das Abschreckendste, so in schönen der Gipfel ihrer Anmut.

Italiener. Er hat recht! Der Gipfel unserer Anmut.

Grieche. Aber wenn wir auch bei den gröberen körperlichen Bestandteilen stehenbleiben: welche Aussprache ist die eurige! Ihr unterscheidet δ nicht von τ; das säuselnde ζ, von dem es zweifelhaft sein konnte, ob es für σδ oder δσ stände, stoßt ihr auf eure heftige Art heraus; φ und das römische F gilt euch gleich, da doch jenes ein schmeichelnder Ton, dieses ein ungeheurer Buchstabe war; ihr verwechselt die Diphthonge αι und ει, und die nicht das geringste miteinander gemein haben, οι und ευ —

Deutscher. Gut, daß du der Diphthonge erwähnst! „Ihre nicht selten unvermeidliche Häufung ist ein großer Übelstand eurer Sprache. Sie artet dadurch in Rauhigkeit aus. Das οι ist übelklingend."

Grieche. Das entscheidest du, der du überhaupt im Blinden bist, wie es geklungen hat?

Grammatik. Ich zweifle, daß ihr euch über die Diphthonge je verstehen werdet. Über keinen Punkt der Aussprache weichen die Völker, sowohl durch das Urteil ihres Ohres als durch die Schreibung, so weit voneinander ab.

Römer. In Ansehung des letzten wir schon durchgängig von den Griechen. Zur Bezeichnung jedes ihrer Diphthonge setzen wir andere Vokale zusammen als sie.

Grammatik. Sie sind nicht einmal darüber einig, was Diphthonge und was einfache Vokale sind.

Engländer. So gilt uns das *ei* des Deutschen in *wine* usw. für ein langes *i*.

Römer. Das habt ihr wohl von uns angenommen.

Grammatik. Einige haben Diphthonge, die sich andere, ohne sie gehört zu haben, gar nicht würden vorstellen können.

Franzose. So wir *oiseau, nuire.*

Grammatik. Auch hätte das Zutrauen zu der Schreibung der Alten nicht so weit gehen sollen, anzunehmen, was sie auf einerlei Art geschrieben, sei in allen Verbindungen auf einerlei Art ausgesprochen worden, denn die Armut der Bezeichnung mußte hier den mannigfaltigen Abstufungen der Töne zurückbleiben.

Römer. Freilich, wir hatten sogar für alle Vokale, die lang oder kurz sein können, in beiden Fällen nur dieselben Buchstaben. – Und glaubt man, es sei ohne Grund gewesen, daß wir für das griechische ει bald i bald e setzten? Alexandria, Medea.

Grieche. Du hättest billig zweifeln sollen, Deutscher, ob es etwas so Breites und Vollmundiges wie eure Doppellaute sind, überhaupt in unserer Sprache gegeben habe. Kannst du dir wohl vorstellen, wie man zwei Vokale, ohne daß sie in der Verschmelzung verlorengehen und ein ganz verschiedenes Gemischtes daraus wird und doch in einer Silbe hören läßt?

Deutscher. Ganz und gar nicht.

Italiener. Ich sehr gut: *Euro, lauro, mai, voi.* In *buono* wird der letzte Vokal mehr gehört.

Grieche. Der Übergang des αι, ει, οι in ᾳ, ῃ, ῳ wäre bei deiner Aussprache unerklärlich. Wenn aber das ι dem vorangehenden Vokale leiser nachhallte, so muß es bei dessen Verlängerung ganz verschwinden. Auch die Verwandlung von αυ und ευ in ηυ und von αυ in ωυ hätte dich auf den Argwohn bringen müssen, daß dir hier etwas verborgen wäre.

Deutscher. Aber wenn die Vokale in den Diphthongen schon abgesondert gehört wurden: wozu die Trennungspunkte, wenn eure Dichter sie in zwei Silben auflösen?

Grieche. Du vergißt immer, daß unser Ohr auch feine Unterschiede wahrnahm. Selbst dieser Umstand konnte dir jene Vermutung bestätigen; denn wie hätten die Dichter trennen dürfen, was so, wie durch eure Aussprache, vereinigt war?

Grammatik. Über das Zusammentreffen der Vokale weichen die Urteile ab. Einige Völker lieben es, andere halten es für weichlich oder hart und vermeiden es, wo möglich, durch Herauswerfung.

Römer. Dies taten wir. Doch war uns die Weise der Griechen in ihrer Sprache nicht zuwider und unsere Dichter ließen daher griechische Namen ohne Elision aufeinander folgen.

Italiener. Wir sind achtsamer auf den Wohlklang als ihr wart, und unser Ohr stimmt hierin mit dem griechischen überein.

Grieche. Die zusammentreffenden Vokale müssen aber nicht gleichsam gegeneinander gähnen, sondern mit Stetigkeit hinüberschmelzen und dazu gehört unsere Biegsamkeit der Stimme.

Italiener. Oder unsere.

Grammatik. Aber – ehe die Parteien weiter fortfahren – ist der Streit der Sprachen über den Wohlklang nicht vergeblich und nie auszugleichen? Sage mir, Poesie, du bist ja Kennerin des Schönen, gibt es dabei etwas Allgemeines und an sich Gültiges, oder hängt alles von der verschiedenen Organisation, Gewöhnung und Übereinkunft ab, und gilt auch hier das Sprichwort: Jedem ist seine Königin schön?

Engländer. Oder jedem Narren gefällt seine Kappe.

Italiener. Du siehst ja, Grammatik, daß sich alle Nationen Europas vereinigen, unsere Sprache wohlklingend zu finden.

Franzose. Für den Gesang.

Italiener. Was sich gut singt, spricht sich auch gut.

Poesie. Hierin hast du unrecht, Italiener. Aber dein selbstgefälliges Berufen auf jene Anerkennung war wenigstens sehr voreilig. Was ist das heutige Europa gegen den Umfang des Menschengeschlechtes in den verschiedensten Himmelsstrichen und Zeitaltern? Europäischer Geschmack ist nur ein erweiterter Nationalgeschmack. So weit es sich ohne geistige und körperliche Zergliederung tun läßt, Grammatik, will ich deinem Verlangen Genüge leisten. Ich habe ja die Welt umwandert und umflogen: habe an den schönen Ufern des Ganges und Ohio geweilt, die Wüsten Afrikas und die Steppen Sibiriens besucht und mich unter den Nebeln des schottischen Hochlandes wie unter dem ewig unbewölkten Himmel der Südsee-Hesperiden gelagert.

Franzose. Ah qu'elle devient poétique!

Poesie. Keinem Volke, wie roh und beschränkt es sein mochte, verschmähte ich durch meine Töne die Mühen des Lebens zu lindern.

Franzose. Dies wird zu arg. Sie schreibt nur nicht den Feuerländern *bel esprit* zu.

Poesie. Ich kenne daher auch die unzähligen Sprachen, welche du niemals geordnet, noch ihnen zur Kenntnis ihrer selbst geholfen hast. Es gibt allerdings allgemeine Gesetze des Wohlklanges, auf die menschliche Natur und das Wesen der Töne gegründet.

Deutscher. Es ist mir doch lieb, daß man auch darüber etwas a priori wissen kann.

Poesie. Alles was den Sprachorganen leicht wird hervorzubringen, ist dem Ohr angenehm zu vernehmen. Dies ist die notwendige Wirkung einer sinnlichen Sympathie. Indessen können die Organe durch Gewöhnung es auch in den gewaltsamsten und verworrensten Bewegungen zu einer gewissen Leichtigkeit bringen, und deswegen scheinen sogar die rauhesten Sprachen den Einheimischen, von ihnen selbst gesprochen, leidlich. Erst wenn Fremde dieselben Laute mit Anstrengung herauszwingen, wird ihr Ohr beleidigt. Auf der anderen Seite kann den Organen bei einer solchen Gewöhnung das Leichteste schwerfallen: sie werden durch harte Arbeit zu den sanfteren Biegungen ungeschickt; die Faust des Tagelöhners kann nicht auf Harmonikaglocken hingleiten. Doch das angegebene Gesetz betrifft mehr die Vermeidung des Mißfälligen als die Hervorbringung dessen, was ich in den Sprachen liebe und hervorhebe. Das Wohlklingende muß, wie alles Schöne, einen Gehalt haben, und diesen bekommt es nur durch einen mannigfaltigen, tönenden und ausdrucksvollen Gebrauch der Stimme. Der Sitz der Stimme ist wo nach Homer die Seele wohnt, in der Brust. Was nicht aus ihr hervorgeht, ist nicht Stimme; die Verrichtungen der Zunge, des Gaumens, der Lippen und Zähne beim Sprechen werden erst durch ihre Begleitung recht hörbar, da sie sonst ein unvernehmliches Geräusch sein würden. Die Alten haben daher die Selbstlaute die Stimmigen (φωνήεντα), wenn es solch ein Wort gäbe, oder schlechthin die Stimmen *(voces)* genannt.

Deutscher. Jenes hat man ehedem durch „die Stimmer" zu verdeutschen gesucht.

Poesie. Die Mitlauter hingegen hießen die Griechen die Stimmlosen (ἄφωνα). Wenn nun in einer Sprache die stimmlosen Buchstaben herrschen und von den Stimmen höchstens notdürftig begleitet werden, so entsteht nicht nur dieses, daß das Ohr die gehäuften und oft miteinander streitenden Bewegungen der Organe ungern vernimmt, sondern die Wirkung der Stimme wird auch durch das Geräusch verdunkelt. Geräusch hat gar nichts Musikalisches an sich nur die Stimme kann sich zum Gesange erheben; und derjenige Gebrauch der redenden Stimme ist der schönste, von welchem dieser Übergang am leichtesten ist. Also entschiedene, reine, volle, nicht dumpfe noch schleichende Töne. Die natürliche Tonleiter der Vokale werden durch Akzente, durch einen belebten Wechsel der Höhe und Tiefe unterstützt. Wo mehrere unmittelbar folgen, wird es durch diese beiden Umstände entschieden, ob gefällige Stetigkeit dabei möglich ist. Aber damit es gegliederte Rede bleibe und nicht in ein singendes Auf- und Absteigen der Stimme ausarte, müssen der Regel nach die Vokale durch Bewegungen der Sprachorgane getrennt und doch auch wieder verknüpft werden: denn während derselben geht die zur Hervorbringung eines anderen Vokals nötige Erweiterung oder Verengung des Mundes am unmerklichsten vor. Manche einfache Bewegungen vereinigen sich ohne Schwierigkeit in zusammengesetzte, andere Verbindungen sind widerspenstig, noch mehrere ganz unmöglich. Das Ausdrucksvolle und Musikalische der Stimme beruht auf der Freiheit, flüchtiger über die Töne hinzueilen oder dabei auszuhalten und zu schweben; das erlauben die offenen *(rosa)* am meisten, weniger die gedehnten (Lohn), am wenigsten die abgebrochenen (halten), die daher auch für den Musiker am wenigsten taugen. Also ist die Anordnung, daß die stimmlosen Buchstaben, und öfter einfache als verbundene, vor den Stimmen hergehen, die schönere; seltener sei der Vokal an beiden Seiten mit Konsonanten eingefaßt oder bestehe die Stimme bloß aus jenem. Die Mannigfaltigkeit erfordert jedoch Einmischung der weniger schönen Folgen und Anordnungen, damit das Ohr nicht durch Wohlklang übersättigt werde. Im ganzen genommen sei das Verhältnis der Vokale und Konsonanten ungefähr gleich. Überwiegen jene zu merklich, so geht der Charakter der Rede verloren; diese, so hemmt das Geräusch nicht nur den Ausdruck der Stimme, sondern zerstört auch durch die entgegengesetzten und sich abstoßenden Bewegungen der Sprachorgane die fließende Stetigkeit der Töne.

Grammatik. Und warum haben nur so wenige Völker ihre Sprachen nach diesen Gesetzen gebildet?

Poesie. Wie die Natur den Menschen berührt, so gibt er es ihr zurück. Ein von selbst ergiebiger Boden, eine warme Sonne machen ihm das Leben leicht. Seine Brust hebt sich dem beseelenden Odem der reinen Luft entgegen. Sein ganzes Wesen wird elastisch und expansiv. Das schöne Gemälde der Natur steigt in heiteren leichten Farben vor seinen Blicken auf, und die Bewegungen des Lebens um ihn gleiten in vollen Melodien, nicht verworren oder schreiend, vor seinem inneren Sinn vorüber. Sein Geist sondert und ordnet die Gegenstände schnell und mit Leichtigkeit; er darf nicht mühselig ihre Merkmale häufen, um sie festzuhalten. Die Empfindung behält daher den freiesten Spielraum und gaukelt unaufhörlich auf der Oberfläche seines Daseins.

Wende dich in Gedanken von diesen glücklichen Gefilden weg, und durchschneide, wie jene kühnen Weltumsegler, die Zonen bis gegen den Nordpol hin. So wie die Natur karger, der Himmel unfreundlicher wird, so weicht die fröhliche Hingegebenheit dem Ernst und der Sorge. Die Brust verengt sich. Die Sinne, nicht mehr dem Genuß offen, sind nur zu Kampf und Arbeit geschärft. Der langsamere Verstand greift alles schwer und gewaltsam an. Der schlanke Leib badet sich nicht mehr leicht bekleidet in der freien Luft, die unförmlichere Gestalt wird in Tierfelle eingewickelt, und endlich verkriecht sich der innere Mensch wie der äußere in dumpfe Winterhöhlen.

Wenn nun die Sprache nie aufhört im ganzen, obschon nicht in den einzelnen Bestandteilen, das zu sein, was sie in ihrem Ursprunge war, Darstellung der Gegenstände, und Verkündigung des Eindrucks, den sie machen; wenn die Stimme aus der Brust mehr ausdrückende Gebärde, die Verrichtung der Sprachorgane mehr nachahmende Handlung ist: so läßt sich leicht einsehen, welchen Einfluß die umgebende Welt, außer dem unmittelbaren auf die Organisation des Ohres und der Werkzeuge der Rede, auf die Art haben muß, wie der Mensch seine Sprache bildet. Es kann eine so üppige und zerflossene Sinnlichkeit geben, daß der Geist aller Spannung unfähig wird, und dann verschwimmt auch die Sprache ohne Haltung in Vokalen, wie die der Otaheitier. Wo die Beweglichkeit der anschauenden Kräfte mit der Fülle der Empfänglichkeit in schönem Gleichgewichte steht, da geht dies auch in die Sprachen über: sie fügen sich, tönend und geflügelt, den Gesetzen des Wohlklanges wie von selbst. So sind, ich nenne mit Fleiß keine der hier streitenden Sprachen, die arabische und persische, jene Zierden des Morgenlandes, gebildet, die mir so aromatische Blüten zum Opfer bringen; so die zarte Sanskrita oder die Vollendete, zu welcher die Gottheit selbst die Schriftzüge ersann. Je verschlossener und ungestümer die Natur wird, je mehr sich ihr Bild entfärbt und umnebelt, desto rauher, verworrener und mühseliger wird auch die Bezeichnung der Gegenstände durch stimmloses Geräusch, wozwischen sich die Empfindung nur kleinlaut und mißfällig vernehmen läßt. Sehr schön hat daher ein Denker die nordischen Sprachen Töchter der Not, die südlichen der Freude genannt.

Franzose. Es ist Rousseau.

Deutscher. Wenn es sich so verhielte, wie sie sagt, so stände es schlimm um meine Sache. Doch sie wird nur ein Stück Poesie vorgebracht haben. Ich muß mir ein Herz fassen.

Grammatik. Mich dünkt, Poesie, es fänden sich manche Ausnahmen von deiner allgemeinen Angabe.

Poesie. Allerdings. Aber vergiß nicht die vielen Wanderungen der Völker. Eine schon fertige Sprache, die sie unter einen anderen Himmelstrich mitbrachten, konnte zwar abgeändert werden, aber sich nicht gänzlich verwandeln. Auch haben die Grade der Bildung großen Einfluß.

Grammatik. Dies weiß ich selbst aus der Geschichte der Sprachen. Die noch ungezähmte Leidenschaftlichkeit des Barbaren äußert sich tönend und laut, aber auf eine ungeschlachte Art.

Deutscher. So war das Deutsche vor Alters.

Grammatik. Ein Übermaß der Verfeinerung kann das entgegengesetzte Äußerste hervorbringen und mit der flüchtigen Oberflächlichkeit der Empfindungen die Töne bis zum Unbedeutenden abschleifen.

Franzose. Ich hoffe nicht, daß sie mit der letzten Schilderung auf uns zielt.

Grammatik. Vielleicht könnte man dem Charakter der Nationen auch in der Art nachspüren, wie sie allmählich zu höherem Wohlklange zu gelangen gestrebt. Einige ließen Konsonanten weg.

Franzose. Dies taten wir und die Provenzalen.

Grammatik. Andere setzten Vokale hinzu.

Italiener. Dies wir und die Spanier meistens, doch auch jenes nicht selten.

Grieche. Ich kann von dem Verfahren meines Volkes hierbei keine Rechenschaft geben. In den ältesten Denkmälern finden wir das Hellenische schon wohllautend. Es war wohl ursprünglich so.

Deutscher. Und die Pelasger?

Grammatik. Die größte Gefühllosigkeit des Ohres beweist es aber, wenn man zum Beispiel bei Aufnahme fremder Wörter das schon vorhandene Verhältnis zerstört, die Konsonanten behält, und kaum notdürftig Vokale übrig läßt.

Deutscher. O weh! das sind wir.

Grieche. Die Poesie, Deutscher, hat auch hier bewährt, daß ihr Wesen Wahrheit ist. Sie hat, ohne es zu wollen, meine Sache geführt, und ich kann mich nun kurz fassen. Klopstock hat behauptet, der Klang des Griechischen arte nicht selten durch gehäufte Diphthonge und übelvereinte Konsonanten in Rauhigkeit, auf der anderen Seite durch allzu viele Vokale in Weichheit aus.

Deutscher. Richtig, und jenes habe unsere Sprache mit eurer gemein, von der letzten schlimmeren Ausartung sei sie frei.

Grieche. Von den Diphthongen habe ich schon genug gesagt. Die harten Zusammenstellungen der Konsonanten, die mir Klopstock vorwirft, stehen zu Anfange der Silben, wo sie sehr leidlich sind, weil das Ohr bei dem darauf folgenden Vokale wieder ausruht.

Deutscher. Dies mildert nur, aber es hebt nicht auf.

Grieche. Überdies sind sie gar nicht häufig. Jene Milderung gilt auch von den in der Mitte zweier Silben zusammentreffenden Konsonanten: der vorangehende und der folgende teilen sich in sie. Und was sind sie gegen die bei euch vorkommenden? Finde doch im Griechischen Wörter wie „Gesichtskreis".

Deutscher. Ihr endigt auch oft das Wort mit mehreren Konsonanten.

Grieche. Niemals als vor dem schließenden ς mit den wenigen, die sich leicht damit vereinigen lassen: ἄλς, ἄψ, φάλαγξ. Klopstock führt verschiedene unstatthafte Beispiele von Wörtern an, die wir durch mehr als einen Mitlaut endigen sollen: πάντ’, βάσκ’, ἄμφ’; der Apostroph hängt sie so genau mit dem nächsten Worte zusammen, daß sie eigentlich gar nicht mehr schließen, und daß der letzte Konsonant mit dem anfangenden Vokal des nächsten Wortes ausgesprochen wird.

Deutscher. „Wir schließen, wie ihr, am gewöhnlichsten mit dem sanften N".

Grieche. Und werdet dadurch einförmig, weil ihr nicht so wie wir mancherlei Vokale, sondern immer das unbedeutende E vorangehen laßt. Doch wir reden jetzt nicht vom Tönenden, sondern vom Flie-ßenden des Wohlklangs. Wir schließen außer dem ν nur noch häufig mit dem ς, und selten mit κ und ϱ. Ihr schließt mit diesen, und mit welchen nicht? Aber nicht nur mit allen einzelnen, sondern mit dreien, vieren, fünfen: „Furcht, stürzt, Herbst, stampft", auch nach Gelegenheit mit zweien, die für sechse gelten können: „Kopf".

Deutscher. „Diese endenden Mitlaute werden von einem Deutschen sehr schnell ausgesprochen".

Grieche. Das ist Sache der Not: der vorhergehende Vokal würde sonst gänzlich verhallen, ehe man damit fertig wäre. Aber desto schlim-mer, denn je mehr ihr eilen müßt, um so mehr drängen sich die strei-tenden Bewegungen der Organe.

Deutscher. „Die Aussprache mildert dergleichen".

Grieche. Sie kann das Unmögliche nicht. Und wie sollte sie es wollen, da sie gar nicht einmal das Bedürfnis fühlt? Ihr glaubt zum Beispiel, „sanft" sei ein sehr sanftes Wort, da es doch einem Griechen un-erträglich hart geschienen hätte.

Grammatik. Ich kann es dir nicht verhehlen, Deutscher, daß sich die Sorgfalt der südlichen Völker für den Wohlklang am meisten auf Wegschaffung der schließenden Konsonanten gewandt hat.

Römer. Wir waren hierin weniger ekel als die Griechen; wir erlauben b, c, d, l, m, n, r, s, t, die beiden letzten noch mit anderen vorher-gehenden.

Italiener. Wir haben nie zwei Konsonanten nacheinander am Ende, und überhaupt nur folgende vier: l, m, n, r. Wir wählten also un-gefähr gleich mit den Griechen, oder noch feiner.

Grieche. Ich wünsche zu wissen, Deutscher, was deine Voreltern in diesem Stück für die Verschönerung der Sprache getan haben.

Italiener. Sie haben die Schlußvokale, wo sie vorhanden waren, weg-genommen.

Deutscher. Doch auch oft das mildernde E hinzugefügt. „Ihr vergeßt, daß der Wohlklang die Stärke liebt, welche aus gut vereinten Kon-sonanten entsteht. Wörter von starker Bedeutung fordern den starken Klang als Mitausdruck."

Grieche. Die Darstellung der Sprache sollte, wie die des Dichters, wahr und doch verschönernd sein: sie bedarf also niemals das Übel-klingende. Glaubst du, die Stärke beruhe mehr auf der Stimme oder auf dem Geräusch? Bei den gehäuften Schlußkonsonanten hört man nur das letzte.

Franzose. Die Stärke einer Sprache in die Häufung und Rauhigkeit der Konsonanten zu setzen, kommt mir so vor, als glaubte man, die Tapferkeit der alten Ritter hätte in ihrer rasselnden Rüstung gesteckt.

Italiener. Wenn der Klang Mitausdruck ist, so hat sich eure Sprach, so heißt es ja noch jetzt in einigen Mundarten, durch diese Benennung drollig genug charakterisiert. Sp ist die Bezeichnung des Bestandes, der Festigkeit, der ruhenden Kraft; Str der angestrengten; Spr der plötzlich losbrechenden, wie in „Springen, Spritzen, Spreizen", alsdann kommt der gedehnte breite Vokal, und endlich ein rauher Hauch. Klopstock leitet es ja auch selbst von Brechen durch das verstärkende S ab.

Franzose. So daß es also ein wahres Losbrechen wäre.

Deutscher. Eine so weichliche Sprache wie deine, Italiener, darf gegen unsere männliche gar nicht den Mund öffnen.

Grieche. Gut, daß du des Weichlichen erwähnst: dieser Punkt blieb mir noch übrig. Die zusammentreffenden Diphthonge sollen bei mir Rauhigkeit, die Vokale in gleichem Falle Weichheit hervorbringen. Wie stimmt dies zusammen; wenn es nicht vor allem auf die Beschaffenheit der sich folgenden Vokale ankommt, ob sie stark oder sanft klingen? Ich denke, niemand von euch findet Wörter wie ἄωτος oder οὖατα weich.

Italiener. Wegen des Weichlichen laß mich nur die Klage gegen ihn führen. Klopstock ist hierin mit niemanden übler umgegangen als mit meiner Sprache.

Deutscher. „Sie zerfließt auch beinah und ist obendrein einförmig. Ihre Schlußsilben wechseln meistens nur mit den vier Vokalen a, e, i, o."

Italiener. Wer fragt nach übelklingender Mannigfaltigkeit? Und hast du ein Recht, mir diesen Wechsel als Einförmigkeit vorzurücken, da du fast keinen schließenden Vokal als E kennst?

Deutscher. „Dieser Fehler wird durch die einförmige Silbenzeit noch auffallender; denn deine Endungen sind fast immer weiblich".

Italiener. Durch die dreierlei Akzente *(amò, amándo, amábile)* werden die Schlußfälle der Wörter mannigfaltig genug. Den weiblichen hört man freilich am öftesten, aber er fällt weniger auf, weil der Schlußvokal sich so oft in den anfangenden des nächsten Wortes verschmelzt. Das Vorurteil, als ob die Weichheit durchgängig in unserer Sprache herrschte, hat Rousseau schon widerlegt, und man muß sich wundern, dergleichen Behauptungen immer wieder vorgebracht zu sehn. Wenn ich dir nun zeigte, daß meine Sprache das Starke der Gegenstände weit besser als deine bezeichnet?

Deutscher. Das wäre!

Italiener. So hätte ich wohl mehr getan als du forderst und wünschest. Ich führe dir Wörter an, nenne mir welche von ähnlichen Bedeutungen. *Rauco, forte, fracasso, rimbombo, orrore, squarciar, mugghiando, spaventoso.*

Deutscher. Heiser, stark, Getöse, Widerhall, Schauer, zerreißen, brüllend, furchtbar.

Italiener. Guai, crollo, zampa, selvaggio, alpestro, orgoglioso, torbido, abbajar, s'accapriccia, arronciglio.

Deutscher. Wehklage, Erschütterung, Tatze, wild, gebirgig, stolz, unruhig, bellen, sträubt sich, einhackte.

Franzose. Ich kann ihm auch dergleichen aufgeben: *écraser, s'écrouler, gouffre, rage, flamboyant, sanglots, foudre, tonnerre.*

Deutscher. Zerschmettern, einstürzen, Abgrund, Wut, flammend, Gestöhn, Blitz, Donner. – Könntest du lange so fortfahren?

Franzose. Warum nicht? *Torrent, effroyable, épouvante, frapper, rocailleux, gonflé.*

Italiener. Die Zufriedenheit des Deutschen mit seinen meistens geräuschigen, aber dumpfen Wörtern sollte einen auf den Gedanken bringen, die Einbildung und der Ton des Redenden müsse bei der nachahmenden Bezeichnung das Beste tun. Ihr glaubt Wunder, wie stark es in eurem Donner donnert. Laßt das r weg, und derselbe Klang macht unser Herz von den süßesten Regungen hüpfen. *Le donne!*

Franzose. Wie sagt ihr das?

Deutscher. Ehedem „die Frauenzimmer" oder „das Frauenzimmer", jetzt „die Frauen", und wenn man auf französische Art über sie philosophieren will, „die Weiber".

Franzose. Da habt ihr einen großen Schritt zur Kultur getan, daß ihr nunmehr die Wohnung von der Person unterscheiden könnt.

Italiener. Die Frauen? Und ihr fürchtet euch nicht, wenn ihr das hört?

Franzose. Ich besorge, Deutscher, du hast Wörter im Hinterhalt, womit du uns zuletzt aufs Haupt schlagen willst.

Deutscher. Wieso?

Franzose. Die ausdruckvollsten sind doch die, welche die bezeichnete Sache selbst hervorbringen, und es gibt ihrer in eurer Sprache: „Kopfschmerz" macht Kopfschmerz, wenn man es ausspricht, und „Pfropf" pfropft einem den Mund zu.

Deutscher. Auch der Name „Liebe" erregt was er nennt.

Franzose. Dieses Wort mag ein weißer Rabe im Deutschen sein, sonst würdet ihr nicht so viel Aufhebens davon machen.

Italiener. Was streiten wir länger mit einzelnen Wörtern? Kannst du Verse wie folgende aufweisen?

> Sentesi un scoppio in un perpetuo suono,
> Simile a un grande e spaventoso tuono.
> Aspro concento, orribile armonia
> D'alte querele, e d'ululi e di strida
> De la misera gente, che peria
> Nel fondo per cagion de la sua guida,
> Istranamente concordar s'udia
> Col fiero suon de la fiamma omnicida.

Deutscher. Sogleich.

Poesie. Ich rate dir nicht, Deutscher, dich auf diesen Wettstreit einzulassen. Du kannst zwar leicht Stellen aus deinen Dichtern anführen, die einen weit stärkeren rhythmischen Ausdruck ähnlicher Gegenstände haben, wiewohl auch darin die angeführten Zeilen sehr schön sind: allein hier gilt es bloß die Stärke des Klanges, worin deine Sprache wegen der Beschaffenheit ihrer Vokale, besonders derer in den kurzen Silben, zu weit nachsteht.

Grieche. So ist es. Es fehlt ihr nicht nur an dem rechten Verhältnis zwischen Vokalen und Konsonanten; sie gebraucht von den letzten anderthalb Mal mehr als das Griechische, sondern ihre wenigeren Vokale sind obendrein nicht die rechten. Man kann Verse, ja ganze Strophen durchwandern, ohne auf ein einziges A zu stoßen, aber fast nie einen, ohne zu oft von dem E heimgesucht zu werden.

Deutscher. Ich konnte es voraussehen, daß ihr mich von seiten der Euphonie angreifen würdet. Von der weit wichtigeren Eurhythmie schweigt ihr, weil ihr hier meine Überlegenheit kennt. Jene ist, wo der Klang nicht ausdrückt, nur das sinnlich Angenehme; diese das eigentlich Schöne.

Grieche. Ich gebe dir dies nicht ohne Einschränkung zu; denn auch im

Klange der Silben und Wörter sind Verhältnisse bemerkbar. Aber es sei, das Sinnliche muß doch immer dem Schönen zur Unterlage dienen: und was hilft eine schöne Form an einem widrigen Stoffe?

Italiener. Zum Beispiel eine vortreffliche Musik auf einem verstimmten, halb besaiteten Klavier gespielt. Man hört da nur die Tasten klappern.

Deutscher. Wessen Sprache gar keine bestimmte Silbenzeit hat, rede nicht mit. „Die begriffmäßige Bestimmung der unsrigen, Grieche, hat große Vorzüge vor eurer bloß mechanischen."

Grieche. Den Ausdruck „mechanisch" muß ich verbitten. Mechanisch nennt man die toten Kräfte. Der lebendige Hauch des Vortrags, der jedem Laute seine natürliche Dauer gibt, gehört doch wohl nicht zu diesen? Sinnlich bestimmt war bei uns die Silbenzeit: und wird nicht etwas Sinnliches durch einen sinnlichen Maßstab am besten gemessen?

Deutscher. Auch bei uns ist die Silbenmessung sinnlich, aber sie steht unter einem höheren Gesetze und erhält dadurch Bedeutung. So wie der Verstand über die größere und geringere Wichtigkeit der Begriffe entschieden hat, so vernimmt nun auch das Ohr die Längen und Kürzen.

Grieche. Meine Landsleute hätten bei eueren Längen Verstärkung und Höhe der Stimme, weil ja bei euch der Akzent immer auf die Länge fällt, wahrgenommen; aber schwerlich das Verhältnis der Dauer zwischen unseren Längen und Kürzen. Die Länge war bei uns gleichzeitig mit zwei Kürzen.

Deutscher. „Das war nun so ein Einfall eurer Theoristen."

Grieche. Gleichwohl waren diesem Einfalle gemäß alle unsere Silbenmaße erfunden worden, ehe es noch Theoristen gab. Wie sollen wir uns verstehen, wenn du solche Sätze nachsprichst? Fühlst du nicht, was der wagt, der in einer Sache, wo alles auf die sinnliche Anschauung ankommt, die ihm fehlt, den Kunstverständigen, welche sie hatten, entscheidend widerspricht? Klopstock mußte bei noch so tiefem Studium die alte Metrik durchaus verkennen, weil er sich über den ungültigen Gesichtspunkt seiner eigenen Sprache nicht erheben konnte. Er scheint nicht selten zu vergessen, was er doch alles sehr gut weiß, daß unsere überhaupt weit leichter und flüchtiger forteilte; daß sie weit stärkere musikalische Akzente hatte; daß ihr Vortrag weit gesungener und in Versen weit abgemessener war; daß Metrik und Musik ursprünglich eins waren, und immer einig blieben;

daß in allen Dichtarten die Kunst schon verfiel, sobald an die Stelle des Gesanges Deklamation trat; daß selbst diese Deklamation –

Poesie. Du eiferst dich; streitet ruhig. Führe du die Vorzüge der begriffmäßig bestimmten Silbenzeit an.

Deutscher. Sie lassen sich unter wenige Hauptpunkte bringen, die aber von erstaunlichem Umfange sind. „Unsere Silbenzeit legt den Nachdruck der Länge niemals an die unrechte Stelle, sondern immer dahin, wo er gehört."

Grieche. Und wo gehört er hin?

Deutscher. Bei einsilbigen Wörtern auf die bedeutenderen Redeteile: das Nennwort, Zeitwort, Beiwort, Umstandswort, manchmal das Fürwort; bei mehrsilbigen auf die Stammsilben. Die Ableitungs- und Biegungssilben sind meistens kurz.

Grieche. Sage mir, wirken die Wörter als Ganzes oder teilweise?

Deutscher. Wie verstehst du das?

Grieche. Ich meine, wenn du etwa das Wort „Begleitung" hörst, ob du dir erst bei der Silbe „Be" die Anwendung auf einen Gegenstand, dann bei „gleit" den allgemeinen Begriff von „geleiten", endlich bei „ung" eine Handlung denkst, und so aus diesen Stücken die vollständige Vorstellung von Begleitung zusammen liest; oder ob sie auf einmal, sobald du das Wort zu Ende gehört hast, in deine Seele tritt?

Deutscher. Doch wohl das letzte. Nur ein Sprachkundiger könnte jenes. Die wenigsten Menschen sind mit der Übung ihres Absonderungsvermögens und mit ihrem Nachdenken über die Sprache weit genug dazu gekommen.

Grieche. Denkt sich etwa der Sprachkundige bei dem Worte „leider" erst den Begriff von „leid" und dann den Begriff von „er"?

Deutscher. Schwerlich, denn die Bedeutung der Ableitungssilbe ist hier, wenigstens ohne etymologische Untersuchungen, dunkel. Allein die zusammengesetzten Wörter löset man doch in die einfachen Begriffe auf.

Grieche. Freilich müssen die, welche man sich neu zu bilden erlaubt, ohne Schwierigkeiten aufgelöst werden können, um verständlich zu sein. Aber setze mir doch aus dem Umstande „Bei" und dem allgemeinen Begriff von „Spiel" das „Beispiel" zusammen. – Die weitere Anwendung wirst du selbst machen. Wenn der Hörer also die Wörter nicht zerstückt, so ist es für ihn gleichviel, ob der prosodische Wert ihrer Bestandteile mit dem grammatischen überein-

stimmt; denn um diese Übereinstimmung zu bemerken, müßte er jeden der Bestandteile besonders denken.

Deutscher. Sie kann auf ihn wirken, ohne daß er sich ihrer bewußt wird. Seine Aufmerksamkeit fällt nun von selbst auf das Wichtigere.

Grieche. Da das Wort nach seinem unmittelbaren Eindruck ein unteilbares Ganzes ist, so findet in dieser Rücksicht auch in der Wichtigkeit seiner Teile gar keine Unterordnung statt.

Deutscher. „Ist es nicht im höchsten Grade verstimmte Silbenzeit, wenn man zum Beispiel in φιληϑησοίμην nach der kurzen Stammsilbe vier lange Veränderungssilben anhören muß?"

Grieche. Man hört die Stammsilbe ja doch hinlänglich mit der Kürze. Seid ihr so schwer zu verständigen, oder so unaufmerksam, daß ihr sie nicht unterscheiden könnt, wenn ihr nicht insbesondere mit den Ohren darauf gestoßen werdet?

Deutscher. „Wenn die Teile selbst des dem Inhalte des Wortes angemessensten Fußes in Ansehung ihrer Länge oder Kürze den Begriffen widersprechen, so bekommt jener dadurch etwas, welches nun nicht mehr so recht übereinstimmt; kurz, der Eindruck des einen wird durch den des anderen geschwächt."

Grieche. Du setzest bei diesem Eindruck außer der schon widerlegten Zergliederung des Wortes in seine Teilbegriffe, auch das voraus, worüber gestritten wird: ob nämlich diese Eigenheit eurer Sprache ein allgemeingültiges Gesetz zum Grunde hat, ob wichtigere oder unwichtigere Teilbegriffe eines Wortes in einem natürlichen Verhältnisse zu Längen und Kürzen stehen? Dies scheint mir nun gar nicht so, ich finde da gar keinen Übergang. Wenn noch von kurzen und langen Begriffen die Rede wäre! Aber da möchten die Nebenbestimmungen oft die weitläufigste Erörterung verlangen. Vielleicht leuchtet dir das Willkürliche der Regel mehr ein, wenn ich dir ein Beispiel aus deiner Sprache anführe, wo sie nicht beobachtet ist.

Deutscher. Es gibt deren nur wenige.

Grieche. Ihr sagt lĕbēndĭg: würde das Wort nun deutlicher, nachdrücklicher, schöner werden, wenn ihr lēbĕndig sagtet?

Deutscher. Es ist überhaupt nicht gut abgeleitet; ein Deutscher muß bei näherer Betrachtung etwas Unschickliches darin wahrnehmen.

Grieche. Weil es Ausnahmen macht. Sonst, denke ich, könnte eure Sprache aus lauter Wörtern bestehen, die auf diese Art die Länge von den Stammsilben wegverlegten, und sich sehr wohl dabei befinden. Es versteht sich, daß sie darnach eingerichtet sein und die Wörter tönend und vielsilbig verändern müßte.

Deutscher. Dadurch würde sie ganz aus ihrem Charakter herausgehen.

Grieche. Allerdings, dieser Umstand greift in den innersten Bau der Sprachen ein. Er hat einen unübersehbaren Einfluß auf die Wortstellung, und worauf nicht alles?

Deutscher. Wir sind zu ruhig, um einen unverhältnismäßigen Nachdruck auf das Unwichtigere zu legen, und lieben die Kürze zu sehr, um es weitläufig zu bezeichnen.

Römer. Wir waren lakonischer als ihr und hatten doch Ableitungen und Biegungen von mehreren und zum Teil langen Silben.

Grieche. Was ist das Wichtigere an einem Begriffe? Das nackte Allgemeine, oder die näheren Bestimmungen, die besonderen Beziehungen, worin man ihn jetzt gerade denkt?

Deutscher. Unstreitig jenes, weil alles andere sich daran knüpft.

Grieche. Für den kalten Verstand, ja; aber auch für die rege Phantasie, für das beschäftigte Gemüt des Redenden? Wenn Völker von lebhaftem Geist einsilbig und tönend ableiten, biegen, steigern und umenden, so siehst du, was man aus eurer kurzen, karglauten und nur nicht stummen Art es zu tun, schließen muß. Sie hängt mit der begriffmäßigen Silbenzeit so zusammen, daß man nicht weiß, was Ursache und Wirkung ist. Sollten die Stammsilben Ton und Länge behalten, so durften sich die hinzugesetzten freilich nicht sehr laut machen; aber wären diese häufiger stark ins Ohr gefallen, so hätten jene vielleicht beides verloren.

Deutscher. Es komme woher es will, so bleibt es ein großer Vorzug, daß bei uns die Bewegung der Worte mit ihrem Inhalte immer übereinstimmt.

Grieche. Mit ihrem Inhalte! Du redest wirklich, als ob die prosodische Beschaffenheit des Wortes das Bild und die Empfindung ausdrückte, die es mitteilen soll. Hat nicht „steigen" und „fallen" denselben Fuß? Und „pfeilschnell" den schweren Spondeen, „Verzug" den munteren Jamben? Führe dies durch unzählige Fälle hindurch. Der Inhalt, welchen die begriffmäßige Silbenzeit bezeichnet, ist nicht einmal die logische, sondern nur ungefähr die grammatische Form, das Verhältnis des Ursprünglichen und Abgeleiteten. Was kann mit Bezeichnung derselben für die Darstellung des Dichters gewonnen sein?

Deutscher. „Ihr habt Hauptwörter, die ganz unschicklich aus lauter kurzen Silben bestehen."

Grieche. Der Akzent hob sie hinlänglich. Doch ihr könnt euch die Musik einer Sprache gar nicht vorstellen, deren starke Akzente von der Quantität getrennt und unabhängig sind.

Deutscher. „Ihr laßt oft lange Reihen von Kürzen und Längen ununterbrochen aufeinander folgen, was bei unserer Bestimmung der Silbenzeit niemals der Fall sein wird."

Grieche. In der Poesie wird dies schon durch die Regel des Silbenmaßes beschränkt; in der Prosa gibt die freiere Wortfolge und der Reichtum an Synonymen Mittel genug an die Hand, es zu vermeiden.

Deutscher. „Ihr habt einen Überreichtum an Spondeen."

Grieche. Unsere Längen waren weniger lang als eure. Ihr Übergewicht konnte also nicht schaden, sondern diente vielmehr dazu, die allzugroße Flüchtigkeit unserer Sprache aufzuhalten. Ihr habt dagegen viel zu wenig Spondeen: Klopstock hat ja selbst diesen Mangel durch sein liebliches Klagelied „an Sponda" verewigt.

Deutscher. Er hat nachher seine Gesinnung verändert und fragt nicht mehr so viel nach den Spondeen.

Grieche. Sponda hat andere Liebhaber gefunden, die der etwas starkgegliederten Schönen ihre Gunst abzwingen, wenn sie sie nicht freiwillig erhalten. Es ist eine große Unbequemlichkeit bei eurer Bestimmung der Silbenzeit, daß mit dem logischen Verhältnisse der Haupt- und Nebenbegriffe auch das Verhältnis der Längen und Kürzen so festgesetzt ist, daß es nur innerhalb sehr enger Grenzen wechseln kann.

Deutscher. Wir haben doch verschiedene lyrische Gedichte, wo ungewöhnlich viel Längen oder Kürzen zusammengestellt sind.

Grieche. Dafür ist denn auch die am Sinn und an der Sprache verübte Gewalttätigkeit sehr sichtbar.

Poesie. Ich will es dir nicht verschweigen, Deutscher, daß einige von euch, die sich zu meiner Religion bekennen, manchmal in die Abgötterei des Rhythmusdienstes verfallen.

Grieche. Und die Opfer, die bei diesem Dienste gebracht werden, sind Holokauste: niemand kann sie genießen.

Deutscher. Wenn dergleichen Versuche auch mißlingen, so stellen sie doch die prosodische Beschaffenheit unserer Sprache ins Licht, und bringen unsere Verskunst weiter. Warum hältst du dich bei diesen

Nebensachen auf? „Es ist doch, däucht mich, so etwas, in der epischen Versart, der schönsten unter allen, die Griechen zu übertreffen."

Grieche. Der schönsten? Das kann ich dir nicht zugeben.

Deutscher. Deine eigenen Landsleute sagen es ja.

Grieche. Spätere Grammatiker. Könntest du ein solches Urteil aus der Zeit anführen, wo lyrische und dramatische Kunst blühten? Der Hexameter war vollkommen für seine Bestimmung, der tragische Trimeter war es ebenso sehr für seine noch würdigere. Und welch ein Reichtum von musikalischem Zauber liegt in den lyrischen Silbenmaßen und Chören! Ich finde überhaupt bei Klopstock die Ansicht, den Hexameter für den Gipfel der griechischen Metrik zu halten; da er doch nur ihre allereinfachste Grundlage war.

Deutscher. „Der homerische Hexameter ist wenigstens der vorzüglichste unter allen."

Grieche. Insofern der Hexameter damals die natürliche Blüte der Sprache war, konnte kein späterer diese leichte Fülle wieder erreichen, auch bei dem größten Aufwande von Feinheiten der Kunst, welche Homer noch nicht kannte.

Deutscher. „Und dennoch ist an Homers Versbau noch viel zu tadeln. Er übt oft Silbenzwang aus."

Grieche. Etwas ganz eigenes, daß jemand, der einen Sänger nie gehört hat, ihn nach drei Jahrtausenden hören lehren will. Klopstock hat den Homer fleißig gelesen; aber Homer, weißt du, bestimmte seine Rhapsodien eben nicht für den Druck. – Wissen wir, wie sehr sich die Aussprache des Griechischen in dem zwischen der Entstehung der homerischen Gesänge und ihrer Aufzeichnung verflossenen Zeiträume verändert hat? Vermutlich hatte zu jener ersten Zeit der Akzent noch einen Einfluß auf die Länge, den er nachher verlor. Endlich mußte in einem Zeitalter, wo die schriftliche Bezeichnung noch gar nicht oder sehr wenig im Gebrauch war, das Ohr ohne alle Regeln über die Silbenmessung entscheiden: und man wundert sich, daß es auch bei der größten Zartheit nicht immer mit grammatischer Genauigkeit entschied? Es fehlt so viel, daß „die anderen Dichter auch in der Beobachtung der Silbenzeit unter Homeren" gewesen wären, daß man vielmehr diese Freiheiten ganz allein bei ihm findet.

Deutscher. „Homers Hexameter keucht manchmal unter der Spondeenlast, und kann kaum fort."

Grieche. Du beurteilst den griechischen Spondeen nach dem deutschen. Ich gab dir schon vorhin den Grund an, warum unsere Sprache mehr Längen verträgt als eure. Ein Vers von zwölf Silben, wovon meistens acht, häufig neun lang wären, würde im Deutschen unfehlbar schwerfällig scheinen. Und doch ist der Trimeter des Äschylus so beschaffen, und verdankt seine Größe hauptsächlich dem öfteren Gebrauch der Spondeen.

Deutscher. „Homers Verse gehen nicht selten ihren Weg für sich, und lassen den Inhalt den seinigen gehen, oder sie gehen gar geradezu gegen den Inhalt an."

Grieche. Wenn nun Homer gar nirgends die Absicht gehabt hätte, den besonderen Inhalt durch den Gang des Verses auszudrücken? Wenn dieser Gedanke ganz außerhalb seines Kreises lag?

Deutscher. So hätte er ja Wesen und Zweck des Silbenmaßes verkannt. „Silbenmaß ist Mitausdruck durch Bewegung."

Grieche. Sage mir nur, wie der deutsche Hexameter sich vom griechischen unterscheidet, und was er dabei gewinnt. Das wird uns auf die Prüfung dieses Satzes führen.

Deutscher. „Unser Hexameter hat den Trochäen zum dritten künstlichen Fuße angenommen und verlangt sogar diesen merklich öfter als den Spondeen. Er wird dadurch mannigfaltiger und bekommt fast den vierten Teil mehr metrischen Ausdruck. Der griechische hat nur siebzehn verschiedene Wortfüße; der deutsche, die fünf- und mehrsilbigen nicht mitgerechnet, zweiundzwanzig."

Grieche. Also Mannigfaltigkeit und Ausdruck. Hältst du Mannigfaltigkeit für etwas unbedingt Gutes?

Deutscher. Nun freilich, sie gefällt an sich.

Grieche. Wäre Mannigfaltigkeit ohne Einschränkung gut, so wäre jedes Silbenmaß fehlerhaft: denn jedes schränkt die Mannigfaltigkeit der rhythmischen Bewegungen ein. Ferner: soll der Ausdruck auf die einzelnen Gegenstände der Darstellung, oder auf das Allgemeine gehen?

Deutscher. Unstreitig auf jene.

Grieche. Aber kehren die einzelnen Gegenstände der Darstellung in dem Gedicht wieder?

Deutscher. Nein, sie ziehen vorbei, und es kommen andere und andere.

Grieche. Allein das Silbenmaß ist ein Gesetz der Wiederkehr. Du siehst also, der „Mitausdruck durch Bewegung" auf diese Art ausgelegt, würde niemals darauf führen.

Deutscher. Was verstehst du aber unter dem Allgemeinen, und wie soll es der Dichter metrisch ausdrücken?

Grieche. Weiß etwa einer unter euch Repräsentanten der Sprachen, was episch ist?

Franzose. Épique? Poëme épique? Das sollten wir nicht wissen?

Deutscher. Unsere Theoretiker lehren es umständlich. Vor allem sind die Epopöen episch.

Grieche. Die nun gerade am wenigsten. Dir, Deutscher, sollte durch Nachbildungen der homerischen Erzählungsweise, die ihr seit Kurzem erhalten habt, schon ein Licht über das bisherige Nichtwissen angezündet sein. Was für Gegenstände weist Klopstock dem metrischen Ausdrucke an?

Deutscher. „Erst die sinnlichen; hauptsächlich aber gewisse Beschaffenheiten der Empfindung und Leidenschaft."

Grieche. Der Empfindung und Leidenschaft wessen? Des Dichters oder der von ihm dargestellten Personen?

Deutscher. Beides fällt in eins: der Dichter nimmt an seinen Personen den innigsten Anteil.

Grieche. Wenn nun der epische Dichter Herrschaft genug über sich selbst besäße, um von diesem Anteile nichts zu äußern?

Franzose. Das müßte ein entsetzlich harter Mensch sein.

Grieche. Und wenn eben diese über die Darstellung verbreitete Ruhe der Grundcharakter des epischen Gedichtes wäre?

Deutscher. Wie kann es dann gut sein? „In guten Gedichten herrscht die Leidenschaft."

Grieche. Wer das sagte, dachte wohl nur an lyrische. – Das Silbenmaß soll durch das Gesetz seiner Wiederkehr den Geist der Dichtart ausdrücken; die in diesen Grenzen freigelassene Abwechslung gestattet dem Dichter, sich auch dem einzelnen durch metrischen Ausdruck zu nähern. Der Geist des Epos ist der unbestimmteste, umfassendste, ruhigste: das Gesetz der Wiederkehr durfte also sehr einfach, und der freigelassene Spielraum sehr groß sein. Die ganz individuell bestimmte Richtung des lyrischen Gedichts hingegen, die das einzelne unumschränkt beherrscht, erfordert oft ein sehr verwickeltes Gesetz der Wiederkehr: Strophen, auch wohl Antistrophen und Epoden; und hebt die Freiheit der Abwechslung fast gänzlich auf. Du wirst dies weiter anwenden: die Sache ist zu weitläufig, um sie hier auszuführen. Es könnte doch wohl sein, daß eben die Veränderung, welche eurem Hexameter mehr Mannigfaltigkeit und also Fähigkeit gab, das einzelne auszudrücken, ihn zum Ausdruck der Hauptsache, nämlich des Epischen, weniger geschickt gemacht hätte.

Deutscher. „Der Trochäe vertritt ja den Spondeen beinahe. Er beschützte euch vor den übermäßigen Längenreihen, wenn ihr ihn ebenfalls aufnahmt."

Grieche. Mit der Gleichzeitigkeit der beiden Hälften jedes Fußes wäre der ruhige, ebenmäßige Rhythmus des Hexameters zerstört worden.

Deutscher. Das beruht wieder auf dem Einfall mit der doppelten Dauer der Länge.

Grieche. Nennst du es auch einen Einfall, wenn jemand Dreiachteltakte zwischen Zweivierteltakte einmischen wollte, und ein Musiker sagte ihm, das ginge nicht?

Deutscher. Verse und Musik sind auch sehr verschieden.

Grieche. Bei euch freilich, unsere Hexameter wurden gesungen. Dies vergißt Klopstock auch, wenn er seinen, für den Vorleser ganz richtigen Unterschied zwischen künstlichen und Wort-Füßen auf uns anwendet, und daraus folgert. Wie die Poesie überhaupt bei uns weit mehr Gewalt über die Sprache hatte, so vermehrte sie auch ihre so schon große Stetigkeit; und was ein Abschnitt des Verses in sich schloß, wurde gleichsam zu einem einzigen poetischen Worte.

Deutscher. Du verwirfst also unseren Hexameter gänzlich?

Grieche. Nicht doch, ich kann nur nicht zugeben, daß er unserem vorgezogen werde. Eben weil der deutsche Vers nur zum Vorlesen bestimmt ist, darf sein Gesetz weniger strenge sein. Überdies hat ja Klopstock, wo er wollte, und mehrere eurer Dichter haben gezeigt, daß man im Deutschen Hexameter machen kann, die in Ansehung des Rhythmischen, von der Euphonie ist hier nicht die Rede, unseren sehr nahe kommen.

Deutscher. Ich bin zufrieden: du räumst mir immer noch mehr ein, als alle meine neueren Gegner von ihren Sprachen rühmen können.

Italiener. O wir haben auch Hexameter aufzuweisen.

Franzose. Wir auch.

Engländer. Wir auch.

Deutscher. „Ihr habt euch alle bemüht, welche zu machen, aber es ist euch mißlungen."

Italiener. Mißlungen? Ich denke, unsere Hexameter könnten den alten wohl ähnlicher werden als eure. Man hat nur keinen Geschmack daran gefunden.

Poesie. Ein erster Versuch gelingt nie ganz. Wenn die Sachen gleichstehen sollten, so müßte in einer gleich günstigen Epoche der Bildung jener Sprachen ein ebenso hoher Dichtergeist seinen Ruhm an die Einführung der alten Silbenmaße gewagt haben. Mir scheint Klopstock allzubescheiden, sein eigenes Verdienst der Sprache zuzurechnen.

Deutscher. Die anderen haben ja gar nicht einmal eine bestimmte Silbenzeit.

Poesie. Kannte man die eurige als solche, solange ihr bei den gereimten Silbenmaßen verharrtet? Hat nicht Klopstock selbst ihre Gesetze nur allmählich entdeckt? Hat nicht Hagedorn sich in einem Briefe an Ebert wegen einer ihm zweifelhaften Quantität erkundigt, über die ihn jetzt jeder Schüler der Prosodie zurechtweisen kann?

Deutscher. Es bleibt doch ein Verdienst der Deutschen, daß sie die alten Silbenmaße so willig aufgenommen.

Poesie. Du vergißt, welche saure Mienen ihr Geschmack gemacht, ehe er sich diese Medizin hat eingehen lassen. Die vom Zaune gebrochenen Einwendungen rechne ich mit zu den sauren Mienen. Es gehörte wirklich Klopstocks feste Männlichkeit dazu, um die Sache durchzusetzen. Über ein halbes Jahrhundert ist es nun her, seit der Anfang gemacht wurde; Klopstock hat gleich damals, und besonders in den neuesten Zeiten, von großen Dichtern fleißige Nachfolge gefunden; und wie weit ist es denn nun mit der Popularität der alten Silbenmaße?

Deutscher. So weit, daß es nie wieder rückwärts gehen kann. Auch deswegen nicht, weil wir ein Bedürfnis haben, die Alten in ihrer echten Gestalt zu lesen und uns in eigenen Werken an ihre großen Formen anzuschließen.

Poesie. Über die anfängliche Abneigung gegen die antiken Silbenmaße darf man sich indessen nicht wundern: ihre Verschiedenheit von den modernen liegt nicht auf der Oberfläche, sondern ist in dem wesentlich verschiedenen Charakter der Bildung gegründet. Laß bei den anderen Nationen den Sinn für das Antike einmal erwachen, so werden sie in ihren Sprachen die Fähigkeit zu den alten Silbenmaßen schon hervorzurufen wissen und deine verliert ihr Monopol damit.

Deutscher. Es soll mir lieb sein, wenn das geschieht: Klopstocks Name wird immer zuerst dabei genannt werden.

Römer. Zur Vergeltung dafür, daß er die Römer ohne Umstände

Meister genannt hat, weil sie die Freiheiten des griechischen Versbaues aus Gründen, die in der Natur ihrer Sprache lagen, enger
einschränkten, mache ich ihm den Ruhm der Erfindung streitig.

Deutscher. Es kann ihm nur insofern daran liegen, als er es zuerst
auf die rechte Art angefangen und die Erfindung behauptet hat.

Römer. Dem sei wie ihm wolle, es sind schon vor mehr als siebzehn-
hundert Jahren deutsche Hexameter gemacht. Ihr wundert euch?
Ich hörte ja erst, die Geten wären ein deutsches Volk gewesen.

Deutscher. Ganz richtig.

Römer. Ovid lebte in der Verbannung unter den Geten und machte
aus Langeweile, oder weil er es gar nicht lassen konnte, getische
Verse:

Sag' ich es? Ach, wie beschämt! Ich entwarf auch getisch ein Büchlein,
Fügte barbarische Wort' unseren Weisen gemäß.

Also in lateinischen Silbenmaßen. Daß es Hexameter waren, läßt
der Inhalt des Gedichtes, das Lob des Imperators, nicht zweifeln.
Er fand auch Beifall damit:

Und es gefiel, ja! wünsche mir Glück; schon unter den wilden
    Horden des getischen Volkes werd' ich ein Dichter gerühmt. – –
Als ich das Werk durchlesen der nicht einheimischen Muse,
    Als mir das schließende Blatt nieder zum Finger gelangt:
Schüttelten alle das Haupt, voll klirrender Pfeile die Köcher,
    Während von getischem Mund langes Gemurmel erscholl.

Deutscher. Die Geten waren also schon klüger als die neueren Europäer,
die nichts von den alten Silbenmaßen wissen wollten.

Grieche. Ich komme auf die Kürze. Klopstock hat sich besonders bemüht zu zeigen, seine Sprache übertreffe hierin die beiden alten.

Deutscher. Es ist ihm auch gelungen. Er hat eine Menge Stellen alter
Dichter in der Übersetzung verkürzt, ohne ihnen etwas zu nehmen.

Grieche. Sollen wir die Kürze mit der Elle messen oder nach der Uhr
berechnen?

Deutscher. Wozu diese spöttische Frage?

Grieche. Die Kürze ist ja etwas Sinnliches: sie wird also im Raume oder
in der Zeit wahrzunehmen sein.

Deutscher. Allerdings in beiden. Du siehst ja, Klopstocks Verdeut-
schungen haben immer weniger Verse als das Original.

Grieche. Das wäre denn doch eine Art von sinnlichem Maßstabe. Aber er ist nicht genau genug: welch ein Unterschied zwischen Vers und Vers! Daß ein deutscher Hexameter auf dem Papier länger ist als ein griechischer, fällt in die Augen, und wenn du noch zweifelst, so befrage den Setzer. Um jenen Maßstab nach der Zeit näher zu prüfen, müßte der Originaldichter und der Dolmetscher, jeder so geschwind er könnte, die angeblich verkürzte Stelle hersagen, und man sähe dann, wer am ersten fertig wäre.

Engländer. Schön, da gibt es Verswettrennen. Ich will gleich eine Wette anstellen.

Franzose. Auf diese Art werde ich den Deutschen auch leicht in der Kürze besiegen, denn drei von seinen Silben dauern oft länger als sechs von meinen. *Irritabilité,* Reizbarkeit.

Deutscher. Wie kannst du so lächerliche Vorschläge tun? Je kürzer der Ausdruck, desto mehr Würde, Nachdruck und also auch Langsamkeit erfordert der Vortrag.

Grieche. So geht ja der ganze Vorteil der Kürze, das bißchen ersparte Zeit, wieder verloren.

Deutscher. Du redest unmöglich im Ernst, denn du weißt so gut wie ich, daß „die Kürze wenige Teile durch Worte von starker Bedeutung zusammenfaßt und gleich einer großen Lichtmasse auf einem Gemälde leuchtet".

Grieche. Vortrefflich! Das hat ein Meister gesagt. Ich wollte dich nur zu dem Geständnis bringen, daß man die Kürze nicht um ihrer selbst willen, sondern wegen einer gewissen hervorzubringenden Wirkung sucht, und daß sie nicht überall in gleichem Grade hingehört.

Deutscher. „Sie begünstigt doch überall das schnellere Denken; und der schnellere Gedanke ist lebendiger, hat mehr Kraft!"

Grieche. Schnell und langsam sind Verhältnisbegriffe, wobei es auf Gewöhnung ankommt. Ihre großen Streiche tut die Kürze nur durch das Ungewöhnliche. Der beständige Lakonismus mag eine große sittliche oder politische Eigentümlichkeit sein, aber er ist weder etwas Dichterisches noch Rednerisches.

Deutscher. Ist es nicht erhaben, wenn die spartanische Mutter ihrem Sohne den Schild mit den Worten übergibt: „Den oder auf dem!"

Grieche. Weil es das Schlichte oder Entschiedene einer erhabenen Gesinnung ausdrückt. Aber gewiß fiel dies den Athenern, eben weil sie vom Morgen bis in den Abend zu plaudern pflegen, stärker auf, als es den halb stummen Spartanern selbst. Der gesellige Mensch liebt zu reden, der Dichter ist der geselligste aller Menschen. Wenn er nun immer mit den Worten und Silben geizte, so wäre seine Freude ja gleich zu Ende.

Deutscher. Er ist so reich, daß er viel in Wenigem geben kann, ohne sich zu erschöpfen.

Grieche. Seine Erhebung über die Wirklichkeit fordert von ihm eben-sooft Entfaltung als Zusammendrängung. Der angestellte Wett-streit bewiese nichts, wenn die übersetzten Stellen auch noch viel beträchtlicher in einer Dolmetschungsmühle zusammengestampft würden. Die alten Dichter wollten ja nicht kürzer sein, als sie waren. Man müßte sie nun erst wieder erwecken und ihnen gestat-ten, aus ihren Versen Kunststücke der Kürze zu machen.

Deutscher. Es ist die Frage, ob sie dasselbe kürzer ausdrücken konnten.

Grieche. Nach der Wahl der aus dem Griechischen übersetzten Stellen kann es Klopstocken unmöglich rechter Ernst damit gewesen sein. Aus dem Homer, und immer aus dem Homer! Homer kennt keine andere Kürze als die der Einfalt, und ihm ist auch ihre ganze Weit-läufigkeit eigen. Übrigens ist schöner Überfluß der Hauptcharakter seines Stils. Galt es bei dem Wettstreite wirklich eine Entscheidung: warum wurden nicht Stellen des tragischen Dialogs gewählt, wo die Gedanken mit jeder Zeile wie Geschosse hin und wieder flie-gen? Oder von jenen Versen des Äschylus, wovon zwei in die Waage gelegt, den ganzen Euripides mit Weib, Kindern, Kephi-sophon und Büchern aufwiegen konnten? Oder von jenen gewal-tigen Sprüchen des Pindar, womit er seiner über ihre Ufer brau-senden Rede auf einmal einen Damm entgegensetzt? Oder wenig-stens von den gediegenen Sittensprüchen des Menander?

Römer. Auch die aus dem Römischen gewählten Stellen sind meistens virgilische, mit einer gewissen Fülle geschmückte. Und vollends aus dem geschwätzigen Ovid!

Deutscher. Doch auch aus Horazens Oden.

Römer. Das bedeutet schon mehr. Man muß, denke ich, froh sein, ihn ohne Verkürzung überhaupt nur gut übersetzen zu können.

Deutscher. Kurz und gut.

Römer. Es möchte kurz und schlecht daraus werden. Dies wäre der Fall, wenn an die Stelle der Anmut und Leichtigkeit, die sich beim Horaz mit dem sinnreichen Nachdruck der Kürze paart, Härte und Dunkelheit träte.

Deutscher. Klopstock hat deine Sprache durch die Bedingung des Wettstreites genug geehrt, Römer. Die Vereinung soll ja Siegerin sein, wenn sie auch die übersetzten Stellen ein wenig verlängern müßte.

Römer. Sie tut es nur einmal, und wo es nicht nötig war, bei diesen Zeilen Virgils:

> Ille caput quassans: non me tua fervida terrent
> Verba, ferox, di me terrent, et Juppiter hostis.

Turnus schüttelt sein Haupt: Nicht deine flammenden Worte Schrecken, Wütender, mich, mich schrecken die Götter, und der mir Zürnet, Jupiter!

Warum nicht:

Schüttelnd das Haupt sprach jener: Mich schreckt dein brausendes Drohn nicht, Trotziger! Göttergewalt, und der feindliche Jupiter schreckt mich.

Du siehst, die einzelnen Fälle beweisen weder für noch wider die größere Kürze einer Sprache; es mischt sich da zu viel Zufälliges hinein. Man muß auf ihren Bau zurückgehen.

Deutscher. „Gut, die meinige hat kürzere Worte."

Engländer. Wenn es darauf ankommt, so nehmt es einmal mit mir auf.

Römer. Soll die Sprachkürze dichterischen Wert haben, so muß sie der Schönheit nicht Eintrag tun. Das tut aber die Einsilbigkeit. Zur Würde gehört ein gewisser Umfang der Wörter. Die Schönheit liebt tönende und durch den Wohlklang beflügelte Vielsilbigkeit. Alles beruht darauf, daß eine Sprache die Teile der Gedanken in großen Massen zusammenfassen, und daß sie kühn auslassen dürfe.

Deutscher. Dies hat Klopstock selbst dadurch angedeutet, daß er die Vereinigung mit Harmosis und dann mit Ellipsis den Wettstreit der Kürze halten läßt.

Römer. In beiden Stücken kann es die deutsche Sprache den alten und besonders meiner nicht gleichtun. Diese ist noch kürzer als die griechische, weil sie keinen Artikel und keine Partikeln hat.

Grieche. Die Partikeln verlängern die Sprache wenig, weil sie sich ganz an die größeren Wortmassen anfügen. Der Artikel ist erst später in unsere Sprache gekommen: Homer hat ihn noch nicht, und unsere Dichter waren daher überhaupt nicht so sehr an ihn gebunden.

Römer. Und weil sie vieles durch Umendungen der Nennwörter anzeigt, wozu die griechische Beziehungswörter braucht. Das Deutsche hat nun obendrein die unvollständige Biegung der Zeitwörter, welche ihm oft doppelte Hilfswörter und die beständige Wiederholung der persönlichen Fürwörter nötig macht. Redensarten wie *Ostendite bellum, pacem habebitis!* mögt ihr in der Silbenzahl kürzen; in wie viele Wörter und Wörtchen müßt ihr sie zerstücken! Eben die vollständige Bestimmtheit, womit wir die Nebenbegriffe und Verhältnisse an den Hauptwörtern bezeichnen, macht auch, daß wir viel auslassen dürfen, ohne, wie ihr, Zweideutigkeit und Verworrenheit zu befürchten. Dazu kommen nun noch jene zusammendrängenden Wendungen: der bei euch so sehr beschränkte Gebrauch des Partizips, der absolute Ablativ usw.

Deutscher. Wir können mehrere Hauptbegriffe zu einem Worte vereinigen.

Römer. Das ist etwas. Unsere Sprache hat sich hierin freilich sehr eingeschränkt. Aber du siehst, daß es bei weitem nicht entscheidet; denn sonst könnten wir nicht kürzer als die Griechen sein, die ebenfalls viel zusammensetzen.

Franzose. Hört endlich auf, so langweilig über die Kürze zu sein. Ihr beweist, daß es damit weit mehr an den Menschen als an den Sprachen liegt. Unsere zum Beispiel ist kurz, weil es uns natürlich ist, uns kurz zu fassen.

Deutscher. Oder wenigstens schnell überhin zu gehen.

Franzose. Die eurige hingegen ist lang, weil ihr bedächtig, langsam und schwerfällig, mit näheren Bestimmungen, Einschränkungen und Gegeneinschränkungen, Erläuterungen, Einschaltungen, Bevorwortungen etwaiger Mißverständnisse und halben Zurücknehmungen gar nicht fertig werden könnt. Über die Heiligerömischereichdeutschernationsperioden hat sich ja euer Fürsprecher selbst lustig gemacht. Hier laßt ihr euch doch öffentlich als Nation vernehmen. Vergleicht nur einen einzigen Reichstagsschluß mit einer ganzen Konstitution von uns.

Deutscher. Deswegen habt ihr auch beinah so viel Konstitutionen nötig als wir Reichstagsschlüsse.

Italiener. Warum wird denn mir Weitschweifigkeit vorgeworfen? Gibt es einen deutschen Dichter, der so sehr Meister in der Kürze wäre

als Dante? Wir haben auch eine vollständigere Biegung der Zeitwörter und knüpfen oft mehrere Fürwörter an sie an.

Deutscher. O ja, ihr seid besonders in der Prosa allerbewunderungs-
würdigst kurz! *Maravigliosissimamente!*

Italiener. Das ist nun wieder Sache des Geschmacks. Wir lieben den
Superlativ.

Poesie. Da Klopstock einen so ungemeinen Wert auf die Kürze legt,
warum hat er nicht neben der Bildsamkeit, Bedeutsamkeit und so
manchen ähnlichen auch die Schweigsamkeit aufgeführt?

Grammatik. Sie konnte ja nicht mitreden, ohne ihren Charakter zu
verleugnen.

Poesie. So hätte sie wenigstens, wie die Niobe des Äschylus, mit ver-
hülltem Antlitz unter den Streitenden gesessen und Ehrfurcht geboten.

Grammatik. Klopstock spielt selbst die Rolle der Schweigsamkeit in
dem ganzen Buche. Kaum gibt er Winke, wo man befriedigende
Belehrung von ihm wünscht.

Franzose. In den grammatischen Gesprächen wird ein Wettstreit
zwischen den Sprachen angekündigt, worin ihnen der Vorrang nach
der Geschicklichkeit im Übersetzen zuerkannt werden soll. Ich
protestiere hiergegen im Namen der meinigen. Es ist ein bloß nationaler Kanon, denn die Deutschen sind ja Allerweltsübersetzer.
Wir übersetzen entweder gar nicht oder nach unserem eigenen Geschmack.

Deutscher. Das heißt, ihr paraphrasiert und travestiert.

Franzose. Wir betrachten einen ausländischen Schriftsteller wie einen
Fremden in der Gesellschaft, der sich nach unserer Sitte kleiden
und betragen muß, wenn er gefallen soll.

Deutscher. Welche Beschränktheit ist es, sich nur Einheimisches gefallen zu lassen!

Franzose. Die Wirkung der Eigentümlichkeit und der Bildung. Helle-
nisierten die Griechen nicht auch alles?

Deutscher. Bei euch eine Wirkung einseitiger Eigentümlichkeit und
konventioneller Bildung. Uns ist eben Bildsamkeit eigentümlich.

Poesie. Hüte dich, Deutscher, diese schöne Eigenschaft zu übertreiben.
Grenzenlose Bildsamkeit wäre Charakterlosigkeit.

Grieche. Was ihr im Übersetzen leisten könnt, weiß ich. Indessen
wollte ich euch doch in wenigen Zeilen allerlei zu raten aufgeben
und sehr lebhaft daran erinnern, daß unsere Sprache ihre ganz un-

nachahmlichen Reize hat. Es versteht sich, daß nur das mit gleicher
oder beinah gleicher Würde, Kraft und Anmut Nachgebildete übersetzt heißen kann.

Deutscher. Ich erwarte deine Aufträge.

Grieche. Hier ein paar Verse des Sophokles:

Ὅτε Μοῖρ' ἀνυμέναιος,
ἄλυρος, ἄχορος, ἀναπέφηνε.

Und folgendes Distichon des Hermesianax:

Μίμνερμος δὲ τὸν ἡδὺν ὃς εὕρετο, πολλὸν ἀνατλὰς,
Ἦχον, καὶ μαλακοῦ πνεῦμ' ἀπὸ πενταμέτρου.[6]

Es ist nur eine kleine Probe.

Italiener. Laß mich auch eine hinzufügen, es sollen nur einzelne Verse
sein. Von Dante aus der Jugendgeschichte der Seele:

L'anima semplicetta che sa nulla;

und von Ariost auf den großen Buonaroti:

Michel, più che mortal, Angel divino.

Deutscher. Nach diesem Spiel fürchte ich, daß mir der Römer Semi-
bovemque virum semivirumque bovem aufgibt.

Römer. Sei unbesorgt, ich habe Besseres zu wählen. Hier ist eine
Schilderung des Hylas an der Quelle:

Et circumriguo surgebant lilia prato
Candida purpureis mista papaveribus.
Quae modo decerpens tenero pueriliter ungui,
Proposito florem praetulit officio.
Et modo formosis incumbens nescius undis
Errorem blandis tardat imaginibus[6].

Du hast die Bedingung „mit fast gleicher Anmut" nicht vergessen.

Deutscher. Ich werde die Aufgaben aus den Alten Klopstock und Voß
vorlegen. Wir können freilich keine solchen Pentameter machen.
Dann schließe ich auch aus eurer Wahl, daß ihr einen mir unmög-
lichen Fehler mitübertragen wünscht.

Grieche. Welchen Fehler?

Deutscher. Die Abtrennung der Beiwörter von ihren Hauptwörtern
und überhaupt „eure verworfene Wortfolge".

Grieche. Die Freiheit der Wortfolge, die schönste Frucht von dem vollkommenen Bau unserer Sprachen, soll ein Fehler sein?

Deutscher. Gut, ich will mit beibehaltener Wortstellung aus euren Dichtern übersetzen.

Römer. Ich weiß wohl, daß Klopstock, um die Unschicklichkeit unserer Wortfolge zu beweisen, diese Probe an einer schönen Stelle des Horaz gemacht hat. Aber was beweist sie? Zuerst wird in jeder Sprache vieles für natürlich gehalten, was bloß auf der Gewöhnung beruht. Es ist ebenso, als wenn jemand aus einer fremden Sprache mit beibehaltenem Geschlecht der Hauptwörter übersetzte, etwa *argenteus Luna* und *aurea Sol* sagt, um sich dann über die Wunderlichkeit jener wunderte. Ferner ist die Sache durch die Übertragung ins Deutsche durchaus verändert. Sowie ihr die Wörter aus den erlaubten Stellen wegrückt, entsteht Zweideutigkeit und Verworrenheit, weil bei euren unvollständigen Biegungen die Stellung zu Hilfe kommen muß, um die Verhältnisse der Wörter zu erkennen, die bei uns auf das deutlichste an ihnen selbst bezeichnet sind.

Deutscher. „Die Wirkung wird geschwächt, während man die Worte, die hie und da getrennt herumtaumeln, mit Zeitverlust zusammensuchen muß.“

Grieche. Und wer mußte das? Die Einheimischen, die es von Jugend auf so gewohnt waren? Überdies fallen unsere tönenden und vielsilbigen Biegungen (du erinnerst dich dessen, was ich vorhin von ihrem vielfachen Einflusse sagte) stark ins Ohr; das durch die Bedeutung Verknüpfte ordnet sich von selbst auch sinnlich zusammen. Eine so ängstliche Wortfolge zu beobachten, wie in eurer und anderen neueren Sprachen, wäre bei uns übermäßige Deutlichkeit gewesen, und diese ist für eine schnelle Fassungskraft lästig und beleidigend.

Deutscher. Gleichwohl scheint ihr selbst das Fehlerhafte gefühlt zu haben. „Ihr Griechen gingt in der Verwerfung der Worte nicht so weit als die Römer, und Homer war unter euren Dichtern der enthaltsamste.“

Grieche. Das brachte die Einfalt seines Zeitalters und der Geist der Gattung mit sich. Auf diese Art würfest du aber der Sprache vor, was die Dichter versehen hätten. Eine Freiheit ist ja niemals ein Übel. Man kann sich ihrer bedienen oder auch nicht.

Deutscher. „Eure verworfene Wortfolge war eine Sache der Not. Sie ist vermutlich bloß daher entstanden, daß ihr aus lauter Längen oder Kürzen bestehende Wörter habt, daß also die natürliche Ordnung zu viel lange oder kurze Silben zusammenbrachte, die des Silbenmaßes und in Prosa des Numerus wegen getrennt werden mußten."

Grieche. Du siehst das als einen Notbehelf an, was die durchgängige Unabhängigkeit unserer Poesie vom Bedürfnisse auf das schönste beurkundet. Du kennst doch die orientalische Weise, mit Blumen Briefe zu schreiben? Nimm nun an, die Bedeutung jeder Blume sei bestimmt und ihre Verhältnisse zueinander ebenfalls; möchtest du dann den Kranz daraus lieber so geflochten sehen, daß die gleichartigen Blumen beisammen blieben, oder daß sie sich mannigfaltig durchschlängen? Unsere Strophen, unsere Distichen sind solche Kränze; eben durch die Stellung werden sie zu Ganzen, wo nichts herausgerissen werden kann, ohne sie zu zerstören. Das Bild, der Gedanke wirkt nun als eine unteilbare, innig vereinigte Masse.

Franzose. In dem Verdienst einer natürlichen, dem Verstande gemäßen, ordentlichen Wortfolge sind wir dir überlegen, Deutscher.

Engländer. Wir auch.

Deutscher. Ihr müßt wohl: man verstände euch sonst gar nicht, da ihr keine Umendungen der Haupt- und Beiwörter habt.

Franzose. Du führst eben das gegen uns an, was der Grieche gegen dich. Überhebe dich also nicht deiner etwas weniger kargen Wortänderung.

Engländer. Deine Sprache ist auf halbem Wege stehengeblieben. Meine hat nicht nur die Umendungen, sondern auch die unnützen Geschlechtsunterschiede der Haupt- und Beiwörter abgeschafft: ja sie konjugiert nur eben zwischen den Zähnen. Sie ist eine Philosophin.

Deutscher. Auch eine Dichterin?

Engländer. Sie ist sehr kühn und frei, so oft sie will.

Franzose. Welches ist das Gesetz der deutschen Wortfolge?

Deutscher. Sie läßt gewöhnlich das Unbestimmtere vorangehen.

Grieche. Damit leistet sie der Einbildungskraft einen schlechten Dienst.

Deutscher. „Überhaupt liebt sie es, Erwartungen zu erregen: sie setzt daher das Beiwort vor die Benennung und die Modifikation vor das Modifizierte."

Franzose. Deswegen trennt sie auch das unmittelbar Zusammengehörige: das persönliche Fürwort und Hilfswort vom Zeitworte, dieses von der Konjunktion, wodurch es regiert wird: die trennbaren Präpositionen von den Zeitwörtern, womit sie zusammengesetzt sind usw. Das eine stellt sie zu Anfang, das andere zu Ende des Satzes. Kurz, eure Wortfügung gleicht, besonders in den langen prosaischen Perioden, einer Krebsschere, die sich langsam und bedächtig öffnet und dann auf einmal zuschnappt.

Deutscher. Du hast keine Ursache zu spotten. Wie gebunden ist deine poetische Wortfolge gegen meine!

Italiener. Und wiederum die deutsche gegen meine!

Franzose. Ihr könnt nicht einmal, wie wir, das Beiwort vor oder hinter das Hauptwort setzen.

Deutscher. Wir tun jetzt auch das letzte mit Hilfe des wiederholten Artikels.

Poesie. Man kann einer Sprache eigentlich das nicht anrechnen, wozu nur die Kühnheit einiger Männer von Ansehn sie allmählich nicht ohne Widersetzlichkeit gebracht hat. Erinnere dich, Deutscher, wie gar weniges von poetischer Wortstellung ihr hattet, ehe Klopstock dichtete.

Engländer. Jetzt habe ich eine besondere Klage gegen ihn vorzubringen. Er beschuldigt mich der barbarischen Sprachmischerei: ich nehme lateinische Wörter aus dem eisernen Zeitalter auf und selbst aus dem bleiernen der Mönche.

Deutscher. Es liegt ja am Tage. Er hat auch durch Übersetzung einer Stelle Miltons, worin er die französischen und lateinischen Ausdrücke im Deutschen beibehält, gezeigt, welchen Eindruck das machen muß.

Engländer. Freilich ist unsere Sprache aus fremdartigen Bestandteilen erwachsen, aber sie sind so verschmolzen, daß man deren verschiedenen Ursprung gar nicht einmal bemerkt.

Deutscher. „Das tut nichts, dadurch wird dem unedlen der Mischung nicht abgeholfen."

Engländer. Hältst du „entkörpern" für ein edles Wort?

Deutscher. Allerdings.

Engländer. Wenn nun jemand, wo es in einem eurer Dichter vorkommt, „entkorporieren" setzte? Oder gar statt „der Lorbeer krönt ihn", „der Laurusbeer koroniert ihn"? Würde dadurch nicht die ganze Sache verändert? Dennoch hat es mit jener Übersetzung aus Milton ungefähr diese Bewandtnis.

Deutscher. Die späteren verwerflichen Einmischungen der Gelehrten und Weltleute abgerechnet, enthält das Deutsche wenig fremde Wörter. Es ist eine ursprüngliche und reine Sprache.

Grieche. Das Ursprüngliche ist mehr, als ich von der hellenischen zu rühmen wage.

Römer. Und was das Reine betrifft, so weiß ich besseren Bescheid zu geben.

Deutscher. Nun ja, die Ausdrücke, welche auf den Religionsdienst Bezug haben, brachten freilich die lateinischen Priester mit.

Römer. Nicht doch! Ihr könnt ohne unsere Hilfe keine „Verse" machen; ihr habt nicht einmal eine einheimische „Natur".

Grieche. Ich befürchte, Deutscher, deine Landsleute werden die Ausdrücke aus den fremden, besonders aus den alten Sprachen nicht los, bis sie es einmal wie die Kaunier machen.

Deutscher. Was taten die Kaunier?

Grieche. Man richtete Tempel fremder Götter bei ihnen auf, gegen die sie eine Abneigung hatten. Sie bewaffneten sich also einst sämtlich, schlugen mit ihren Speeren in die Luft und zogen so bis an die Grenze, indem sie dabei sagten, sie trieben die fremden Götter aus.

Franzose. Der unwiderstehliche Hang, der sich in eurer Sprache äußert, aus einer anderen zu entlehnen, deutet auf höhere Bildung dieser. Die Minnesinger borgten schon von unseren Provenzalen, und noch jetzt —

Deutscher. Die wissenschaftlichen Ausdrücke nehmen wir meistens von den Römern und Griechen; mit den Namen der gesellschaftlichen Torheiten versehen uns unsere Nachbarn.

Franzose. Die feineren Torheiten und ihre Beobachtung zeugen auch von Bildung: sie machen das Leben liebenswürdig. Doch nun ist die Reihe an mir, über die ausgezeichnete Feindseligkeit zu klagen, daß in den grammatischen Gesprächen aus einer einzelnen Grille meiner Sprache eine eigene Person, die Wasistdaswasdasistwashaftigkeit, gemacht wird —

Grammatik. Was erhebt sich draußen für ein Geräusch?

Poesie. Da tritt eine seltsame Figur herein. Wer bist du?

Grille. Eine mächtige Fee. Ich nenne mich, wie es mir einfällt und es euch beliebt. Oft herrsche ich über dich, Grammatik, und nicht selten auch über dich, Poesie.

Grammatik. Daß wir nicht wüßten.

Grille. Ich komme jetzt nur um euch zu melden, welch ein Unglück bevorsteht, wenn ihr nicht schleunigst diese Versammlung trennt.

Die Deutschheit, entrüstet über die ihr widerfahrene üble Begegnung, hat Himmel und Erde in Bewegung gesetzt, und das Gerücht von dem, was hier vorgeht, überall verbreitet. Nun sind alle in den grammatischen Gesprächen vorkommenden Personen und noch andere rege geworden; sie wollen anklagen, verteidigen oder wenigstens als Zeugen auftreten. Sie sind zum Teil heftig untereinander entzweit, und wenn ihr nicht schnell aufbrecht, so werdet ihr diesen friedlichen Ort zum Schauplatze des allgemeinen Krieges werden sehen. Der Verstand und die Vernunft lagen einander in den Haaren: jener behauptete, er sei einerlei mit der Vernunft, sie würden nur in der kantischen Philosophie unterschieden. Die Kunstwörterei, die sich für die Philosophie ausgab, trat hinzu und wollte sich den Ausspruch darüber anmaßen. Das Gemüt weinte, Klopstock habe es für ein schlechtes, nichtssagendes Wort erklärt. Diese Entscheidung sei ihm gewiß nicht aus dem Gemüte gekommen. Die Einbildungskraft forderte das Urteil auf, das Buch in Schutz zu nehmen, worin sie beide eine so artige Rolle spielen. Das Urteil war verdrießlich, weil es nur schlechthin so heißen solle und nicht mehr Urteilskraft, welchen verlängerten Titel Kant ihm durch ein eigenes Buch gesichert; da doch Klopstock selbst Einbildungskraft sage. Es kümmere sich nicht darum, ob bei dem ganzen Handel Urteil oder Einbildung mehr Kraft beweisen würde. Ein berühmter Grammatiker hatte einen Sturm gegen die grammatischen Gespräche vor und setzte sich dazu ritterlich auf den Rücken des Sprachgebrauchs. Da der Grammatiker aber etwas stark beleibt war, so konnte der Sprachgebrauch nicht einmal aufrechtstehen, geschweige denn tragen, sondern er kroch auf allen Vieren. Der Purismus wollte als Verteidiger auftreten. Die Ausländerei warf ihm vor, er sei ein Siebenschläfer, der nur alle halben Jahrhunderte wach werde: zur Zeit der fruchtbringenden Gesellschaft, unter Gottsched und jetzt. Klopstock halte es gar nicht mit ihm: das beweise die „Gelehrtenrepublik", die „Fragmente" über Sprache und Dichtkunst, endlich die „grammatischen" Gespräche. Der Purismus erwiderte, man könne es in dergleichen Dingen nicht so genau nehmen; sein Geschäft werde ihm sehr sauer gemacht, er habe selbst noch nicht zu einem deutschen Namen gelangen können. Hierauf fragte ihn die Ausländerei, ob er Reinigungsengel oder Reinigungsteufel heißen wolle? Ihr könnt denken, wie er ergrimmte, nicht sowohl wegen der Schimpflichkeit des einen Namens, als weil man geglaubt hatte, er wisse nicht, daß Engel und Teufel griechisch wären. Der Reim war außer sich über die Verunglimpfungen von Eintönigkeit, von Klinglern usw. Er pflegte sonst auf dergleichen nur zu antworten: Ich gefalle, tu mir was! Allein jetzt wolle er in einer tiefsinnigen Schutzrede zeigen, wie innig sein Wesen in die ganze Natur verwebt sei; Reimen sei ein Vergleichen, und im Vergleichen bestehe ja alle Poesie. Der begeisterte Prophet Mahomed habe seinen Offenbarungen durch ihn Eingang verschafft. Auch bei den Griechen sei die Rhetorik auf ihn gebaut gewesen; ja selbst in Gedichten habe ihn der Pentameter eher gesucht als verschmäht. Die Rivarolade, die Palissotie, die Wasistdaswasdasistwashaftigkeit, und wie soll ich sie alle nennen, sie kommen mit Macht angezogen. Eilt, sonst überraschen sie euch!

Grammatik. Um die vielen vorgebrachten Klagen zu prüfen, bedürfen wir ruhigerer Muße. Aber wollen wir nicht sogleich noch erklären, Poesie, daß sich Klopstock durch Anregung so vernachlässigter Untersuchungen um uns beide verdient gemacht hat?

Poesie. Von ganzem Herzen.

Grille. Ich sage euch nochmals, brecht auf!

Grieche. So endigt also dieses grammatische Gespräch wie eine Tragödie des Euripides mit einer langen Erzählung.

Deutscher. Oder wie ein Ritterschauspiel mit Aufruhr und Waffengeklirr.

Grille. Sie haben sich wirklich schrecken lassen, und mein Zweck ist erreicht, diese Zusammenkunft zu trennen, wobei ich, ohne daß sie es wußten, den Vorsitz führte.

Schreiben an Herrn Buchhändler Reimer
in Berlin

Mein hochgeehrter Herr und Freund!

Sie sind gewiß der einzige Buchhändler in Deutschland, der den Shakespeare im Original gründlich genug versteht, um schätzbare Varianten zu einer Übersetzung liefern zu können. Ich bedauere, die Ihrigen für jetzt beiseit legen zu müssen, weil meine Rechnung mit dem König Johann bereits abgeschlossen ist.

Ich lade Sie ein, im 2. Bande meiner indischen Bibliothek die Seiten 254–258 nachzulesen und zu beherzigen. Die Kunst, worüber ich dort einige leichte Andeutungen hinwarf, habe ich nun seit einem halben Jahrhundert (ganz wörtlich zu verstehen, seit genau gezählten fünfzig Jahren) auf die mannigfaltigste Art ausgeübt und beträchtliche Zeiträume hindurch meinen ganzen Fleiß darauf gewandt.

Ich habe keine Abschrift meiner Korrekturen zurückbehalten und kann deswegen die Vergleichung nicht anstellen. Aber bei einigen Ihrer Vorschläge habe ich die Gründe gleich zur Hand, warum ich sie nicht annehmbar finde. „Antwortst – antwort'geziemend – Verbrechrisch Scheusal" sind Härten, die ich möglichst vermeide. Glauben Sie mir, ich habe viel über diese Dinge nachgedacht und könnte leicht eine Abhandlung bloß über die Elision kurzer Vokale und den Gebrauch des Apostrophs schreiben, in welchen Fällen nämlich die Verkürzung dem Wohllaut sogar förderlich oder erlaubt oder unzulässig sei.

Alle möglichen Varianten erschöpfend erörtern zu wollen, wäre endlos. Es täte not, man hätte eine Goldwaage, eine poetische, rhetorische, logische, grammatische, synonymische, metrische Goldwaage, um Silben und Wörter, Ausdrücke und Bilder, Auslassungen und Zusätze, Wortfügungen und Wortstellungen, endlich Verse, Silbenfüße, männliche und weibliche Schlüsse der Jamben, Reime und Versteilungen gegeneinander abzuwägen.

Ich habe kein Monopol: Jedermann hat das Recht, den Shakespeare zu übersetzen.

Die Voße hatten das Recht; Tieck, Graf Baudissin und der oder die Ungenannte haben das Recht; Benda hat das Recht; Kaufmann hat das Recht; Ortlep hat das Recht; Petz hat das Recht; Mügge hat das Recht; Fischer hat das Recht; die Wiener mit ihrem votterländischen Surrogat haben das Recht; und Johann Deut, Georg Kahl, Franz Nagebein und Wilhelm Quake werden ebenfalls das Recht haben, wenn sie als meine siegreichen Nebenbuhler auftreten wollen.

Auch korrigieren kann jeder meinen Shakespeare: entweder handschriftlich am Rande seines Exemplars oder gedruckt, in Beurteilungen usw. Aber in meine Übersetzung hineinkorrigieren, das darf niemand ohne meine ausdrückliche Erlaubnis.

Ein großer Dichter, ein geistreicher und liebenswürdiger Mann, mein alter Jugendfreund, kurz, Ludwig Tieck, hat sich diese Freiheit genommen. Wie es ausgefallen, mögen unparteiische Kenner prüfen. Wenn ich meine alten Lesearten wiederherstelle, so darf mein Freund sich dadurch nicht gekränkt finden: er kann sich sagen, ich sei nur meinem individuellen Gefühle gefolgt.

Hierin liegt die wichtigste Bedenklichkeit gegen alle fremden Korrekturen. „Jeder hat seine eigene Manier, seine Art, die Sprache und den Vers zu brauchen. Änderungen können Fehler und Mißverständnisse tilgen, aber nicht Kolorit, Sprache und das Wesen der Arbeit selbst zu bedeutend ändern, wenn nicht zu großer Widerstreit und Ungleichheit in dem Werke selbst entstehen soll." So drückt sich Tieck in der Vorrede zum dritten Teil aus, und ich stimme ihm vollkommen bei.

Sehr frühzeitig habe ich hierüber eine Erfahrung gemacht, da ich es unternahm, den *Sommernachtstraum* mit Bürger gemeinschaftlich zu übersetzen. Er besaß gewiß große Gewandtheit in Behandlung der Sprache und Versifikation, hatte aber zugleich eine stark ausgeprägte, oft übertreibende Manier. Ich sah bald ein, daß ich die von ihm ausgearbeiteten Stücke gänzlich beiseite legen müsse, weil sonst ein schreiender Kontrast zwischen seinem und meinem Anteil entstanden wäre.

Demnach wünsche ich, wenn unter der jetzigen Sintflut von Sh.-Übersetzungen etwas von der meinigen auf die Nachwelt kommen sollte, es möge ganz von meiner eigenen Hand sein und die Übersetzung möge den Titel: übers. v. Schl. mit vollem Rechte führen.

Jetzt komme ich auf den eigentlichen Zweck dieses Briefes, nämlich einiges in unserer Verabredung näher zu bestimmen, was bei der Kürze Ihres Aufenthaltes nicht gehörig erwogen werden konnte.

Indem ich förmlich das Recht des Herausgebers anerkenne, mit den unter seiner Leitung hinzugefügten Stücken nach Belieben zu schalten, so mache ich auch die gleiche Forderung für meinen Anteil, nicht bloß in bezug auf den Text, sondern auch auf die Zutaten. Wir wollen dies einzeln durchgehen.

1. Hoffentlich hat Tieck nicht die Absicht, seine beiden Vorreden unverändert wieder abdrucken zu lassen. Er hat ja selbst schon manches zurücknehmen müssen: namentlich das Versprechen der schleunigen Beendigung und die Ankündigung der von ihm selbst übersetzten Stücke.

In der ersten Vorrede äußert er, zwar in sehr mildernden Ausdrücken, er könne meine Übersetzung nicht nur verbessern, sondern auch „berichtigen", weil er den Sh. sprachlich besser verstehe. – Dies habe ich damals stillschweigend hingehen lassen; wenn Tieck es aber jetzt wiederholte, so müßte ich nachdrücklichst protestieren, und zwar durch die Tat, indem ich seine Mißverständnisse nachwiese.

2. Ich will gern glauben, daß die Auslassung meines Namens auf dem Titel der einzelnen Stücke unabsichtlich und gewissermaßen zufällig war. Man befolgte bei dem neuen Abdrucke die bisherige Form, ohne zu bedenken, daß nun eine nähere Bezeichnung nötig geworden sei. Diese wird man auch in den Anmerkungen vergeblich suchen. Erst am Schluß des neunten Bandes im Epilog sagt mein Freund: „Schlegels Arbeiten sind bekannt". – Und ich sage: Nichts weniger! Ganz unbekannt sind sie heutzutage. Das ältere Publikum hat sie vergessen und das jüngere noch nicht kennengelernt. Wenn nun mein unvollständiger Sh. nicht wieder gedruckt wird, wie soll ein künftiger Antiquar unserer Literatur meinen Anteil ausmitteln? Doch ja! Durch Subtraktion wäre es möglich. Die von den beiden Mitarbeitern gelieferten Stücke werden am Schlusse des Epilogs aufgezählt. Man darf also nur eine Tabelle der sämtlichen 36 Stücke anfertigen und die Buchstaben Gr. B. oder D. T. beifügen, wo sie hingehören. Der Rest ist = Schlegel.

Die Titel der einzelnen Stücke werden also lauten: „übersetzt von A. W. von Schlegel": bei den zweien, die Sie bereits in Händen haben und solange ich eine solche Durchsicht fortsetzen kann, noch mit dem Zusatze: „übersetzt und aufs neue durchgesehen" usw. Träte aber hierbei eine Verhinderung ein, so wäre der Text der ersten Ausgabe, versteht sich, mit Wegräumung der Druckfehler, zugrunde zu legen und auch dies auf den einzelnen Titeln zu bemerken.

3. Sie legen in Ihrer Ankündigung ein großes Gewicht auf T.'s Anmerkungen, und sind auch als Verleger berechtigt, es zu tun. Mich dünkt, man durfte von einem Manne wie Tieck etwas weit Bedeutenderes erwarten. Ich finde das Allgemeine unbefriedigend, und das einzelne großenteils unzweckmäßig.

Ich bin wohl berechtigt, hier mitzusprechen. Auch ich habe über den großen Dichter geschrieben, und zwar mit dem glänzendsten Erfolge. Das literarische Europa weiß es von Cadiz bis Edinburg, Stockholm und St. Petersburg. Jenseits des atlantischen Meeres weiß man es auch: die englische Übersetzung meines Buches über dramatische Kunst und Literatur ist in Nordamerika viermal nachgedruckt worden. Nur mein Freund Tieck scheint nichts davon zu wissen. – Als das Buch nach dem Frieden erst in den höheren Kreisen, durch die französische Übersetzung, dann allgemein durch die englische in dem Vaterlande des Dichters bekannt geworden war, schrieb mir mein verewigter Freund Sir James Mackintosh: *If reputation in this country be agreeable to you, I may congratulate you on having fairly earned it, without the help of artifice or cabal. I know no book so generally read and followed or opposed, as your Lectures on Dramatic Poetry. You are become our National Critic.* –

Ich glaube allerdings, daß gute erklärende Anmerkungen und besonders Einleitungen, eine sehr ersprießliche Begleitung des deutschen Sh. sein würden. Der gemeine Leser, der über hundert halb oder gar nicht verstandene Stellen gedankenlos hinweg liest, würde dadurch aus seiner Dumpfheit geweckt. Der denkende Leser erkennt die Schwierigkeiten, und wenn er den nackten Text vor sich hat, sieht er sich vergeblich nach Hilfe um.

Doch einen solchen Kommentar zu schreiben, fühle ich mich nicht berufen: mir war es einzig darum zu tun, den Dichter in seiner wahren Gestalt aufzustellen. Auch war ich nicht gehörig mit Hilfsmitteln ausgerüstet. Ich hatte keine Shakespeare-Bibliothek, wie Eschenburg sie besaß; die Anschaffung einer solchen hätte leicht das Doppelte und Dreifache des Honorars für die Übersetzung verschlungen, wiewohl die Masse der dahin gehörigen Bücher bei weitem noch nicht so angewachsen war wie jetzt nach vierzig Jahren.

Exzerpte aus den englischen Ausgaben *cum notis variorum,* wie sie Eschenburg gibt, wären leicht zu machen, aber damit wäre wenig ausgerichtet. Der deutsche Leser hat ganz andere Bedürfnisse als der englische. Freilich, wer erklären will, muß sich der Herablassung nicht schämen. Z. B. bei den historischen Stücken wären Erinnerungen über die Aussprache der englischen Namen sehr nützlich: sonst wird der unkundige Vorleser oder Schauspieler unfehlbar manche Verse verderben. Für den, der Gaunt nach der deutschen Geltung der Buchstaben ausspricht, sind die Wortspiele mit seinem Namen verloren. Die Aussprache schwankte in Sh.'s Zeit. Worcester soll meistens Wûster lauten; doch gebraucht er es nach Bequemlichkeit auch dreisilbig. Doch dies sind Kleinigkeiten. Ich begehre zu denselben Stücken chronologische, biographische und geographische Anmerkungen. Ich will es nur gestehen: so vertraut ich mit *Richard II.* war, so bin ich doch bei dieser Durchsicht erst zu einer deutlichen Vorstellung von Bolingbrokes[1] Zuge gelangt, und dies ist doch für das Verständnis der Handlung wesentlich.

Meines Erachtens müßten alle Anmerkungen zu einzelnen Stellen sich auf die Sachen beziehen, und nicht auf die Worte. Sh. ist voller Dunkelheiten. Einige sind, wo nicht absichtlich, doch ursprünglich und zum Teil charakteristisch: sie entstehen aus der gedrängten Kürze, den kühnen Lizenzen, dem raschen Übergange von einer Metapher zur anderen. Andere Dunkelheiten sind im Verlaufe der Zeit zufällig entstanden, vornehmlich durch den veränderten Sprachgebrauch. Hier darf der Übersetzer, jedoch ohne Abschwächung oder Paraphrase, gelinde zur Deutlichkeit einlenken, und gewissermaßen ein praktischer Kommentator werden.

Was ist der Zweck einer dichterischen Nachbildung? Ich denke, denen, für die das Original unzulänglich ist, dessen Genuß so rein und ungestört wie möglich zu verschaffen. Folglich muß der Übersetzer die Schwierigkeiten, die er im Texte schon beseitigt hat, nicht von neuem in den Noten vorbringen. Wozu sollen dem unbefangenen Freunde der Poesie die Mühseligkeiten der Wortkritik, Varianten, Konjekturen, Emendationen? Die wenigen gelehrten Leser, die eine Vergleichung anstellen können, werden auf den ersten Blick sehen, welche Leseart der Übersetzer befolgt hat.

Also nur Sacherklärungen für den gebildeten, aber nicht gelehrten

Leser, entweder unter dem Text, oder mit einer Nachweisung am Schluß des Schauspiels. Wer wird sie im 3. Bande suchen? Ein weit wichtigeres Bedürfnis würde durch Einleitungen befriedigt werden, in der Art, wie ich eine zu *Romeo und Julia* versucht habe. Bei jedem Schauspiele Sh.s sieht man sich in eine fremde Welt versetzt, wo man erst einheimisch werden muß. Nichts kann die tiefsinnige Kunst des Dichters und die schöpferische Kraft seines Genius in ein helleres Licht setzen, als wenn man den Stoff seiner Dichtungen, sei es nun wahre oder apokryphische Geschichte, Novelle, Feen- oder Zauber- märchen, Volkssage usw., mit dem vergleicht, was dieser poetische Alchymist daraus gemacht hat. Steevens und Malone haben mit großem Fleiß den Quellen Sh.s nachgespürt und viel Unbekanntes ans Licht gezogen. Hier müßte man meines Erachtens das Papier nicht sparen, und z. B. bei den Stücken aus der englischen Geschichte ganze Stellen aus dem Holinshed[2] wörtlich übersetzt oder im Auszuge geben. Zuweilen ist die Quelle bekannt, wie bei den römischen Stücken; aber wenige Leser werden wohl den Plutarch so gut im Gedächtnisse haben, daß ihnen gleich die Winke des Biographen beifallen, die Sh. für seine Charakteristik benutzt und entwickelt hat. Manchmal möchte es eben so anziehend als belehrend sein, nicht bei der nächsten Quelle stehenzubleiben, sondern bis auf die entfern- teste zurückzugehen; z. B. beim *König Lear*. Welches ist denn die erste Quelle dieser apokryphischen Geschichten? Fragen Sie einmal herum, ob viele Leser die Antwort darauf zu geben wissen.

Dergleichen Untersuchungen stehen in der Mitte zwischen der Wortkritik und der künstlerischen Beurteilung der Werke im ganzen; sie können die letzte allerdings vorbereiten helfen.

Ludwig Tieck ist ein Geistesverwandter Sh.s. Ich bin gewiß, der große Meister hätte seinen Fortunat bewundert, wenn er ihn hätte lesen können. Tiecks *Dichterleben* ist eine unvergleichliche Darstel- lung: es sind Porträte, aus der Idee gemalt, aber von einer so indi- viduellen Wahrheit, daß man schwören sollte, die Personen hätten ihm dazu gesessen.

Wer würde nicht gern unseren Lieblingsdichter den großen Genius in seiner Werkstätte belauschen sehen? Wer möchte ihn nicht über die tiefsinnige Anlage reden hören, über die schöne Gliederung des Ganzen und das Verhältnis der Teile, über den raschen Wechsel der Szenen, über die theatralische Perspektive, über die Gruppierung der Charaktere, endlich über die Bewirkung eines großen Gesamteindrucks, der aus allen noch so grellen Kontrasten hervorgeht? Aber hierüber hat Tieck nur ausnahmsweise und bei wenigen Stücken etwas gesagt. Dagegen hat er sich ganz in die philologische Kritik geworfen, und zwar in die speziellste Art, die Wortkritik: seine Anerkennungen handeln allermeist von Lesearten, Varianten, verwerflichen Emendationen, von neuen und alten Ausgaben, Quartos und Folio usw. Wenn nun diese Anmerkungen noch so vortrefflich wären, so frage ich doch: für wen sind sie bestimmt? Unter hundert Lesern des deutschen Sh. verstehen kaum zehn etwas englisch; unter den Zehnen wird man kaum einen finden, der den Sh. gründlich versteht. Und auch dieser eine kann die Noten nicht benutzen, ohne das Original zu vergleichen; und zwar nicht einen kompakten Reise-Shakespeare, sondern eine von jenen bänderreichen teueren Ausgaben, worin dergleichen ausführlich erörtert wird. Wieviele deutsche Leser sind mit allen diesen Kenntnissen und Mitteln ausgestattet? Dazu kommt noch in Ihrer Ausgabe, daß die zitierten englischen Stellen, bei einer Sache, wo jeder Buchstabe erwogen werden muß, voller Druckfehler sind.

Und wozu nun die unaufhörliche, wegwerfende Polemik gegen die Editoren für deutsche Leser, denen sie ganz unbekannt sind? Niemand denkt daran, diese Leute als Kunstrichter zu seinen Führern zu wählen: das ist eine längst abgetane Sache, auch in England, und dort noch mehr seit Erscheinung meiner Charakteristik Sh.s. Dennoch möchte ich einem Pope oder Johnson den Namen Kunstrichter nicht so ganz absprechen; besonders Johnsons Lebensbeschreibungen englischer Dichter enthalten viele scharfsinnige Bemerkungen und treffende Urteile. Nur Sh. war ihnen manchmal zu hoch und zu tief, wie eine irrationale Gleichung dem, der nur die gewöhnliche Rechenkunst gelernt hat. Aber die neueren Herausgeber, Steevens, Malone und Reed, treten gar nicht als Kunstrichter auf. Ihr Geschäft ist die Wortkritik und die Auslegung. Und eben in dieser Beziehung findet sie Tieck ganz verwerflich. Ich hingegen fühle mich diesen wackeren Männern, und so vielen anderen, die ihnen Beiträge geliefert haben, zu großem Dank verpflichtet; denn ich habe viel von ihnen gelernt, was ich auf keine andere Weise hätte lernen können. Sie haben mit unermüdlichem Fleiß aus gleichzeitigen oder älteren Schriften hervorgesucht, was irgend zur Aufklärung dienen konnte.

Tieck erklärt alle bisherigen Ausgaben Sh.s, die seit einem Jahrhundert erschienen sind, für schlecht, und sagt, es sei endlich Zeit, aus der Verderbnis den echten Text wieder herzustellen. Ich wäre neugierig, diesen echten Text zu sehen. Er behauptet mit Zuversicht, er verstehe die englische Sprache weit besser als alle jene gelehrten Engländer. Nun, wenn er dieses auf einem öffentlichen Kampfplatze, ich meine, durch eine englisch abgefaßte und in England gedruckte Schrift durchfechten kann, so wünsche ich ihm Glück dazu.

Ich will kein allgemeines Urteil aussprechen, ich will nur gegen einzelne Anmerkungen in einem Anhange dieses Briefes meine Einwendungen vortragen; und auch dies bloß, um Sie zu überzeugen, daß sie zu den von mir übersetzten Stücken nicht stehenbleiben können, weil sie zu meinen Auslegungen nicht passen.

Bei den unter Tiecks Leitung übersetzten Stücken muß er völlig freie Hand behalten. Von den Übersetzungen habe ich nur weniges teilweise gelesen: ich glaube, daß sie sehr verdienstlich sind. Die Anmerkungen dazu habe ich bei weitem nicht alle geprüft; aber gegen einige hege ich starke Zweifel.

Dies war es ungefähr, mein verehrter Freund, was ich über die Einrichtung Ihrer neuen Ausgabe zu erinnern hatte. Leben Sie recht wohl.

Anmerkungen

Vorrede zu den Kritischen Schriften

1 Die angeführten Verse stammen aus der *Aeneis*, I, 26–27 und lauten in der Übersetzung von R. A. Schröder, *Ges. Werke*, V (Suhrkamp 1952):
bewahrt in des Herzens innerster Tiefe
kränkt sie des Paris Spruch, die Schmach mißachteter Schönheit.
Anm. d. Hg.

2 Gherardini, Giovanni (1778–1861), Arzt, Übersetzer, Philologe. Übersetzte A. W. Schlegels Vorlesungen (*Corso di letteratura drammatica,* Mailand 1817). Gherardinis Hauptwerke sind d. umfassende *Supplemento ai vocabolari italiani* (1805–57) und *Elementi di poesia ad uso delle scuole* (1816). Anm. d. Hg.

3 Pagani-Cesa, Giuseppe Urbano, wurde von Cesarotti zur Literatur ermuntert; er übernahm und entfaltete dessen Lehren. In der kritischen Abhandlung *Sovra il teatro tragico italiano* (1826) verwirft Pagani Cesa Schlegel, verteidigt die klassische Form der Tragödie mit der Lehre von den drei Einheiten und preist Alfieri (1749–1803), den er im Vergleich zu Metastasio als „il vero genio della tragedia italiana" bezeichnet. Anm. d. Hg.

4 Metastasio, Pietro (1698–1782), ital. Operndichter, den Karl VI. 1729 als Hofdichter nach Wien holte, wo er viele Opern, Kantaten und Oratorien schrieb. Anm. d. Hg.

5 Alfieri, Vittorio (1749–1803) gilt als größter ital. Tragödiendichter des 18. Jh. (*Filippo II, Polinice, Antigone, Virginia,* alle 1783 gedruckt). Von seinen Prosaschriften sind besonders *Del tiranide* (1777) und die Satire *Il misogallo* (1803) bekannt. Seine Autobiographie *Vita di V. A. da Asti, scritto da esso* wurde 1812 ins Deutsche übersetzt und 1924 neu aufgelegt. Anm. d. Hg.

6 Cortona, Pietro (1596–1669), ital. Baumeister, Bildhauer und Maler; führte eine neue Blüte des Barockstils, besonders in der Ausschmückung großer Innenräume (z. B. Venus-, Mars- und Zeussaal im Pittipalast in Florenz) herbei. Anm. d. Hg.

7 Bernini, Lorenzo, (1598–1680), ist der Hauptvertreter des italienischen Barockstils; Baumeister von St. Peter; von Urban VIII. mit der künstlerischen Ausgestaltung Roms beauftragt. Anm. d. Hg.

8 Diese Hilfe erhielt A. W. Sch. von seiner ersten Frau Caroline. – Zu der vorher von Schlegel erwähnten Trennung von der *ALZ* vgl. man Schle-

gels Brief vom 30. September 1799 an August Ferdinand Bernhardi und die Briefe v. Gottlieb Hufeland vom 3. Nov. 1799 an A. W. Sch. und dessen Brief v. 3. od. 4. Nov. 1799 an Hufeland. A. W. Sch. veröffentlichte im Intelligenzblatt Nr. 145, Sp. 1179 der *ALZ* unter dem Titel „Abschied von der ALZ" die folgende Notiz: „Den Lesern der ALZ zeige ich hierdurch an, daß ich aufhöre, Mitarbeiter derselben zu sein; eine Nachricht, die ich mich verpflichtet halte, ihnen zu geben, da ungefähr seit der Mitte des Jahres 1796 bis vor kurzem fast alle Rezensionen von einiger Bedeutung im Fache der schönen Literatur von mir herrühren. Zu diesem Schritte bestimmt mich teils die immer überhand nehmende Anzahl gehaltloser Rezensionen, wegen derer Nachbarschaft ich mich schon oft zu schämen hatte und wovon jetzt besonders einige nicht undeutlich das Bestreben verraten, den Zustand der Kritik um ein dreißig Jahre weiter zurückzuwerfen; noch weit mehr aber finde ich die Rücksichten und Absichten, welche die Redaktion unverkennbar leiten, mit meinen Grundsätzen unverträglich ..." Anm. d. Hg.

9 Dieser Vorsatz ist, wie schon E. Böcking (VII, S. XXXIV) berichtet, nicht zur Ausführung gekommen. Anm. d. Hg.

Über die Künstler – Ein Gedicht von Schiller

1 Watelet, Louis Etienne (1780–1866), franz. Maler und Lithograph, der als erster in seinen Landschaftsbildern die idealistische Szenerie durch eine der unmittelbaren Wirklichkeit entnommene Darstellung ersetzte. Anm. d. Hg.

2 Mengs, Anton Raphael (1728–1779), Hofmaler August des Starken in Dresden, Freund Winckelmanns, 1754 Direktor der Akademie San Luca in Rom. Zu seiner Zeit der berühmteste deutsche Maler, der von Winckelmann neben Raffael und Michelangelo gestellt wurde. Schriften über die Kunst: *Gedanken über die Schönheit und den Geschmack in der Malerei*, deutsch 1771–74. Anm. d. Hg.

3 Nach heutiger Lesart lauten die beiden letzten Zeilen:
> Dein Wissen teilest du mit vorgezogenen Geistern,
> Die *Kunst*, o Mensch, hast du allein.

(Für die Korrektur dieser wie der folgenden Lesarten stütze ich mich auf die von G. Fricke und H. Göpfert besorgte, sorgfältige und zuverlässige Schiller-Ausgabe: *Sämtliche Werke*, Bd. I, München: C. Hanser, 1960, S. 173 ff.)

4 heute: An höhern Glanz

5 jetzt:
> Die, eine Glorie von Orionen
> Ums Angesicht, in hehrer Majestät ...
> . . . .
> Steht sie – als *Schönheit* vor uns da.
> Der Anmut Gürtel umgewunden,

Wird sie zum Kind, daß Kinder sie verstehn:
Was wir als Schönheit hier empfunden,
Wird einst als Wahrheit uns entgegengehn.

Als der Erschaffene von seinem Angesichte,
Den Menschen in die Sterblichkeit verwies ...
. . . .
Hier schwebt sie, mit gesenktem Fluge ...

Freut euch der ehrenvollen Stufe,
Worauf die hohe Ordnung euch gestellt:
In die erhabne Geisterwelt
Wart ihr der Menschheit erste Stufe.

. . . .
Schuft ihr im Sand – im Ton den holden Schatten nach,
Im Umriß wird sein Dasein aufgefangen.

Jetzt stand der Mensch, und wies den Sternen
Das königliche Angesicht ...
. . . .
Und Schmerz und Huld in anmutsvollem Bund.

10 Dusch, Johann Jakob (1725–1787), Dichter, Übersetzer, Prosaiker. Schrieb Lehrgedichte („Die Wissenschaften", „Der Tempel der Liebe" etc.) und Komische Epopöen (*Das Toppé*, 1751; *Der Schoßhund*, 1756), welche seichte Nachahmungen von A. Popes *Lockenraub* sind. Prosaschriften: die in viele Sprachen übersetzten *Moralischen Briefe zur Bildung des Herzens* (1759) und *Briefe zur Bildung des Geschmacks* (1764–73). Anm. d. Hg.

11 Schiller hat, wie schon A. W. Schlegel bemerkt, darnach „Ringer" eingesetzt.

12 heutige Lesart:
Der Menschheit Würde ist in eure Hand gegeben,
Bewahret Sie!
Sie sinkt mit euch! Mit euch wird sie sich heben!
. . . .
. . . .
Der freisten Mutter freie Söhne ...
Fern dämmre schon in euerm Spiegel.

Goethes Hermann und Dorothea

1 Vgl. Pindars, 2. nemeische Ode: ῥαπτῶν ἐπέων ἀοιδοί; ῥάπτος, η = zusammengeflickt, geheftet. Anm. d. Hg.

2 König der Phaiaken und Vater der Nausikaa; vgl. *Od., XI*. Anm. d. Hg.

3 ῥυπαρό-γράφος ein dem Plinius entnommener Ausdruck, der die Darstellung niedriger, gemeiner Themen oder Gegenstände bezeichnet. Anm. d. Hg.

4 Wolf, Friedrich August (1759–1824), klass. Philologe. Sein Name ist bes. mit der homerischen Frage verknüpft. 1795 stellte er in seinen *Prolego-*

mena ad Homerum (deutsch, 1908) die These auf, beide Epen seien das Werk einer Anzahl von „Homeriden", deren Einzelgedichte lange nur mündlich überliefert und erst später, unter Peisistratus in Athen (6. Jh. v. Chr.), aufgezeichnet und zusammengefaßt worden seien. Seitdem hat die Frage nach der Einheit der beiden Epen die Forschung beschäftigt; entschieden ist sie bis heute nicht. Anm. d. Hg.

Dante – Über die Göttliche Komödie

1 Ziemlich befriedigend habe ich die Erläuterungen des Pompeo Venturi gefunden. Sie stehen in zwei Ausgaben der Sämtlichen Werke Dantes: Venedig bei Ant. Zatta, 1758 und 1760. Vor den älteren Kommentatoren Landini, Vellutello, Daniello usw. warne ich alle, die erst anfangen, sich mit dem Dichter bekannt zu machen. Sie führen den Leser in eine labyrinthische Wüste.

> Und wie des Waldes rauh verwachsne Wildnis
> Beschaffen war, ist mir zu sagen schwer.
> Denn meine Furcht erneuert noch sein Bildnis.

2 Guido Guinicelli (geb. zw. 1230 und 1240, gest. im Exil etwa 1276) war der Begründer des *dolce stil nuovo* und das Haupt der Bologneser Schule. Fra Guittone d'Arezzo (um 1225 geb., gest. um 1294 in Bologna) war der repräsentativste ital. Dichter der Zeit vor Dante. Seine Liebeslyrik ist im wesentlichen Nachahmung der provenzalischen Troubadourdichtung. Der durch Ezra Pounds Übersetzungen wieder ins moderne Bewußtsein gerückte Guido Cavalcanti (um 1255, gest. 1300) war ein Freund Dantes, auch Gründer und eine Zeitlang das Haupt der florentinischen Dichterschule des *dolce stil nuovo*. Cino da Pistoia (um 1270, gest. 1336 oder 1337), Rechtsgelehrter und Dichter, gibt in seiner Lyrik dem *dolce stil nuovo* Ziel und Färbung. Anm. d. Hg.

3 *Inferno, II*, 104, 105.

4 *Purgat., XXIV*, 52 ff.

5 *Parad., XVII*, 128.

6 *Inf., XV*, 85.

7 *Purg., XXX*, 115–123.

8 *Purg., XXX*, 124–135.

9 Provinzhauptstadt in der Toscana.

10 Bernado Bembo war der venezianische Podestá von Ravenna. Er ließ 1483 das Flachrelief von Pietro Lombardo ausführen, das den Dichter in Gedanken vertieft neben einem Schreibpult darstellt. Dieses Flachrelief befindet sich heute oberhalb der Urne im Grabtempel, der 1780 von Camillo Morigia auf Veranlassung des Kardinallegaten Luigi Velenti Gonzaga errichtet wurde. Anm. d. Hg.

11 Einige behaupten, er habe die ersten Gesänge der Hölle vorher geschrieben. Doch diese Sage gründet sich auf nichts; man muß ihr zu Gefallen sogar annehmen, daß einige Stellen diesen Gesängen später eingeschoben

worden. Hingegen findet man sichere Spuren, daß er im Jahre 1313 noch an dem Werke gearbeitet. Eben dies wird weitläufig gezeigt in der *Dissertaz. sopra l'istoria Pisana del Caval. Flamin del Borgo.*

12 In seinem *Convito.*

13 Das Eigentümliche dieses Silbenmaßes, welches aus den gewöhnlichen elfsilbigen Jamben besteht, ist die Einteilung in Strophen von drei Zeilen oder Terzinen, die sich durch die Hilfe des Mittelreimes, der sich jedesmal auf die einfassenden Reime der nächstfolgenden bezieht, immerfort anschlingen und eine Kette bilden, die sich am Ende des Gesanges dadurch schließt, daß der letzten Terzine ein dem Mittelreim entsprechender Vers angehängt wird. In unserer Sprache war es unmöglich diese dreifachen Reime beizubehalten und treu zu übersetzen. Allein der Wohlklang litt auch dadurch, daß ich den mittleren Vers ohne Reim ließ, weniger als er im Italienischen dadurch verlieren würde; und die Hauptsache, der Gesang und das Maß der Perioden, die Pausen, die Einteilungen der Gedanken konnten verdeutscht werden.

14 Im *Convito* entschuldigt sich Dante weitläufig, daß er seine Canzonen in lingua volgare und nicht lateinisch kommentiert.

Etwas über William Shakespeare bei Gelegenheit Wilhelm Meisters

1 Warburton, William (1698–1779), Englischer Bischof und Autor; Freund Alexander Popes (vgl. *Vindication of the ‚Essay on Man'*, 1739–40). Warburton veröffentlichte 1747 eine wegen ihrer Unzulänglichkeit viel kritisierte Ausgabe Shakespeares. Anm. d. Hg.

2 Neben den *Letters concerning the English Nation*, die zuerst 1733 auf Englisch (1734 als *Lettres philosophiques*) veröffentlicht wurden, ist es gerade dieser Brief an die Französische Akademie („Lettre à l'Académie Française", 1776), der die gröbsten, ausgefallensten und übertriebensten Urteile über Shakespeare enthält. Anm. d. Hg.

3 Dies ist vor etwa dreißig Jahren bei Gelegenheit der wielandischen und wiederum vor ungefähr zwanzig Jahren bei Gelegenheit der eschenburgischen Übersetzung geschehen. Aber der Ton und Geist (man verzeihe den unschicklichen Gebrauch dieses Wortes) einiger Zeitschriften bleibt sich in einem langen Zeitraume bei veränderten Verfassern so ähnlich, daß man nicht umhin kann, eine Art von Seelenwanderung dabei anzunehmen und zu glauben, daß diese Kritiker beim Absterben einander ihren ‚Geschmack' vermachen. Sie meinen es unstreitig gut mit ihren Nachfolgern, und doch möchte es schwer halten, unter ihren Habseligkeiten ein Erbstück von geringerem Wert auszufinden.
Johann Joachim Eschenburg (1743–1820), Ästhetiker, Literarhistoriker und Übersetzer. Lieferte die erste vollständige Übertragung von Shakespeares *Schauspielen* (13 Bde., 1775–82). Anm. d. Hg.

4 Johnson, Samuel (1709–1784), englischer Kritiker, der am Ende der großen klassizistischen Tradition Englands steht. Anm. d. Hg.

5 Man hat oft den Fall gehabt, daß vortreffliche Schauspieler nur untergeordnete Schauspieldichter waren. Da ihre Einbildungskraft sich unaufhörlich anstrengen muß, den theatralischen Vortrag zu erfinden, so ist
es nicht zu verwundern, wenn bei eigenen Werken ihre Erfindung in
allem Übrigen, besonders in den Reden, die sie sonst immer bloß auswendig lernen müssen, dürftig ausfällt. Wenn man aber ihre Stücke, worin
die Verfasser eine Rolle ausdrücklich für sich zu bestimmen pflegen, von
ihnen selbst aufführen sieht, so wird man getäuscht und gesteht ihnen
ein viel höheres Verdienst zu. Das Beste daran ist das, was sich nicht aufschreiben läßt.

6 Ich weiß nicht, welchem französischen Schriftsteller es begegnete, bei einem
Gönner, dem er sein Buch übergeben hatte, der es aber dunkel fand und
sich daher über viele Stellen Erklärungen ausbat, häufig die Redensarten
zu gebrauchen, ‚hiermit habe ich folgendes gemeint; hiermit habe ich
sagen wollen' usw. „Vous avez voulu dire de belles choses", erwiderte
endlich der Gönner, „pourquoi ne les dites vous pas?"

7 Ausgenommen James Bruce.
James Bruce (1730–1794), engl. Konsul in Algier. Er bereiste die süd-
lichen Küstenländer des Mittelmeers und die des Roten Meeres, entdeckte
die Quellen des Blauen Nil. Seine Erlebnisse sind in dem fünfbändigen
Werk: *Travels to discover the sources of the Nile,* 1790 (deutsch von
Volkmann, 1790–92) niedergelegt. Anm. d. Hg.

8 *Hamlet,* Akt I, Sz. 2 Hamlet: Arm'd, say you? All: Arm'd, mylord.
Hamlet: From top to toe? All: From Head to foot. Hamlet: Then saw
you not his face? Horatio: O yes, mylord, he wore his beaver up.

9 Akt II, Sz. 2. Hamlet: It is not very strange: for my uncle is king of
Denmark and those, that would make mouths at him while my father
liv'd, give twenty, forty, fifty, an hundred ducates a piece *for his picture
in littler.*

10 So sagt Hamlet einmal, da ihm Horatio eben die Erscheinung des Geistes
erzählen will: – methinks, I see my father. Horatio: O where my lord:
Hamlet: *In my mind's eye,* Horatio.

11 In der *Hamburg. Dramaturgie.* St. 15.

12 Im Bösen, versteht sich, ganz ohne Shakespeares und Goethes Schuld.
Man hat behauptet, durch Hintansetzung der konventionellen Regeln
sei es leichter geworden, schlechte Schauspiele zu schreiben. Nicht doch!
Es ist von jeher sehr leicht gewesen. Es ist wahr, mancherlei dramatische
Mißgeburten unserer Tage kannte man in jener früheren Periode nicht.
Dagegen gab es in Menge mittelmäßige Stücke nach dem alten Zuschnitt,
die nun vergessen sind. Die heutigen sind unvernünftiger; diese waren
dagegen noch langweiliger und frostiger. Bei gänzlichem Unwert des Ge-
halts werden alle Formen gleichgültig. Nicht durch Zurückführung auf
die gepriesenen, verrufenen, angefochtenen, behaupteten, in den Staub
getretenen, vergötterten drei Einheiten des Aristoteles stände manchen
wüsten Ritterspielen, russischen Familiengemälden usw. zu helfen: unter
alle möglichen Einheiten, auf Null sollte man sie herabsetzen.

13 In den fliegenden Blättern ,von deutscher Art und Kunst'.

14 Nicht ohne schmerzliche Empfindung erinnere ich mich Schröders in den Rollen des Shylock, Hamlet, Lear, eben in dem Zeitpunkte, da er, wie man versichert, sich dem Publikum entziehen will.

15 Auch in seinen nicht-dramatischen Gedichten, vorzüglich seinen Sonetten, die so vernachlässigt wurden, daß unter allen Herausgebern seiner Werke zuerst Steevens und Malone es der Mühe wert gehalten, ihrer, und jener noch dazu sehr ungünstig, Erwähnung zu tun. Sie atmen kindliche Gefühle eines Mannes, selbst da, wo der tändelnde Witz eines Kindes ihren Ausdruck verfälscht. Sie haben schon deswegen einen Wert, weil sie von einer nicht erdichteten Freundschaft und Liebe eingegeben scheinen, da wir so gar wenig von den Lebensumständen des Dichters wissen.

16 Diese Zeilen sind der Rede des Marcus Antonius (vgl. *Julius Caesar,* V, 5, 73–75) entnommen. Schlegel hat sie mit geringen Änderungen für seine Zwecke adaptiert. Heute lautet der Text:

> His life was gentle; and the elements
> So mix'd in him that Nature might stand up
> And say to all the word: ,This was a man!'
> Anm. d. Hg.

17 Jones, William (1746–94), englischer Orientalist. Interesse für altindische Sprache und Literatur, so schreibt J. Körner, zeigt sich frühzeitig bei Schlegel, erweckt durch W. Jones (bzw. G. Forsters) Übersetzung der *Sakontala,* die er 1797 als Ballade zu bearbeiten gedachte. Vgl. hierzu *Briefe von und an August Wilhelm Schlegel,* gesammelt und erläutert durch J. Körner (Zürich, Leipzig, Wien 1930) Bd. II, S. 131 ff. – Sakontala, Sakuntala (Schakuntala): das zur Weltliteratur gehörige Drama (in sieben Akten) des indischen Dichters Kalidasa, der im 5. Jh. n. Chr. am Hofe der Gupta Könige lebte. Das Drama behandelt die Liebe des Königs Duschianta für Schakuntala, ihre Ehe, ihre Trennung, den Verlust des Ringes, den er ihr gab und ihre Wiedervereinigung. Anm. d. Hg.

18 Diderot, Lessing (dieser doch nicht unbedingt, wie sein *Nathan* beweist), und am ausführlichsten Engel in seiner vortrefflichen Mimik, gegen dessen Gründe ich mir vorbehalte, meine Entwürfe bei einer anderen Gelegenheit vorzutragen.

19 Publilius Syrus, lat. Mimendichter d. 1. Jh. v. Chr., freigelassener Sklave, der durch seine Mimen die Gunst des römischen Volkes und Cäsars erlangte. – Decimus Laberius (106–43 v. Chr.) ist ebenfalls Dichter des lat. Mimus. Anm. d. Hg.

20 Horat. *Art. poet.* v. 81 – Populares Vincentem strepitus.

21 Zu diesem Einschub schreibt Böcking (VII, S. 46 Anm.): „Unter dieser Überschrift ist das folgende bis zu der Anwendung der Theorie auf Shakespeare (vgl. im vorliegenden Band, S. 114: Wie viel anders Shakespeare!) vom Verf. selbst in die *Kritischen Schriften,* Bd. I, S. 365–79 aufgenommen und S. 380–86 mit dem am Schluß dieser Abhandlung fol-

genden Zusatz 1827 versehen worden (vgl. im vorliegenden Band „Zusatz zum neuen Abdruck" (1827), S. 118 ff.) Anm. d. Hg.

22 Die ausführlichen theatralischen Anweisungen kommen heraus wie ein Wechsel, welchen der Dichter auf den Schauspieler stellt, weil er selbst nicht zahlen will oder kann. Diderot brachte sie zuerst auf. Er war dabei noch einigermaßen zu entschuldigen, weil er von den Schauspielern ein ganz anderes, weit ungezwungeneres Spiel forderte als das, woran sie gewöhnt waren. Beaumarchais hat es nachgeahmt, Schiller ist nicht frei davon geblieben und bei unseren beliebten Dramatikern ging es bis zum Lächerlichen. Ich erinnere mich in einem pathetischen Schauspiele gelesen zu haben: ‚Er blitzt ihn mit den Augen an, und geht ab.' Vorstehendes ist eine Anmerkung zum neuen Abdruck von 1827. Anm. d. Hg.

23 So hat man ein artiges Nachspiel, *le Babillard*. Aber von französischen Schauspielern muß man es aufführen sehen: hier sind sie in ihrem Fache!

24 Das älteste mir bekannte und in jedem Betracht der Erwägung sehr würdige Zeugnis hierüber enthält der angeblich homerische Hymnus auf den Hermes, v. 54–56:

— θεὸς δ' ὑπὸ καλὸν ἄειδεν
ἐξ ἀντοσχεδίης πειρώμενος, ἠΰτε κοῦροι
ἡβηταὶ θαλίῃσι παραιβόλα κερτομέουσιν

– Der Gott sang schön zu dem Spiele
Was ihm der Sinn eingab, Schnellfertiges, gleichwie am Festschmaus
Jünglinge wohl sich versuchen mit neckendem Wechselgesange.

Die bekannte Geschichte von Caedmon beweist, daß bei den Angelsachsen, einem Volke von so schlichten Sitten, das gesellschaftliche Improvisieren nach der Mahlzeit ebenfalls üblich war. Man vergleiche Rousseau *Dictionnaire des Musique*, Art. *Improviser:* „C'est faire et chanter impromptu des chansons, airs et paroles, qu'on accompagne communément d'une Guitarre ou d'autre pareil instrument. In n'y a rien de plus commun en Italie, que de voir deux masques se rencontrer, se défier, s'attaquer, se riposter ainsi par des couplets sur le même air, avec une vivacité de dialogue, de chant, d'accompagnement, dont il faut avoir été temoin pour la comprendre.

25 Ausdrücklich sagt dies Aristoteles (*Poet.* c. IV) zwar nicht; allein, wenn man zwei seiner Sätze vergleicht: Γενομένη οὖν ἀπ' ἀρχῆς αὐτοσχεδιαστικὴ καὶ αὐτὴ (ἡ τραγῳδία) καὶ ἡ κωμῳδία usw. und nachher: τὸ μὲν γὰρ πρῶτον τετραμέτρῳ ἐχρῶντο so wird es über allen Zweifel erhoben. Daß es mit den atellanischen Spielen bei ihrem Ursprunge diese Bewandtnis gehabt, versichert Livius, VII, 2. auf die bestimmteste Weise: Imitari deinde eos iuventus, simul inconditis inter se iocularia fundentes versibus; hernach: iuventus ipsa inter se more antiquo ridicula intexta versibus iactitare coepit, quae deinde exodia postea appellata, consertaque fabellis potissimum Atellanis sunt.

Der von Schlegel gebrauchte griechische Text aus der Poetik des Aristoteles weicht von dem heute geläufigen ab: γενομένη γοῦν ἀπ' ἀρχῆς αὐτοσχεδιαστικῆς καὶ αὕτη καὶ ἡ κωμῳδία dessen Übersetzung lautet: „Jedenfalls stammt diese [die Tragödie] wie auch die Komödie ab von

einem stegreifartigen Anfang." Der von Schlegel gebrachte Text müßte
übersetzt werden: Es stammen also als stegreifartig von [einem] Anfang
[die Tragödie] selbst und die Komödie."
Zu dem Livius Text: Es handelt sich um die Anfänge der ludi scenici,
theatralische Schauspiele oder Komödien. Sie stammen aus Etrurien. Über
die ersten etruskischen Schauspieler heißt es: Übers.: Später begann die
[römische] Jugend sie (i. e. die etruskischen Schauspieler) nachzuahmen,
indem sie zugleich in plumpen [kunstlosen] Versen untereinander Späße
[Scherze] dichteten; hernach: die Jugend [hier eine Textlücke: zwischen
iuventus und ipsa fehlt: histrionibus fabellarum actu relicto] überließ
den Schauspielern der kleinen Schauspiele die Vorstellung und begann
selbst unter sich nach alter Sitte Späße, die in Verse gekleidet waren,
öffentlich vorzutragen, die darauf später Nachspiele scherzhafter Art genannt wurden und hauptsächlich mit den Atellanischen Schauspielen verknüpft wurden. Anm. d. Hg.

26   Hunc socci cepere pedem, grandesque cothurni,
            Alternis aptum sermonibus, et populares
            Vinventem strepitus, et natum rebus agendis.

Diese von Schlegel zitierten Verse des Horaz übersetzt Wieland, *Hora-
cens Briefe,* Wien und Prag: Franz Haas, 1801:

            [... Mit dem raschen Jambus
            bewaffnet die Wut den zürnenden
            Archilochus:] doch später wurde dieser Fuß
            sowohl der milderen Socke, als dem hohen
            Cothurn den Schauspiel-Musen angepaßt.
            Man fand, er schicke sich zum Dialog
            am besten, sei zur Handlung wie gemacht,
            und übertöne leichter als ein andrer
            das Volksgetös' im hallenden Theater. Anm. d. Hg.

Über Shakespeares Romeo und Julia

1 Luigi da Porto (nicht Porta wie bei Schlegel) lebte von 1485–1528. Novellendichter, schrieb die Novelle „Romeo und Julia".

2 Dies ist sie nämlich, insofern ihr keine wahre Geschichte zum Grunde
  liegt. Gerolamo della Corte trägt sie umständlich als eine solche in seinen
  Annalen von Verona unter der Regierung des Bartolomeo della Scala
  vor, behauptet auch das Grabmal der beiden Liebenden (oder was man
  ihm dafür ausgab) häufig gesehen zu haben. Man fällt natürlich auf den
  Gedanken, daß die Novellendichter eine so wunderbare Begebenheit von
  dem Geschichtsschreiber werden entlehnt haben, weil der entgegengesetzte
  Fall bei diesem gar zu wenig Urteil verraten würde. Dennoch scheint es
  hier wirklich so gegangen zu sein; denn Gerolamo della Corte, dem der
  gelehrte Maffei überhaupt nicht das beste Lob erteilt, hat die Geschichte
  von Verona bis auf das Jahr 1560 geführt; die Novelle von Luigi da
  Porta ist dagegen schon früh in der ersten Hälfte des sechzehnten Jahr-

hunderts erschienen, und ein älteres historisches Zeugnis wird sich schwerlich finden. Es fehlt an Quellen für die veronesische Geschichte, besonders in dem Zeitraum, wo das Haus della Scala herrschte. Muratori klagt (Script. rer. Italic, vol viii), daß er nichts als eine kurze Chronik von Parisius de Cereta habe auftreiben können. In der Fortsetzung dieser Chronik durch einen Ungenannten wird nicht nur von der Geschichte Romeos und Juliens (dies wäre bei der großen Kürze des Berichtes nicht zu verwundern), sondern auch von den Streitigkeiten der Montecchi und Cappelletti nichts erwähnt. Was aber die historische Authentizität noch weit verdächtiger macht, ist ein negatives Zeugnis des Dante. Bartolomeo regierte vom Jahr 1301 bis 1304; Dante kam entweder in dem letztgenannten Jahre oder nach anderen Angaben im Jahre 1308 nach Verona und lebte daselbst beträchtliche Zeit, von Alboino, besonders aber von Cangrande, den Brüdern und Nachfolgern des Bartolomeo, begünstigt. Das traurige Schicksal jener Liebenden hätte also noch in sehr frischem Andenken sein müssen und wäre gewiß, wie die Geschichte der Francesca, von ihm auf eine oder die andere Art in sein Gedicht eingeflochten worden, wenn es historischen Grund hätte. Dante kennt auch die beiden Geschlechter, aber er nennt sie gemeinschaftlich als Freunde, wenigstens beide als ghibellinisch gesinnt, in seiner Ermahnung an Kaiser Albrecht, sich Italiens anzunehmen. *Purg.* C. VI

> Vieni a verder Montecchi e Cappelletti,
> Monaldi e Filippeschi, uom senza cura;
> Color gia tristi, e costor con sospetti.
> Die Filippeschi und Monaldi zagen,
> Sorgloser! komm und sieh, schon unterdrückt,
> Die Cappelletti und Montecchi klagen.

(Die Namen der Familien sind in der veränderten englischen Schreibung, Capulet und Montague, unverkennbar. So viel ich weiß, ist diese Stelle von niemanden bemerkt, noch gegen die angebliche Feindschaft und somit gegen die Echtheit der Geschichte angeführt worden.)

3 Bandello, Matteo (1485–1561), italienischer Novellendichter. Sein literarisches Vorbild war Masuccio Salernitano. Seine insgesamt 214 Novellen (vier Bücher) wurden 1554 in Lucca gedruckt und boten Anregungen, die von Shakespeare, Lope de Vega, später D'Annunzio aufgegriffen und fortgebildet wurden. Nach dem *Decamerone* ist sein Werk das bekannteste italienische Novellenwerk. Das Schema des *Decamerone*, die Rahmenerzählung, ist aufgegeben, so daß bei Bandello jede Novelle selbständig wirken kann. Boisteau und François de Belleforest (1530–1583) übersetzten die dramatischen Erzählungen 1559 ins Französische. Der von Marguerite de Navarre erzogene und protegierte Belleforest schrieb *Histoires prodigieuses extraites de plusieurs fameux auteurs* (1580) Anm. d. Hg.

4 Statt der Übersetzung steht noch 1797 und 1801 der folgende englische Text: His genius, like richest alchymy,
     has chang'd to beauty and to worthiness

Auch hier hat Schlegel den Text Shakespeares (vgl. *Julius Caesar*, I, 3, 159–160) für seine Zwecke verändert:

> His countenance, like richest alchemy,
> will change to virtue and to worthiness   Anm. d. Hg.

5 Garrick, David (1717–79), Schüler Samuel Johnsons, Dramatiker, Schauspieler. Seinen Ruf begründete er 1741 mit der Rolle Richards III. Autor hauptsächlich von Farcen wie *The Lying Valet* (1741), *Miss in her Teens* (1747), *The Irish Widow* (1772) u. a. m. Anm. d. Hg.

Briefe über Poesie, Silbenmaß und Sprache

1 Noverre, Jean-Georges (1727–1810) löste um 1750 das Ballett von der Oper ab und gab ihm ein selbständiges dramatisch-tänzerisches Gepräge. Anm. d. Hg.

2 Ibn Arabschah. S. Jones *de poes. Asiat.* im ersten Kapitel.

3 Klopstock und Bach. Das Lied heißt, wo ich nicht irre, Aëdon.

4 S. „Lettre sur l'homme et ses rapports" in den *Oeuvres philosophiques* de M. F. Hemsterhuys. T. 1. vorzüglich p. 182–190.

5 Moritz, Karl Philipp (1756–1793). Schlegel meint hier Moritz' theoretische Schrift *Versuch einer deutschen Prosodie* (1786). Anm. d. Hg.

Betrachtungen über Metrik

1 Diese Ausführungen Schlegels sind besonders aufschlußreich im Hinblick auf die späteren, hauptsächlich von den französischen Dichtern um die Mitte des 19. Jahrhunderts aufgestellten und angedeuteten Theorien der Synästhesie. Man vergleiche z. B. Rimbauds Gedicht „Les Voyelles". Anm. d. Hg.

2 Dionysios Thrax (etwa 170–90 v. Chr.), griech. Grammatiker, der in seiner τέχνη γραμματική alle Lehren der früheren Grammatiker gemeinverständlich zusammenstellte. Er beherrschte und beeinflußte fast alle grammatischen Studien bis zur Renaissance. Anm. d. Hg.

3 Aristarche ist der Name für große Gelehrte, die bekannter sein sollten, als sie es sind, so z. B. Aristarchos von Samothrake (217–145 v. Chr.), der die Bildung der grammatischen Terminologie abschloß, die dann von den Griechen auf spätere Völker überging und bei ihnen noch heute gilt. Anm. d. Hg.

4 Berühmter attischer Redner und Logograph (436–338 v. Chr.), der eine weit über Athen hinaus bekannte rhetorische Schule gründete. Anm. d. Hg.

5 Dies ist die Anfangszeile der *Ilias*. Anm. d. Hg.

6 Pyrrhichius ist ein zweiteiliger antiker, aus zwei Kürzen bestehender Versfuß: ◡◡. Anm. d. Hg.

7 Molossus (nach den Molossern in Ephesus), ein seltener aus drei Längen bestehender antiker Vers: –––. Anm. d. Hg.

8 Tribrachys ist ein aus drei Kürzen bestehender und als Auflösung des Jambus oder Trochäus dienender antiker Vers: ◡◡◡ oder ◡◡◡. Anm. d. Hg.

9 Amphimaker: dreisilbiger Versfuß: eine von zwei Kürzen umgebene Länge: ◡–◡. Anm. d. Hg.

10 Omphale ist die Gattin des Tmolos und nach dessen Tode Königin von Lydien. Herakles wird zur Strafe für die Ermordung des Iphitos auf Befehl des Zeus von Hermes als Sklave an Omphela verkauft. Während seines einjährigen Dienstes (vgl. Soph. *Trach.*, 252 f.) bei O. verweichlicht Herakles so sehr, daß er Löwenfell und Keule an O. abgibt und sich in Weiberkleidung an den Spinnrocken setzt. Vgl. auch die Opern *Ophale* von A. Destouches (1701) mit dem Text von La Motte und die von G. Ph. Telemann (1724). Anm. d. Hg.

11 Antispast, ein Versfuß, der aus einem Jambus und einem Trochäus besteht: ◡––◡. Anm. d. Hg.

12 Folgende Zeile zum Beispiel ist fehlerhaft:
    Küßt sein friedselig Angesicht –
    – ◡ – – ◡ – ◡ –

13 Hyperkatalektisch wird ein Vers mit überzähliger Silbe im letzten Fuß, besonders bei steigendem Metrum (Anapäst und Jambus) genannt. Anm. d. Hg.

Der Wettstreit der Sprachen

1 Geten: im Altertum ein zum nördlichen Zweig der Thraker gehöriges nomadisierendes Reitervolk an der unteren Donau, wo sie im 1. Jh. v. Chr. ein Reich gründeten; vielleicht Germanen, aber nicht mit den Goten identisch, obwohl diese später auch als Geten bezeichnet wurden. Anm. d. Hg.

2 Betinelli, Saverio (1718–1808), Jesuit, Dichter und Literaturhistoriker, Freund Voltaires; bekannt wegen seiner Kulturgeschichte Italiens *(Il risorgimento d'Italia dopo il mille, 1773)* und den *Lettere di Virgilio* (1757), in denen er Dante zum Thema seiner Kritik macht. Als Dichter schrieb er die *Versi scelti* (1765) und *Tragedie* (1771). Anm. d. Hg.

3 Theophrast (etwa 372–287 v. Chr.), Schüler des Aristoteles und nach dessen Tode Vorsteher der peripatetischen Schule. Schrieb zahlreiche wissenschaftliche, bes. naturwissenschaftliche Werke über Zoologie, Mineralogie, Botanik etc. In seinen im Altertum sehr beliebten *Ethischen Charakteren* gibt er Schilderungen menschlicher Charaktertypen des Prahlers, des Geizigen, Abergläubischen etc. Anm. d. Hg.

4 Die Verse des Sophokles entstammen dem *Oedipus auf Kolonos*, 1221–22; sie müßten aber in Zeile 1221 um das Wort Ἄιδος und um Zeile 1223 ergänzt werden und lauten dann in der Übersetzung:

750198

„wenn sich der Hades dann, doch nicht zur Hochzeit,
sanglos und klanglos und tanzlos sich auftut –
Tod heißt er! – Kommt zuletzt noch."

(Übers. von Roman Woerner, *Dichtung der Antike*, IV, Soph. *Tragödien*)
Anm. d. Hg.

5 Hermesianax von Kolophon schrieb drei Bücher Elegien, von denen noch
hundert Verse erhalten sind. Behandelt die Liebesnöte der Dichter Orpheus, Musaios, Hesiod, Homer, Mimnermos, Antimachos, Alkaion, Ana-
kreon, Sophokles etc. Übers. etwa:

Mimnermos, der den süßen Ton erfand, nachdem er vieles erlitten,
und den Klang (den Hauch), der vom weichen Pentameter ausströmt.

Anm. d. Hg.

6 Der Text entstammt Properz, *Carmina*, I, 20, 37.
Auf der Fahrt der Argonauten ist bei einer Zwischenlandung in Mysien
Hylas, der Geliebte des Herakles, auf Wassersuche gegangen. Wasser-
nymphen verlieben sich in ihn und ziehen ihn zu sich herab. Herakles
sucht Hylas lange Zeit, ehe er weiterfährt. – Aus der Beschreibung des
Ortes, wo Hylas Wasser findet, stammt der Text. Prosaübers. von W.
Albrecht:

und ringsum erhoben sich auf einer bewässerten Wiese Lilien
glänzende, gemischt mit purpurnem Mohn.
Bald pflückte er sie in kindlicher Art mit zartem Nagel (Finger)
und zog die Blumen der vorgenommenen Aufgabe vor,
bald neigte er sich nichtsahnend über die schönen Wellen
und zögert seinen Irrweg durch die schmeichelnden Bilder hinaus.

Anm. d. Hg.

Schreiben an Herrn Buchhändler Reimer

1 Bolingbroke, Henry St. John (1678–1751), Philosoph (Empiriker) und
Staatsmann. Beeinflußte die Franz. Revolution, bes. durch seine *Letters
on the study and use of history*, 2 Bde., 1752. Anm. d. Hg.

2 Holinshed, Raphael (gest. um 1580), englischer Historiker. Sein aus vielen
früheren ähnlichen Werken zusammengeschriebenes Geschichtswerk ist eine
der wichtigsten Quellen Shakespeares. Anm. d. Hg.

P 105.S3
ledl,circ
Sprache und Poetik.

C.2

3 1862 003 907 389
University of Windsor Libraries

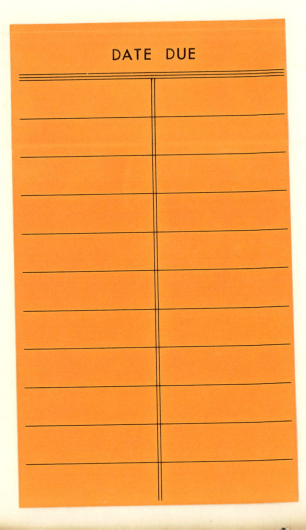